作词：一只烧鱼

作曲：周杰伦《烟花易冷》

一壶酒入了红尘断肠有几人
风沙起侵骨太深白雪入辕门
孤裘微冷铁衣寒身
空锈吴钩化作一盏青灯

小轩窗落花纷纷落地已生根
正梳妆忽见庄生却不见归人
几时听闻杜鹃啼声
闻听古埙闻知谁人在归程

曲深深人空瘦情太狠
烟雨朦看伊人华发生
孤雁落辕门看雪中那孤身
风沙湮埋残戈是此生

曲深深人空瘦情太狠
烟雨朦千帆过暮霭沉
窗前细雨冷守着那盏残灯
梦中冲淡胭脂是泪痕

那战马踏过山崩血洒了边城
杀人剑钝了剑锋折断以镇魂
功名随风碧血如尘
用尽浮生忆你绝世倾城

望孤坟衰草几根颠沛难安稳
再相逢或许来生彼此能相认
恍如幽梦依旧在等
拭泪莫问跪在佛前求飞升

这残生望诸佛盼相逢

谨以此歌敬北凉三十万铁骑，他们不只是征夫，还是丈夫……

谁家女子唤鼋来，共世子游湖观剑，
谁说美人不提剑，笔蛇剑意自然来，
谁言尽是江南好，江南有情叹今朝。
来来来，借尔剑来一千九，满城尽悬北凉刀。
说说说，酌酒闭目英雄好，江湖义气催人老。
唱不尽英雄义利，话不完儿女情肠，
终是无情道意有情禅参，不负如来，不负卿！
我有一禅，说与如来听：
『李子，师父说我没悟性，你也说我笨，
咱们寺里两个禅，我都不修。
你便是我的禅，秀色可参。』

烽火戏诸侯 著

江苏文艺出版社
JIANGSU LITERATURE AND ART
PUBLISHING HOUSE

图书在版编目（CIP）数据

雪中悍刀行. 2，白马出凉州 / 烽火戏诸侯著. —
南京：江苏文艺出版社，2013.11
ISBN 978-7-5399-6686-1

Ⅰ.①雪… Ⅱ.①烽… Ⅲ.①长篇小说－中国－当代
Ⅳ.①I247.5

中国版本图书馆CIP数据核字（2013）第245949号

书　　名　雪中悍刀行2白马出凉州
作　　者　烽火戏诸侯
出版统筹　黄小初　侯　开
选题策划　李文峰　风染白　梁　朕
责任编辑　姚　丽
文字编辑　风染白
责任监制　刘　巍　江伟明
出版发行　凤凰出版传媒股份有限公司
江苏文艺出版社
出版社地址　南京市中央路165号，邮编：210009
出版社网址　http://www.jswenyi.com
经　　销　凤凰出版传媒股份有限公司
印　　刷　北京润田金辉印刷有限公司
开　　本　700×980毫米　1/16
字　　数　250千字
印　　张　18.5
版　　次　2013年11月第1版，2019年4月第5次印刷
标准书号　ISBN 978-7-5399-6686-1
定　　价　28.00元

影视版权抢订热线　13911704013

CONTENTS

目录

CONTENTS

目录

第一章 小师叔踏鹤天象，李淳罡飞剑斩江

齐玄帧说我以剑力证道，不如天道，走错了大道。你却说受了一剑便够了。

我李淳罡要甚天道？！一剑足矣！

遇王则停，能不杀则不杀。这是国士李义山送来的第一个锦囊。

其实，徐凤年本就没有要与青羊宫你死我亡的念头。吴灵素被封为青城王，若真杀了他，别说是徐凤年这个世子殿下，便是徐骁都要被召唤入京，承担天子之怒。徐凤年自嘲是过街老鼠人人喊打，众人却不敢打。那么徐骁大概就是一头过街老虎，连喊打的好汉都少有。赵姑姑说猛虎打盹睁眼便杀人，可没了三十万北凉铁骑，徐凤年还是很担心徐骁会吃亏，尤其是在四面楚歌的京师重地，徐骁顾得上？不仅顾剑棠这个旧怨无数的春秋名将在那里以逸待劳，还有入阁做相的张巨鹿。这位被政敌骂作乾纲独断的张首辅，更是与徐骁在辽东风雷结下新仇，旧恨则是恩师周太傅因徐大柱国抑郁而终。满朝文武，那些个与先前几大高门豪阀有各种联姻的权贵，哪一个在家中没有听烦了亲戚的叫苦叫冤？

一头没了爪牙的年迈老虎，单独入了牢笼，还能杀人？

徐凤年将藏有大凉龙雀剑的红匣交由青鸟，令其将大凉龙雀与三本青羊宫珍贵秘笈一齐放入车厢。世子坐于马上，回望了几眼青羊峰山巅道观飞檐的景象，面无表情，对因为与雀儿离别在即而恋恋不舍的鱼幼薇说道："送雀儿小山楂回去后，你就别再骑马了，去车上待着。"

鱼幼薇魂不守舍，看了看天真烂漫的雀儿，再一脸乞求地望着世子殿下，而徐凤年只是铁石心肠地摇了摇头。

离了青羊峰，徐凤年让小山楂去吕钱塘马上，唤雀儿坐上舒羞的马背。牵马而行的徐凤年抬头看着两个眼角湿润的孩子，微笑道："我就不送你们了，代我跟老孟头刘芦苇秆子孔跛子这些老家伙们告别一声，我与青羊宫的这些神仙说过，你们揭不开锅的时候，可以与他们赊账，都记在我头上便是。不过别成天大鱼大肉的，小心我不替你们还账。到时候雀儿被掳去当道姑，我可是不管的。"

雀儿哭了起来。徐凤年走近几步，看见少女手中紧紧攥着一片树叶，约莫是本想将那首小谣谚吹哨子给他听的。徐凤年笑而不语，用手指翘起鼻子，朝她做了个不符世子勋贵身份的猪头鬼脸，引得小妮子破涕为笑。

抱着雀儿的舒羞一时间神情古怪。

小山楂更男子气概一些，转头揉了揉眼睛，挤出笑脸道："徐凤年，记得早点回来看我们啊，要不然雀儿以后被哪位年轻书生拐骗了去，我可不拦着。”

徐凤年拿绣冬刀鞘敲了敲少年脑袋笑道：“不许乌鸦嘴。”

徐凤年敲完了小山楂，稍稍用力敲在骏马身上，吕钱塘舒羞见机趁势夹了夹马腹，两马四人入了一条密林小道，传来雀儿送别的悠扬哨音，青鸟微笑闭眼，她知道这是世子殿下最拿手的《春神谣》。

徐凤年望着背影，将坐骑交给杨青风驱使，独自坐入一辆跟青羊宫要来的宽敞马车，盘膝而坐，以武当玉柱玄妙口诀，糅合四千言《参同契》，轻缓吐纳，气机遍布全身窍穴。外静内动，一刻不歇。天下武学都是逆水行舟的苦命行当，以北凉王府做例，虽有一座宝山武库。可在徐凤年决心练刀之前，看了那么多上乘秘籍，就用眼睛看出一个高手来了？若练武是这样的一件轻松美事，皇宫大内还不得高手多如狗？

不愿去与老剑神同乘一车的鱼幼薇进了车厢，恰巧看到徐凤年导气于手心，以温热双掌掩耳，手指并拢贴在枕部，食指叠于中指上，食指着力下滑弹击枕部，发出鼓鸣声响。鱼幼薇好奇记下击弹次数，是二十四次。本来打算进行完这黄庭的“鸣天鼓”后去叩齿三十六的徐凤年睁开眼睛，略微不悦地望向鱼幼薇，后者委屈说道：“你不让我骑马，我只好上来。”

徐凤年想到她不愿跟李老头儿相处，便不多说，重新闭目凝神，叩齿咽津静心，将大美人鱼幼薇晾在一边不理不睬。习惯了冷落的鱼幼薇倒是无所谓，兴致勃勃地观察徐凤年的呼吸吐纳，看久了，她便看出一些名堂。眉心由深红入淡紫的徐凤年口吐气鼻吸气，只见他纳气有一，吐气有六。鱼幼薇听不到每次气息出入有声响，却可看到他身体四周仿佛有游风习习。鱼幼薇甚至可以感受到一阵清凉沁入自己肌肤，真是神奇。

徐凤年足足静坐了一个时辰，才睁眼握刀，绣冬春雷微颤不止。看到鱼幼薇瞪大眼睛，徐凤年笑道：“别看了，如果不是你打扰，我能跟老道高僧一般打坐入定一整天。”

鱼幼薇柔声道：“那我去骑马，不耽误世子殿下练功。”

徐凤年哑然失笑，摇头道：“别骑了，再骑马小心你的屁股蛋再不能如羊脂美玉，以后我若是想老汉推车，一看到你那儿粗糙肯定就没了兴致。”

鱼幼薇愤然起身，弯腰准备去骑马，最好把屁股蛋骑没了才罢休。

徐凤年不紧不慢笑道：“别急着下车，我独自吐纳也无趣，不妨跟你说

点这气海导引的诀窍，你若是无事可做闲着无聊，可以学一学，长生不朽是骗人的，但延年益寿肯定不假。武当山这门吐纳的心法，别看口诀朴素，其实大有妙处，是那道门大黄庭修行的地基，融合了古代方士的修昆仑法五宜六法，武当玉柱的祛病延年十六句，以及年轻师叔祖洪洗象瞎琢磨出来的黄庭莲花真经导引术。魏爷爷手中有一本与古书同名却不同道的《参同契》，魏爷爷身为九斗米老真人，也说此书一出龙虎服输。来，我先教你一段口诀，好让你避免风寒邪气侵袭胸口，要知道五脏六腑中，心是君主之官，肺乃相辅之官，可见胸部何等重要，这口诀还要配合十指揉捏，你若顾不过来，我可以帮你。”

鱼幼薇一开始听得入神，可等到才说几句正经言语的徐凤年露出了狐狸尾巴，便有些无奈，但终究没有掀开帘子下车，坐在角落，岔开话题轻声问道：“为什么不带上雀儿小山楂？你忍心他们跟老孟头一样做山贼草寇？”

徐凤年反问道：“不好吗？”

鱼幼薇恼怒道：“徐凤年，你是谁？！你是北凉王嫡长子，是大柱国最宠溺的儿子，你明明可以给两个孩子一份锦绣前程，这种举手之劳对你而言很难吗？你连孩子们眼中的青羊宫神仙都敢杀，为何临到头却如此吝啬？！”

徐凤年按刀而坐，手指轻弹叠于上边的绣冬刀鞘，不动声色，像是觉得鱼幼薇不可理喻，连解释辩驳都懒得。

鱼幼薇涨红了脸，眼神悲凉。

徐凤年还是反问：“你认为两个孩子被我带下山了，比商贾豪富人家的子女更加衣食无忧，就是幸运？不做终日担心米盐却起码可以性命无忧的蟊贼，去做什么？整天跟我一样养鹰斗狗，或者说做点小本买卖，再被北凉王府的仇家盯上，不知哪天便暴毙？鱼幼薇，知道你们这些士族出身的家伙，最让我生厌的地方在哪里吗？正是你们自以为是的忧国忧民都会带着一股书生意气，看似一往无前，问心无愧，可曾问过平民百姓，他们到底需要什么？那场春秋国战，是徐骁挑起的硝烟吗？上阴学宫饱读诗书的纵横家，个个觉得心系天下，要匡扶王道正统，以一国作棋子，到头来死了数百万人，甲士百万，百姓更是数倍，而上阴学宫死了几个？即便你听说了一些书生忠臣投湖跳崖，以死明志。史书上却留下了他们的名字，千古流芳。可如老孟头这些微不足道的百姓，谁会记得他们的死活？你那位身为上阴学宫稷下学士的父亲悲愤作亡国哀诗，说那大凰城上竖降旗，举国无一是男儿。要我来说，什么春秋哀诗榜首，根本就是一堆屁话，什么都是假的，各国皇族死绝是应该，可那些听不到的百姓哭嚎，才是真正的哀诗。你当年与父亲一同被逃难流民裹挟，想必是听到了？可曾记得？我二姐作北凉歌，哪里是在夸徐骁英勇善战？贫寒北凉参差百万户，几人铁衣裹枯骨？这是在骂徐骁！试问帝王将相几抔土？这可是在学你父亲这帮文人士子在歌功颂德？鱼幼薇，知道我为何不杀你吗？我便是要你好好睁大眼睛看着，不光要带你去看江湖，什么才是真正的活着，以后还要带你去北凉边境去看铁甲听铁蹄，让你知道什么才是战争！”

徐凤年顿了顿，平静笑道：“当然，不杀你，还是想欺负你。”

鱼幼薇默不作声。

徐凤年继续吐纳，这门武当倾囊相授的心法异于古人的导引，经过魏叔阳考证后有诸多修改。改一般吐纳的心“呼”为呵，肝“呵”为嘘，改脾“唏”为呼，并且增胆为“嘻”，引气时默念，大有裨益。寻常武者练拳时大声呼喝，并非简单地以声壮势，而是配合内功心法的气机导引，在瞬间爆发出来，只是大多不得要领，做不到匀细绵长行缓圆活，一呼一吸契合天道。当初徐凤年与白发老魁一起上武当，骑牛的在山顶罡风吹拂中一摇一摆只是不倒，年轻师叔祖的模样看似滑稽可笑，摇坠之间，其实妙不可言。武当以外都不信这个捧黄庭的年轻道士可以为玄武扛鼎，徐凤年却是逐渐相信骑牛的说不定真是齐玄帧那种百年一遇的道门仙人。

只不过再神仙，不下山，都是白搭。

龙虎山这几十年的香火兴旺，还是靠那位为老皇帝延命的天师，而不是法力通玄的齐玄帧。

中午在朝阳峰山脚吃了顿野味，鱼幼薇并没下车。徐凤年不奢望这只西楚小猫能被一番浑话驯服，家仇国恨，累加在一起，本就道不同不相为谋的两人，哪里会是徐凤年三言两语就可能化解？何况他也不想着鱼幼薇去做逆来顺受的侍妾，没了野性灵气，就不好玩了。徐凤年刚要去姜泥所在的车厢听书，却听到头顶山林传来一阵炸雷嚎叫，似是蛮荒巨兽临死的吼叫，震得众人一阵头皮发麻。徐凤年对吕杨舒三人吩咐道：“吕钱塘杨青风你们随我上山。舒羞，你去喊上宁峨眉，记得跟上我们。这头在青城山做王两三百年的异兽，不好对付。”

徐凤年掠入山林，身形矫健如山兔。每次脚尖轻轻着地，不见如何发力便可掠出数丈距离。身后吕钱塘和杨青风面面相觑，心生震骇，这可不是普通武夫便能做出的壮举。

当舒羞和大戟宁峨眉见到世子殿下时，却看到诡谲一幕。这一片山林古木悉数折断，鲜血满地，世子殿下脚下是一头不曾见过的巨大野兽。野兽一身锋芒甲刺，已是死亡，肤色由红转黑，腹部被剖开。而一身血迹的世子殿下正低头望着怀中两只才刚刚投胎睁眼的幼兽，一手捧着一头，笑眯眯道：“你们一个叫金刚一个叫菩萨好了。”

徐凤年当时火急火燎地赶到这成年雌夔葬身处，便看到这头青城异兽奄奄一息的凄惨场景。雌夔加上尾巴长达两丈，重量估计最少都有五百斤。这头在山林中无敌的庞然大物的身躯竟是满身伤痕，地上皆是折断的鳞甲，六足似被利器削去了两足，可以得知先前一场大战何等惨烈。徐凤年只见它身受致命重创，却并不瞑目，一时不解。

杨青风是驭兽的行家，不顾规矩地冲刺上前，在虎夔身前跪下，双手在异兽腹部抚摸。徐凤年这才注意到这头将死虎夔的腹部鼓动。杨青风一脸震惊地解释说腹中有幼兽即将诞生，破腹以后是死是活得看天命。

徐凤年二话不说便将短刀春雷交给杨青风，令其以春雷刀锋竭力划开坚硬如铁的巨兽肚皮。那头只剩几息生命的雌夔却仍然艰辛扭头，望向腹部，似乎想要亲眼看到幼儿出世才肯合眼。杨青风从鲜血窟窿里接连捞出两头小兽，一雌一雄，先雌后雄，那便是姐弟了。

徐凤年蹲在地上接过两只小巧玲珑的猩红幼崽，挪了挪，抱到异兽眼前，似乎要让它亲眼见到幼儿活着。那头气息渐弱的成年母夔终于缓缓闭眼。

一头汗水双手还沾着母夔鲜血的杨青风，无比兴奋道：“它们睁眼初见是谁，便会认谁做父母。机会稍纵即逝，殿下切莫马虎。何时睁眼，小的也不敢断言。恳请殿下等到它们初次张目后再松手，这等千载难逢的天道机遇，实在是万金难买！小的若没有猜错，异兽名虎夔，一般都是居于地底黄泉的雄夔每隔五百年破土而出，与母虎交媾而生，史载虎夔虽有雄雌，却往往无法生育，遇水不溺如龙，入山则称王称霸，独活五百年便死。这头虎夔，奇怪了。世子殿下，得之天命啊！”

那对虎夔幼崽开始挣扎扭打，带出母腹的一身鳞甲划伤了徐凤年双手。杨青风神情紧张，提醒这是幼崽张目睁眼的征兆。可重要关头，徐凤年却捧着一对才出生便要孤苦伶仃的幼崽坐在地上，将姐弟幼崽的脑袋对向母夔。幼小崽儿第一眼便看到了倒在血泊中的母夔，十分呆滞，徐凤年双手伤口乱如麻。血不可避免地涂抹在它们身上。姐弟幼崽转身抬头，痴痴望着徐凤年，约莫是那头母夔违逆了天命，遭了天谴，己身毙命不说，两头幼崽也并非赵玉台所说带有一根夔角，徐凤年与它们对视，轻声笑道："小家伙们，第一眼看到的，便是你们娘亲，可别忘了。至于我，不是你们的爹，千真万确，不骗你们！"

手中赤霞大剑拄地的吕钱塘听着世子殿下一本正经的言语，忍住笑意。这位世子殿下，总是城府阴沉，可的确有些时候还是让人讨厌不起来。

杨青风则十分懊恼，幼年异兽睁眼初见仅是死亡的虎夔，而非世子殿下。这等让异兽顺从的罕见天命比各个王朝太祖黄袍加身只差一线，世子殿下怎么就白白送出去了？！只不过当心如刀绞的杨青风看到幼崽伸舌头舔了舔徐凤年掌心鲜血，然后两颗小脑袋心有灵犀般齐齐依偎摩挲着世子殿下的手臂，杨青风这才如释重负，心情略微好受一点。徐凤年站起身给它们一个取名菩萨一个取名金刚，便是舒羞和宁峨眉凑巧撞见的一幕。

徐凤年手中幼崽开始扭动身躯，心情惬意的杨青风笑道："虎夔幼崽比马驹要强壮无数，这会儿大抵可以行走了。殿下可以替它们寻一处水源，清洗一阵，古书上说幼年虎夔需要遇水才灵。方才殿下跃过那条小溪，便不错。水浅，不至于让它们潜水溜走，若是换成江河或者深潭，就有些棘手。"

徐凤年点了点头，说道："吕钱塘，你和宁将军一起埋葬了这头母夔。"

杨青风震惊道："殿下，虎夔鳞甲如果做成了甲胄，刀枪不入水火不侵，比之前那符将红甲半点不差！"

徐凤年眯眼斜瞥了一下忠心耿耿的杨青风，没有说话。杨青风噤若寒蝉，不敢再多说一个字。

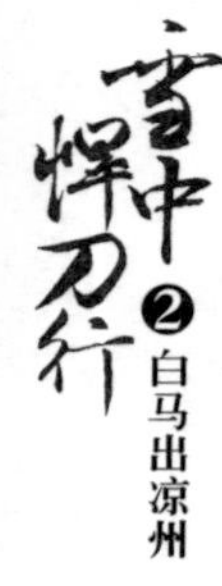

徐凤年捧着它们掠至溪畔，将它们放入水中，两头幼崽没入清澈溪水，在水底如履平地，游玩嬉戏，扑腾出水花无数。两头幼崽离溪畔稍远了，那只体型稍小的姐姐菩萨似乎瞧不见徐凤年，张开嘴咬了一下弟弟。两头幼崽便浮出水面四足划动，朝坐在岸边的徐凤年冲过去，最后它们几乎是踏波而行，跃入世子殿下怀中，蛮劲可怕。徐凤年差点后仰倒地，胸口一阵酸痛，也不在乎这对幼崽天生披甲刺，伸手摸了摸与他关系亲昵的两个淘气家伙，笑脸灿烂。

大戟宁峨眉不明就里，只觉得那对幼兽长相奇特，不似凡物。

舒羞小声询问身边的杨青风，“姓杨的，这对幼崽叫什么？”

杨青风无动于衷，跟木头一般杵在那里。

舒羞妩媚撇嘴道：“小气。”

杨青风只是望向坐在溪畔陪幼夔戏耍的世子殿下背影，想不明白为何白白浪费了全身上下里外都是宝贝的母夔尸体。

舒羞下意识呢喃道：“这个世子殿下，总觉得他对一些不起眼的人和物，要更友善。对我们几个，甚至不如他的坐骑。”

听进耳朵的杨青风冷笑道：“那只是对你而言吧。”

舒羞想起了世子殿下喊自己舒大娘，还有在破旧道观和青羊宫里世子殿下口口声声说要将自己送出去，恼火得要杀人，只是心中激愤闷懑，脸上却娇媚如花，笑里藏刀道：“也不知道是谁刚才被世子殿下一个眼神便吓得三条腿发软。”

杨青风双手雪白十指交叉在胸口。

舒羞讥笑道：“杨青风，你有本事动手，姐姐保证不还手，任你宰割。”

杨青风有怒气，却不动手，只是语调平淡道：“姐姐？难怪世子殿下要称呼你舒大娘。舒大娘都这个岁数了，杨青风可没兴趣宰割，想必眼光挑剔的世子殿下更是如此。”

舒羞生气时总是能够让人没见怒容前，则先见到胸脯微颤的风景。

幼夔已能踉跄行走，虽然围绕着徐凤年奔跑过快时还会跌倒，但哪怕摔得尘土飞扬，依旧安然无恙，摇晃着起身照旧活泼好动。徐凤年见到宁峨眉和吕钱塘走来，便站起身，带着跟在他屁股后头玩耍打闹的姐弟幼夔走回车队。坐在青鸟身边的姜泥看到这对活蹦乱跳的小家伙，愣了愣，老剑神听闻幼夔喧闹声音，掀起帘子，看了一眼，讶异道："灵气之盛，可以并肩当年齐玄帧座下听他讲经说法十几年的黑虎了。"

徐凤年提着幼夔脖子钻入车厢，没有看到鱼幼薇，想必是她不想看到自己，便独自跑去姜泥李老头那边生闷气了。徐凤年摘下绣冬春雷双刀，盘膝坐下，两头幼夔用小脑袋拱他的小腿，徐凤年拍了两下，等它们纳闷着抬头，徐凤年分别指了指两个小家伙，笑道："你叫菩萨，是姐姐。你叫金刚，是弟弟。再说明一下，我叫徐凤年，不是你们爹。好了，我要修习大黄庭，你们别捣乱，否则把你们吊起来打。"

说来奇怪，本来不停闹腾的幼夔在徐凤年坐定修行后，便安静下来，蜷缩在徐凤年脚下，纹丝不动。晚出生一步便只能做弟弟的雄虎夔若是动弹一下，便被体型其实输给它的姐姐咬上一口，它也不敢还嘴。

修习忌讳分心，可不知为何，徐凤年想着这对姐弟幼夔以至于嘴角翘起，并不可以专心一致吐纳，体内气机流转却是比之往常还要流畅。

徐凤年没来由想起当初在山上瀑布后骑牛的一番话，"太上忘情，非是无情，忘情是寂静不动情，好似遗忘，若是记起，便是至情。正所谓言者所以在意，得意而忘一言，道可道非常道，偶尔知道，欲言又止，才算知道。"

徐凤年睁开眼睛，笑骂道："什么玄空大道，总喜欢说得模棱两可莫名其妙，骑牛的，你若真是真武大帝降世，有本事就下武当上龙虎，这个要是太难为你了，那就给我滚去江南！"

徐凤年收敛了笑意，喃喃自语道："见一个女人，比成为那肩扛两道的天下第一都要难吗？"

两大祖庭南北相望。

六百年前，龙虎大兴，武当山几乎香火凋敝殆尽，大半道士逃下山。三百年前，武当反过来力压龙虎，龙虎低头低到不能再低。如今百年，王朝一再抬高龙虎，武当一代不如一代，连王重楼在内的历任掌教都不曾一次进京面圣。

下一百年？

少有人真的认为玄武当兴五百年。

这场暗斗了整整千年的南北之争，是骑牛的以他自己都不知道是个啥东西的天道胜出，还是那个号称龙虎山上悟性第一，武道精进第一，以至于此生有望修为并肩齐玄帧的齐姓小天师？

徐凤年实在是不明白洪洗象的道。

比较斗赢了四大天师压顶代代英才辈出的龙虎山，难道不是下山下江南更容易一些？

徐凤年低头苦涩道："你这可知不可说的道，我这辈子算是不会知道了。你不说，你不做，我大姐怎么知道？光躲在武当山上骑牛，知道你大爷啊！"

武当山掌教王重楼仙逝于小莲花峰。

随着这个消息从北凉向东西南蔓延开去，天下道门轰动。不是说一指断沧澜吗？不是说才修成了大黄庭吗？怎么说登仙就登仙了？要知道此登仙非龙虎山的证道登仙，而是死了，与凡夫俗子一般病死老死，武当山对此更是没有丝毫遮掩，与此同时，世人得知王重楼逝世后，掌教武当山的并非山上德高望重仅次于王重楼的陈繇，不是最年长的丹鼎大家宋知命，也不是剑术超群的哑巴王小屏，而是不到三十岁的武当年轻师叔祖洪洗象，洪洗象是谁？连许多北凉香客都不知姓名，耳目灵敏的，最多只知这位被王掌教器重的小师弟无甚野心，只是做些骑牛散心、注疏经义、筑炉炼丹的琐碎事情。偶尔有士子文豪登山作赋，达官显贵上山烧香，都见不到这个年轻道士的身影。

小莲花峰上龟驮碑，一位在这座峰上长大的青年俊雅道士换了一身装束，云履白袜，以一根尾端刻有太极图案的紫檀木道簪别起发髻，身上宽博长袖的道袍异常崭新尊贵，有两条剑形长带缝于道袍纽扣部位，名莲花慧剑，这是武当特有的装饰，六百年前大真人吕洞玄骑鹤上武当，以仙剑大道创武当两束道袍慧剑，寓意断烦恼斩尘根。对武当而言，在剑道天道俱是天下第一人的吕祖师爷羽化飞升之后，便开始一代不如一代，尤其是近百年，再无巍巍祖庭气象。

年轻道士轻轻跃上龟驮碑，望向被云雾缭绕的上山神道阶梯，小时候上山，那时候他面黄肌瘦，脚力孱弱，武当漫天鹅毛大雪，石阶堆满了厚厚积雪。道士们根本来不及扫雪，于是他便被年迈师父背着，据说大师兄在玄武当兴那块牌坊下等了一天一夜，上山的时候他偷望了几眼大师兄，每次大师兄都会笑脸相迎，像富裕街坊家里一座刚好暖和却不烫手的火炉，他清晰记得那会儿大师兄才只是两鬓霜白，等他长大，便悄然与师父一般满头银霜了。大师兄的确不太像是个武当掌教，劈柴烧火腌菜做饭盖房扫雪，样样去做，他的好脾气，都是从大师兄那里学来的，所以大师兄说他是武当未来百年的希望，他虽然胆小怕事，可终究没有逃避，与二师兄陈繇习道德戒律，与三师兄宋知命请教丹鼎学说，与四师兄一同研究玉柱心法，看五师兄练剑，至于天道是何物，师兄们皓首穷经都没得出个所以然，所以他不着急，一直觉得只要在山上待着，总有一天会悟透。十四岁时骑牛，遇见了那一袭红衣，念念不忘，耽误了功课，大师兄并未责骂，后来再见她时，她说要去江南，再不相见了，他壮了胆子跟大师兄说要下山，大师兄问他还回不回来了，他没说，他从不说谎。可大师兄依然不生气，只是说小师弟等会儿，等大师兄修成了大黄庭，你便下山去好了，当年师父要你做天下第一才准下山，是骗你的。这么大年纪的小伙子了，总待在山上跟一帮糟老头厮混，的确不像话呀。后来他便捺着性子等到了大师兄修成大黄庭，只是出关时，他自己却退缩了，次次走到玄武当兴的牌坊，抬头望着吕洞玄以剑写就的四个大字，都默默转身上山。最后大师兄舍了一身大黄庭，自知将死，在小莲花峰山崖边上，揉着他的脑袋，笑着说掌教由二师弟来做好了，你下山去，不去大师兄就踢你下去，玄武当兴什么的，顺其自然便好，哪有让你扛这个担子的破道理，大师兄临死才想明白一个道理：天高不算高，人心比天高。道大不算大，人情比道大。我辈修道无非修心。

二师兄陈繇不知何时来到峰顶，轻声笑道：“掌教，以后再看禁书，就正大光明一些。”

站在龟趺碑上的新任武当掌教回头，蹲下身，苦着脸问道：“二师兄，大师兄本意是让你做掌教的，你恼不恼我？”

老道人陈繇哈哈笑道：“让我来做武当掌教？亏大师兄想得出来！明摆着打架打不过龙虎山四位天师，吵架更是吵不过那个白莲先生，这不给武当丢脸吗？别说我，你去问问宋知命俞兴瑞，谁乐意做掌教？若是跟五师弟说这个，看你的小王师兄不拿剑劈你！”

蹲在石碑上的小师弟揉了揉脸颊，叹气道：“二师兄，打架吵架，我好

像也不太在行。”

一向不苟言笑的陈繇开怀打趣道：“师父当年说过，我们五个加起来都不顶你一个。再说了，咱们武当也没想着要跟人打闹，一朝国师也好，羽衣卿相也罢，武当自立祖庭以来，便对这个不感兴趣。千年来，龙虎山削尖了脑袋要去京城，咱们可是次次拒绝入京。祖师爷吕洞玄早就把话说明白了，天地间俗气阴气最重地，都是皇宫，去不得去不得。虽说如今山上香火可怜，可总饿不死谁，山清水秀，人人相亲，那些个小道童见着你这位师叔祖，有些甚至得喊你太师叔祖，可他们何时是在怕你？只是敬你而已，谁不乐意帮着你放牛？这搁在龙虎山，可见不着。那边天师府是天师府，龙虎山是龙虎山，泾渭分明，不如我们武当山和气。大师兄私下说山下的道理是和气生财，山上嘛，和气生道。我觉得大师兄修为高是高，可道理打小便总是说不过我，但这句话，我觉得在理。”

年轻掌教担心道：“不知道下山游历的小王师兄的剑道如何了？可别真去了吴家剑冢或者龙虎山打打杀杀，唉，小王师兄的剑，过于不求剑招而求神意了。”

陈繇宽慰道：“五师弟剑道天赋造诣都是山上第一，救人比不得大师兄，伤敌却要比大师兄还厉害，临行前你又给了他《参同契》，相信五师弟只要肯花点心思由道转术，定会大有裨益。”

再不宜被武当山小辈道士称作师叔祖的洪洗象尴尬道：“我那本《参同契》是瞎写出来的。”

这一刻，山中暮鼓响起，雾霭灵犀般散去，大小莲花峰风景尽收眼底。

洪洗象站起身，眺望而去，怔怔出神。

陈繇微笑道：“喊你掌教又何妨，喊你便不是我们的小师弟了？大师兄去世又何妨，武当山便要塌了？玄武当兴五百年兴不起又何妨，你便不是洪洗象了？师父当年带你上山，自然存了由你担起兴盛武当的念头，可更多只是希望你能逍遥自在，大师兄更是如此，小师弟这些年倒骑青牛，牛角挂书，神仙一般无忧无虑，我们这帮老家伙看着羡慕哪。一日一卦，次次愁眉苦脸，我们偷偷看着也欢喜。因此下山不下山，我们都不在乎。”

陈繇的规矩，宋知命的丹鼎，俞兴瑞的玉柱，王小屏的剑意。还有大师兄的习武更修道。

过了玄武当兴牌坊，山上人人相亲。

这便是洪洗象的家。

骑牛看书读书，炼丹只是解乏，八步赶蝉只为那一张蜘蛛网。山巅随罡风而动，只是想看清山外的风光。与黄鹤喂食说话，只是觉得好玩。

这就是他的道。

我不求道，道自然来。

武当历史上最年轻的掌教没有言语，只是长呼出一口气。

踏出一步。

这一步远达十丈。

直接踏出了龟驮碑，踏出了小莲花峰。

武当七十二峰朝大顶。

七十二峰云雾翻滚，一齐涌向小莲花。

洪洗象踩在一只黄鹤背上，扶摇上了青天。

陈繇抬头望着异象，喃喃道："师父，大师兄，你们真应该看看，小师弟一步入天象了。"

出青城山，徐凤年雇佣了四条大船，沿燕子江而下。

这一滩水势极为湍急，两岸高山对峙，悬崖峭壁，水面最窄处不过五十丈，凶险仅次于那相传有道教圣人倒骑青牛而过的夔门关，这一段水路峡中有峡大峡套小峡，滩中有滩大滩吞小滩。徐凤年一身白袍，站于船头，对一旁抱着武媚娘的鱼幼薇笑道："我们方才经过的是书滩和剑滩，是武当祖师爷吕洞玄藏天书与古剑的地方，别以为那就是险峻了，接下来的峒岭峡才是险地。我们的四艘大船已是极致，再大些，别管是有多熟悉水势的船夫，都会触礁沉船。当年我和老黄吓得半死，我还晕船，吐了老黄一身。所以这边渔民都说书滩剑滩不算滩，峒岭才是鬼门关，等下船身摇晃得厉害，你就别站在这里了。"

鱼幼薇望着前方景象，有些脸色发白，刚想转身，却瞪大眼睛，只见一叶扁舟似乎在逆流而行。

直冲为首那艘有大戟宁峨眉坐镇的大船！

一位青衫文士模样的年轻男子手持竹竿。

青衫青年双手持竿，插入水面，脚下小舟后端翘起。

与此同时，插入大船底下的竹竿被这名俊雅男子挑起。

一根乌青竹竿弯曲出一条半月弧度。

那一端，小舟屹立不倒。

这一端，大船竟然被竹竿给掀翻成底朝天！

这位青衫客是龙王老爷不成？

其余三艘船上的船夫们吓得胆魄都碎了。

江上一竿惊天地泣鬼神。

那青衫男子脚下小舟重新砸回水面，顺流直下，飘然而逝。

徐凤年瞪大眼睛，自言自语道："这技术活儿忒霸道了。"

青衫龙王一竿拦江，使得船仰马翻人坠水。一时间江面喧闹非凡，许多凤字营兵卒不谙水性，加上礁石突兀，几个浮沉就要溺水身亡。宁峨眉一手提起一名甲士，另一手竟然拖起了他的坐骑。那头通体乌黑的高头骏马，被这位耍大戟的武将硬生生托到船板上。救了人马，宁峨眉立即跃入水中。他的卜字铁戟是义父遗物，便是溺死都要捞出来。当时青衫青年浮舟而至，以竹竿掀起波澜。只因他当时手中没有大戟，否则那名古怪刺客也不会轻易得逞。

徐凤年在宁峨眉破水而出时便抽出绣冬刀，劈开大船栏杆作十数截，纷纷踢入燕子江水，身形飘下，踩着一截木栏，弯腰抓起一名北凉甲士，丢回大船。与此同时，吕、杨、舒三人以及青鸟都飞鸿踏雪一般刺入江水，各自救人救马。剩余三船的船夫伙计只看到江面上一个个身影蜻蜓点水，看得目瞪口呆。船夫们本以为这帮渡江武卒只是精悍，不承想竟然还隐藏众多神仙高手。尤其是那位身穿白袍玉带的英俊公子哥，腰挎双刀，却不是做花哨样子，若说那乘一叶扁舟飘然来至潇洒而去的青衫客是化为人形的燕子江龙王爷，那这位公子哥就是一条过江白龙了，说不尽的飘渺风采。

徐凤年四五个来回，吐一纳六，气息绵长，并不疲倦，脚踏被他绣冬砍断的一段栏杆，望向即将到来的峒岭鬼门关，有些头疼。落江人马已经被救得十之八九，只是仍有两人就要撞上鬼门关礁石，来不及出手相救。行船操舟，素来不惮风涛，而畏礁石，两匹北凉战马撞上暗礁，砰然作响，砸出一摊血迹，瞬间卷荡一空，徐凤年脚尖一点栏杆，飘向一座礁石，再掠出，只是一人即将撞上礁石，徐凤年回头一望，船头宁峨眉刚救回一名袍泽，手持大戟，满眼忧愁。

徐凤年灵光乍现，大声喊道："宁峨眉，丢出大戟，助我一臂！"

宁峨眉右脚后撤一步，怒喝一声，掷出重达八十斤的大铁戟，直刺最前方即将触礁的一名兵士。徐凤年握住大戟，趁势而飞，于千钧一发之际接连抓起水中那名凤字营轻骑，大戟轰然钉入礁石。徐凤年将手中轻骑放在礁石上，一掠再掠，终于救下最后一名溺水轻骑，一同坐在出水礁石上。江水轰鸣溅射，徐凤年一身华贵衣襟湿透，眉心红枣印记熠熠煌煌。那名死里逃生的凤字营轻骑拼命咳嗽，抬头望着面无表情的世子殿下，有些茫然，被这位在北凉传言草菅人命的世子殿下给救了命？

大船飘下，宁峨眉依次拔出礁石大戟，拉上北凉袍泽。徐凤年扶着失魂落魄的轻骑甲士跃上船头。凤字营正尉袁猛神情复杂，不仅是他，许多轻骑都是呆若木鸡，徐凤年不理会他们，只是吩咐道："宁将军，清点人马数目。谁失了战马，记罪在身，以后将功补过。"

宁峨眉抱拳沉声道："遵命！"

连袁猛都不由自主低头诺声道："末将听令！"

湿漉漉的徐凤年入了船舱屋内，青鸟服侍他换上一身衣衫。徐凤年皱眉道："所幸书剑滩还好，大多是明礁，若是再到了下边鬼门关，枯水时暗礁如石林，航道更是狭窄，恐怕就要坠水几人便伤亡几人。那青衫男子何方神圣，一竿便能掀翻大船，已经不是膂力如虎可以形容，巧劲更是骇人，分明是暗藏了上乘剑术。姑姑在青城山上给了我一本专门讲述如何破解吴家枯剑的剑法心得，我瞅着那手持竹竿的家伙这一式，有点像吴家剑冢里的'挑山'，难不成是这一代剑冠吴六鼎？"

青鸟一手握发，一手持象牙梳，细心梳理着徐凤年头发，柔声道："且不说那人是不是吴六鼎，公子救人的手法，很是赏心悦目。船上连同宁峨眉袁猛，方才都在为公子大声喝彩，尤其是那一趟握戟而飞，连奴婢都要赞叹。"

徐凤年低头看了看通红的手心，自嘲道："比起一竿掀船，我的道行差远了。除非老剑神李淳罡肯出手，否则谁都拦不下那可能是吴六鼎的家伙。我只能眼睁睁看他乘舟而去，恼火。不过说实话，这一招不管是不是剑冢的挑山，因为有姑姑的四十年习剑心得感悟珠玉在前，再加上武当山骑牛的传授了一套拳法，里头有一句‘山重随它重，我以一两拨万斤’的口诀，我刚才看着都有些触类旁通，所以这倒是好事。不过我也得抓紧时间让吕钱塘陪我练刀了。”

经此一劫，峒岭峡更显奇峰突兀怪石嶙峋，江面狭小，迂回曲折，气势峥嵘。仅剩三船身处其中，一次次与礁石擦身而过，惊心动魄。

徐凤年重新站到船头，两头幼夔就在他脚边追赶玩耍。羊皮裘老头儿不知何时来到徐凤年身后，嘻笑道：“小子，拿捏人心有些火候啊，若非老夫知道那青衫剑士不是你的人，说不定要怀疑这是你的刻意安排了。”

徐凤年没好气道：“我可没那么大手笔。”

徐凤年追问道：“他果然用剑？”

老一辈剑神点头道：“用不用剑，老夫岂会不知。吴家剑冢出来的，身上有着一股枯剑独有的迂腐味道。只不过这名年轻剑士，走了条吴家剑冢不乐意走的剑道，将来成就要比前几代剑魁更高，前提是他过得了东越剑池和邓太阿那两关。过去了，由指玄入天象便不难了，过不去，枯剑就是真的枯剑了。那一招挑山如何？被吓倒了吗？要不老夫教你一手倒海？你两柄刀挎着不累啊，借老夫一把如何？借了，老夫立马让你见识见识一剑大江逆流的景象。”

徐凤年冷笑道：“休想。”

老头儿掏了掏耳屎，撇嘴道：“这般胆小，如何成大事。”

徐凤年自顾自说道：“吴六鼎这一竿，图什么？”

李淳罡不耐烦道：“小子你是笨还是蠢啊，行走江湖，不就图挣个名头？要不然王仙芝会自称天下第二？邓太阿会拎桃花枝作妖作怪？有了名头，再与人对战，便名正言顺了。否则谁愿意搭理一个无名小卒？老夫年轻的时候，不管对上谁都来一通砍瓜切菜，不也就是意气用事，要争口气？后来年纪大了，才少了争强斗胜的心思。齐玄帧这个牛鼻子老道着实可恶，因为与他论剑说道，害得老夫心境大乱，不仅没能一脚踏入陆地神仙境界，连天象境都悬了。后来我被人断去一臂，又镇压在听潮亭下二十年，才因祸得福，重返天象。小子，以后对老夫客气些，天象境的高人，数来数去，才就十来个，一双手而已。”

徐凤年伸出手臂，由雪白矛隼落在臂上，拿下小竹筒，抽出密信，一脸愕然。

李老头儿才说自己是屈指可数的天象高手，这会儿便没啥风范地歪头偷窥，徐凤年倒不计较。李淳罡跟着一愣，随即啧啧道："王重楼丢给你大黄庭，是损命勾当赔本买卖，这个老夫早有预料。只是那叫洪洗象的新任掌教，连金刚指玄两境四重都瞧不上眼，一步便是天象啦？小子，你别跟老夫打马虎眼，透个底，这事儿可信？"

徐凤年感慨道："换作别人，打死不信。可是骑牛的，我却相信。"

李淳罡望向江面，神情恍惚道："这可不就是齐玄帧当年做的事情吗？二十年修为寸步不进，一悟便天象，再十年，就是陆地神仙了。"

徐凤年将密信丢入江水，笑道："不管什么天象什么陆地神仙，我练我的刀。"

老头儿揉着耳垂，嘲讽道："练刀？不说那位武当小掌教一步入天象，就说眼前吴六鼎的一竿挑山，也是你能比的？还有心思练刀？练个屁，就这样的修行速度，你一辈子都只能在这些天纵之才的屁股后头吃灰，身为人屠与王妃的儿子，不嫌丢人？"

徐凤年平静笑道："有什么丢人的，刀是自己手中刀，便是一塌糊涂，只要出力了，都没什么好抱怨的。徐骁何尝是顶尖的武道高手？不也一样攒下了这份家业。我二姐恼我练刀，那是怕我走火入魔，怕我为了练刀连家都不要了。只是有些事情，不是纸上谈兵就能谈下江山的，上阴学宫就是最好的例子，口舌之快，那只能是智者与智者的角力，一旦碰上匹夫莽汉，还得靠拳头和刀剑说道理。天下有学问的人少，有大学问的就更少了。"

老剑神笑眯眯道："有些道理，老夫也不喜欢儒士动嘴。当年齐玄帧就有这个臭脾气，只不过他是常理之外的怪胎，既能说理说得天花乱坠，也能斩妖除魔做卫道真人。若他没些手段，谁乐意听他去讲大道理。"

脚背上趴着两只跑累了在打盹的顽劣小虎夔，徐凤年弯腰蹲下，伸手抚摸两头幼崽。

老剑神突然不说话了。

徐凤年站起身，连带着幼夔都被惊醒，继续在船头欢快蹦跳，好奇问道："老前辈，你当真能飞剑？"

老头儿依旧只是抬头望向崖壁，没有回答。

峒岭尽头，两崖壁齐如刀削，相距不足十丈，形如门户，只许一船通行。那便是最后一道鬼门关了，山岩上刻有“鬼哭雄关”四个大字，是武当山乘鹤飞升的大真人吕洞玄以仙剑刻出。说来有趣，吕洞玄并称丹剑诗三仙，诗词歌赋多有流传，墨宝却只留有八字，除了“鬼哭雄关”，再有就是“玄武当兴”，皆是以剑做笔。

出了鬼门关，视野豁然开朗，燕子江、蜀江、沧澜江三江汇流，这里曾是春秋三国战场，自古以来更是有无数英雄豪杰在此大动兵戈。江水由急变缓，江面由窄变宽，由阴间跌入阳间，恍若隔世，让人心旷神怡。

徐凤年看到常年穿一件熏臭羊皮裘的李老头出了鬼门关，依旧转头在看崖壁上“鬼哭雄关”四字，有些黯然。这位江湖上的老一辈剑神，不抠脚丫、挖鼻孔、掏耳屎的时候，才让徐凤年清晰记得他是李淳罡，尤其是此刻驻足凝神的模样，哪怕佩剑被折，手臂被断，也依然是曾经独占剑道鳌头的仙人。

只听老人喃喃道：“老夫年轻时做过许多荒唐事，十六岁入金刚，十九岁入指玄，二十四岁便达天象，被誉为五百年一遇的剑仙大材。初出江湖，便在千万观潮人的注视下，踩踏着广陵潮头过江，二十四岁去东越剑池挑战梅花剑宗吴玮，对那位前辈羞辱至极，害其引颈自尽，三十六岁时自称天下无敌，扬言四大宗师除我之外都是沽名钓誉之辈，便是王绣、酆都绿袍与符将红甲三人联手，也是我一剑的事情，后来我没输给他们，却败给了后辈王仙芝。她离开酆都找到我，这个傻女人，故意让我一剑洞穿胸膛，我自诩‘天下敌手一剑败之，天下女子一指勾之’，到头来，才知道什么叫心疼，所谓心疼，便是你伤了别人，受伤的却是自己。为了救她，我去龙虎山，向齐玄帧讨要续命金丹，只是还没到斩魔台，她便死了，她临终时说她不要活，就是要死在我怀里，若是活了，便又成了陌路，她不愿意。哪怕是那时候，我依然没有胆量说出口，没了她，一剑两剑百剑千万剑，又如何？这鬼门关，是我与她初遇的地方，那时候我已能飞剑，她却只是个还未习武的笨丫头，后来她如何成了酆都绿袍，又是为何成了酆都绿袍，我都不知，只知道此生再不能相见了，荣辱种种，浮沉事事，一舟而下，过眼云烟。我喜欢姜丫头，便是心疼当年的那个她，上莲花顶，下斩魔台，我从齐玄帧那里得知她是我仇人之女，既然不幸遇见了我，杀不了我，便想着死于我手才好。最苦是相思，最远是阴阳。”

徐凤年无言以对，以往剑神李淳罡的种种事迹，都在四十年中模糊不堪。齐玄帧早已白日飞升，王仙芝在武帝城从不出东海，酆都绿袍已死，符将红甲人似乎成了傀儡，有幸亲眼见过老一辈剑神的人即便活着，大多也已是花甲老人。

正应了剑仙吕祖那句古话，睡到二三更时凡荣华皆成幻境，想到一百年后无少长俱是古人。

李淳罡自嘲道：“老夫年少时一心想做吕祖，这倒是跟齐玄帧一般无二，只不过老夫看中的是吕祖的剑，齐玄帧看中的却是吕祖的道，所以老夫喜欢吕祖的飞剑取人头，却被齐玄帧大骂了一通。这牛鼻子老道坐在斩魔台上说什么两人相击，上斩颈项下决肝肺，击剑杀人，飞剑千里又怎样？此庶人下乘剑，末节小技，无异于斗鸡，胜人者有力，自胜者才是得道。你听听，这口气是不是很大？老夫当时心灰意冷，心甘情愿认输，加上亲眼看到这个亦敌亦友的家伙白虹飞升，真正是无话可说，当时觉得莫不是自己真的错了？齐玄帧悟了长生理，步步生莲花，老夫当时原本一脚在天象，一脚已经踏入陆地神仙境的修为却是一退千里，下山后被人斩去一臂，落入指玄境，再不敢说什么有蛟龙处斩蛟龙的狂言屁话。只是这些年在听潮亭下，才想明白了一个浅显道理，嘿，齐玄帧这老顽童是在故意误我啊！”

徐凤年轻轻叹息，大船入大江，不再跌撞摇晃，当年乘船至此，和老黄主仆二人都是大开眼界。许久，老剑神终于回过神，准备转身回去，却看到一路都在晕船呕吐的姜泥走出了船舱，扶着栏杆，脸色依然苍白，只是比起在书剑滩和峒岭关的时候要好很多。比起徐凤年初次乘船的半死不活，两人差不多狼狈。青鸟从二楼船顶轻盈跃下，轻声道：“殿下，掀翻大船的那人就在江心等着我们。”

果然，大船渐行，再度看到一舟一竿的青衫客。

这吴六鼎当真是吃了无数的熊心豹子胆啊！一竿挑衅还不够，难道还要再来三竿全部挑翻才肯罢休？徐凤年睁大眼睛，望着越来越形象清晰的吴家剑冠，这年轻剑士相貌并不出奇，面容古板，一看就是不近人情的孤僻性子，剑冢枯剑，历来如此，后辈剑士若要出山历练，必须要先胜了家族内的

一位老祖宗，不论生死。吴六鼎身材修长，今日不曾带剑，那根乌青竹竿扛在肩上，双手搭着，姿态委实倨傲到了极点。

姜泥忍着难受，连她都能看到那浮舟江上的大胆刺客，船夫都说这人是龙王爷，她却不信，扭头皱眉，看着徐凤年，虚弱问道：“你打不过这人？”

徐凤年哑然失笑，摇头道：“当然打不过。”

姜泥冷笑道：“那你练刀练出了什么？”

徐凤年哈哈笑道：“我也不知道，不过你可以问问李老前辈，他是否练剑第一天就知道自己会成为剑神？”

殊不知李老头儿拆台道：“老夫知道。”

徐凤年翻了个白眼，姜泥心情大好，微笑着，脸颊便悄然浮现出两个酒窝。

徐凤年笑道：“好看。”

姜泥立即板起脸。

徐凤年嬉皮笑脸道：“小泥人，来，再笑个呗，你笑了，我就明知打不过那当世一等一的剑士，也要提刀杀去。这笔买卖多划算，说不定本世子就一去不返了，如果老剑神出手救我，你就一把鼻涕一把眼泪地拉着，如此一来可以保证有十成把握让我战死在江上，咋样？笑一个？”

姜泥的小脑袋晕晕乎乎，晕船让她几乎恨不得跳江，恨死了一意孤行要乘船而下的世子殿下，她很费神费力地去思考这笔买卖，耐不住徐凤年的蛊惑催促，终于千辛万苦挤出一个自认为最无懈可击的僵硬笑脸，徐凤年立即笑骂道：“太难看了，没诚意，本世子不干亏到姥姥家的生意。”

姜泥无奈换了几次笑脸，都不尽如人意，徐凤年故意叹气说：“看来买卖是做不成了，反正船上有大把高手，就不信打不趴那个孤身前来求死的王八蛋，便是龙王爷，也要剥皮抽筋。”

笑了半天，姜泥小脸蛋都僵硬了，结果看到怕死而且奸猾的世子殿下在偷着乐，气得跑上前就要跟徐凤年拼命。徐凤年威胁道：“咬我？小心我让金刚、菩萨咬你啊？！”

胆子其实一直不大的小泥人马上不敢上前了，瞪大眼睛希冀着用眼神剐死徐凤年。徐凤年捧腹大笑，只是笑完，便肃容转身，破天荒双手持刀，准备飘出大船，真要与那持竿的吴六鼎战上一战。

徐凤年脚尖刚要一点冲出船头，一直旁观两个年轻家伙打闹的老剑神袖口一挥，把徐凤年给扯了回来，害得世子殿下一屁股跌坐在船板上，样子滑稽。

姜泥终于会心一笑。

老剑神眼神恍惚，望着一脸懊恼的徐小子，再看向嫣然一笑的姜丫头。

当年江上偶遇，他飞剑横江，吟诗而渡，她便趴在船栏上，如此一模一样的笑脸。

那年，正是最年轻耀眼的剑道天才李淳罡最意气风发的时分，也是那位痴情女子最天真无邪的年纪。

擦肩而过，他只求仙剑大道，并不挂念，她却傻傻地挂念了一生一世。

老剑神默念当年那首诗。

"我当锻就三千锋，一日开匣玉龙嗥。手中气概冰三尺，石上神意蛇一条。"

伸出独臂，老剑神轻声道："徐凤年，借老夫一剑，一剑而已。"

徐凤年愕然。

李淳罡呢喃道："欠了一剑。"

徐凤年一咬牙，抽出绣冬，丢向江面上方，像是要抛给那百丈外的小舟青衫。

面朝姜泥的老剑神望了一眼她，当日说这个徐小子嘴里的小泥人神似北凉王妃，其实不尽然，她更像是那个喜穿绿衫的丫头。

李淳罡笑了一笑，只有沧桑，倒着飘出船头，仰首豪迈大笑道："小绿袍儿，且看李淳罡这一剑。横眉竖立语如雷，燕子江中恶蛟肥。仗剑当空一剑去，一更别我二更回！"

背对扁舟青衫剑冠以及那柄绣冬刀，没了神兵木马牛，更没了年轻时的玉树临风，只剩一臂的老人握住了不是剑的绣冬，转身仅是轻描淡写的一招一剑。

齐玄帧说我以剑力证道，不如天道，走错了大道。你却说受了一剑便够了。

我李淳罡要甚天道？！

一剑足矣！

江面寂静，初始无人看见这一剑的风采，只觉得索然无味。

可那青衫龙王却顾不上小舟，激射远遁。

瞬间。

大江被轰隆隆劈开，直达两百丈。

这般传说中的陆地剑仙一剑，世间真有蛟龙，也要被当场斩杀！

说是一更别离二更回，势可劈江斩龙的一剑去返，其实哪里需要一更时间？

李老头没来由一剑破天象，似乎有重返武道最高境界的迹象，并无任何惊喜，飘摇回到船头，将绣冬丢回给徐凤年，遥望了一眼大江与石崖，似乎解开心结，苦涩地笑了笑，然后默默走入船舱。

观潮习重剑的吕钱塘被这一剑吓傻，终于记起了很久以前曾在广陵江头踩踏潮头而行的逍遥前辈。别说吕钱塘这等壮年剑客，便是弃剑修道已是一把年纪的魏叔阳都忍不住须发张扬，哪有不想学当初李剑神潇洒仗剑走江湖的年轻人？邓太阿是新一代剑神不假，可远不如李淳罡来得震慑人心让人服气，过于半仙半妖，如同离地百万里的天上人物，出道以后出手寥寥，只是与王仙芝和曹官子几人过招，事后才传出一些支离破碎的风声，让人咂摸咀嚼。

可老一辈李剑神却是一剑一剑在江湖上斩出了滔天声望，尤其是与一位位女子的爱恨纠葛，更是让无数后辈浮想联翩心生向往。像九斗米老道士魏叔阳便牢记李淳罡武道巅峰时，有一位爱慕他出尘风采的女诗人痴恋作诗无数，夸赞李淳罡飞剑摧破终南第一峰，说他袖中青蛇胆气粗，更说他三尺气概如吕祖，为天且示不平人。这一切，都过去了，她早已人老珠黄，早已红颜白发，早已葬身孤坟，死前不忘让后人焚尽诗稿。

那个李剑神还在的江湖，有无数的她，成了弱水三千，独独不见他取了哪一瓢。当年江湖的许多人许多事，都跟她们一样，风华不再。

一直天不怕地不怕的舒羞鼻尖渗出汗水，望着江面重新合拢，船身逐渐不再左摇右摆，转望向身边的吕钱塘，颤声问道："这老头原来真是能与齐仙人一较高下的前辈？"

哪怕齐玄帧登仙数十年，哪怕他不是龙虎山道士，所有后人提起，都不敢直呼他的姓名，一概尊称为齐仙人，这便是天象以上的实力。

被那一剑几乎震散魂魄的吕钱塘沉声道：“你还不知道他是谁？”

舒羞虽说年近三十，但不知是精研媚术的缘故，还是天性使然，总有些天真烂漫的少女细节，习惯性娇气嘟嘴道：“我哪里知道，老前辈总不会是邓太阿啊。”

吕钱塘正在懊恼那一剑太过玄妙，竟没有瞧出半点端倪，加上这位东越剑客一直不喜舒羞的做作姿态，于是说话的语气便重了一些，“一介南蛮，不过是井底之蛙！”

舒羞伸手拨了拨耳鬓青丝，侧头娇媚笑道：“哟，东越便不是蛮夷之地了？那老前辈这般了不起，能让咱们的吕剑神如此高看？”

吕钱塘阴沉转头，自己算哪门子剑神？这个从蛮夷南疆跑出来的娘们真想尝尝赤霞剑的锋芒？！

恰巧在两人身边的魏叔阳摇了摇头，并未出声劝解，径直走向世子殿下。徐凤年坐在船头，解开双刀搁在一旁，伸手逗弄着金刚和菩萨，两个小家伙的舌头天生带有钩刺，轻轻一舔，便会在手上带出一阵密密麻麻的划痕。徐凤年熬不住这对姐弟没个尽头的折腾，受轻伤不说，象牙白的绸缎袖口早已变成破条，于是拿起春雷刀，让幼夔金刚四爪抱住，悬空晃悠，看得出来这只雄夔更活泼。魏叔阳总不能站着与坐着的世子殿下说话，盘膝坐定，感慨万分道：“殿下，老道年老有幸阅读武当《参同契》，今天又遇见李老剑神那斩江两百丈的通天本事，此生死而无憾了。”

徐凤年笑道：“魏爷爷，你给说说，李老头这一剑是指玄还是天象？”

魏叔阳摇头道：“约莫有陆地神仙的意味了，老道实在不敢妄言李老剑神。”

徐凤年靠着木墙，玩笑道：“这一剑岂不是就能破甲数百？若是两军对垒，有三四名李老头，率先陷阵砍杀，这仗还怎么打？”

魏叔阳微笑道：“殿下，试问百年江湖，出了几个李剑神？又有几名指玄天象境的高手愿意被军法约束？身陷军伍，可不适合修行。”

徐凤年点点头，“确实，谁能劳驾王仙芝邓太阿去冲锋陷阵。春秋国战，只听说西蜀那位剑法超群的皇叔不惜一死拒敌，硬生生斩杀了六百名铁骑，却再难抗衡接下来的骁骑铁甲，死于弓弩战阵。武夫的江湖，便像是先

前那燕子江，水底是暗礁牙突，水上是群峰竞秀，谁都不耽误谁冒头，至于谁能如吕洞玄一般高不可攀，更是本事。而一切都是为了战争考虑的军伍就成了我们所处的宽广水域，百江千溪万流汇聚，除非是如徐骁这般国战名将成为那孤悬的岛屿，否则任你万般能耐，都要倒在千军万马之下。在徐骁率军践踏江湖之前，武夫军人两相轻，倒也算是分不出高下，如今的江湖确是再没有底气与军队叫板了，龙虎山被加封为整个天下道门的掌教，两禅寺出了个与皇帝陛下以朋友相交的黑衣僧人，才得以挽回释门的颓势，儒释道三教，继续三足鼎立，这三教里的高人都力求出世，偶尔入世，力挽狂澜，惊起漫天风雷，也都速速退隐。徐骁军中，少有附和北凉的江湖人士手执兵符。”

魏叔阳似乎沉浸在老剑神与那一剑的波澜余韵中，有些失神，但看得出来老道士满脸都是开怀，如同稚童得了一串糖葫芦，很简单，没有大道理可言。很难想象以魏叔阳在九斗米道的地位，古稀年纪，还会有这般童心，不管李淳罡形象如何落魄邋遢，魏叔阳只惦念着那三剑，水珠呈线破水甲，小伞作剑仙人跪，再到今日的仙剑，在老道士看来，真真正正当得上袖有青蛇胆气粗的诗句评语。难怪世道一日不曾平，江湖便不平，因为谁都想着去如吕洞玄李淳罡这般遇不平而自太平。

姜泥没把握打赢两头幼年异兽，便觉得原先瞧着痴迷的江景都不太好看了，泄气地回到船舱，看到李老头儿坐在椅子上一言不发，在半睡半醒之间。姜泥拿起一本秘籍，心不在焉地看了会儿，轻声问道：“你是不是打算教他练刀了？”

李淳罡抬起眼皮，笑呵呵道：“教他几招雕虫小技也无妨，老夫给他好脸色，还不是为了你能少受点欺负？还是那句话，只要你肯随老夫练剑，徐小子就是练刀练出花来，你都能杀他。”

姜泥犹豫了一下，岔开话题说道：“你的剑术好像真的很吓人。”

李老头儿哈哈大笑，“姜丫头，以后不说老夫吹牛皮了吧？不过老夫实话实说，方才那一剑，是偶尔得之，天时地利人和都全了，才有这等威力。世上不如意事如牛毛，能与人言的有几句？所以世人出剑百千万，剑仙的仙剑也应当是少到可怜，而且老夫这一剑被江湖上称作剑仙境界不能长存。老夫现在看得很开，不奢望做那陆地神仙了，只想着对你倾囊相授，教你练剑的话，有望教出一名女子剑仙，对老夫的名声也有好处嘛。”

姜泥平淡道：“那你还是教他练刀好了。”

老头儿不以为意，自言自语道：“吕祖有一句诗作警言传与后来学剑人：‘匣中三尺不常鸣，不遇同人誓不传。’老夫深以为然，这一生，遇到的习剑后辈不计其数，不乏悟性根骨都奇绝的练剑天才，可对不上老夫的脾气，你便是邓太阿，都别想学到老夫的两袖青蛇。吴家剑冢舍剑意而求天工剑招，相当瞧不起天下剑招，唯独老夫的绝学，且不说剑意何等冠绝天下，在剑招上同样妙至巅峰，当年可是让吴家那帮半死人都自叹不如……”

姜泥紧皱眉头，重重叹气了一下，放下书瞪眼道：“又来？！”

李淳罡挠了挠别在发髻上的神符匕首，神情略微尴尬，换作舱外任何人，听到他的这番话，还不得当作圣旨来听，可眼前这钻牛角尖的倔丫头，实在是不买老剑神的账啊。李淳罡也不懊恼，拿起桌上一捧山核桃，走出船舱，对于将他奉为龙王差点就要跪拜的船夫，以及吕钱塘等武夫的崇敬，还有一些北凉轻骑的畏惧，一概视而不见。走到徐凤年和魏叔阳跟前，大大咧咧一屁股坐下，伸脚将刚从春雷刀掉落的幼夔从脚边踹远，姐姐菩萨要替弟弟报仇，锋利四爪着地，立即抓出四个小窟窿，屈身吼叫。徐凤年伸手按住这个护短的小家伙，幼年雌夔扭头，很人性化的一脸委屈，徐凤年笑着摇摇头，幼夔灵性十足，小跑去安抚弟弟。

李老剑神纳闷道：“小子踩到狗屎了？哪找来的畜生，不输齐玄帧的黑虎。再过几年，两头就能顶一个一品高手了，可惜你没法子跟它们一样活个两三百年。”

徐凤年更纳闷，问道：“找我有事？”

老头儿将手中山核桃随手丢在船板上，古板说道：“小子，那日清晨在青羊宫看你那三脚猫的刀法，实在是碍眼。你抽出刀身更薄的绣冬刀，照老夫的说法去做。”

徐凤年没有犹豫，坐直身体，写出《千剑草纲》的剑道高人杜思聪当年为求李淳罡指点，冒雪站了三天，徐凤年本就不是端架子的矫情人，立即抽出绣冬刀。绣冬比春雷要更修长更纤薄，以它练刀，很考验刀劲的掌握，差之毫厘刀势便会谬以千里，白狐儿脸后来借他春雷，想必一半是看透了徐凤年故意隐藏的左手刀，还有一半则是春雷更适合霸道重刀。徐凤年有大黄

庭的深厚底子，况且练刀一年也不是白练的，遍览武学秘籍更不是白读的，差不多算是在武道上登堂入室，再来使唤春雷，相得益彰。白狐儿脸用心良苦，等于默认徐草包是他的朋友知己，徐凤年自然倍加珍惜这份难得的友谊。

徐凤年抽出绣冬，见老剑神默不作声，有些茫然，小声问道：“然后呢？”

魏叔阳更是小心翼翼，身边这位可是李老剑神哪。虽说当初李淳罡败给王仙芝，魏叔阳一气之下弃剑入山修道，但在他这一辈人眼中不管现在邓太阿如何厉害如何风光，都不如老一辈李剑神让他们心服口服。你邓太阿打赢了李剑神？打都没打过，何来剑神一说？！

李淳罡打了个哈欠，让徐凤年将刀身悬在一个固定高度上，没耐心道：“小子，你以手指弹刀身，试试看能否弹碎地板上的山核桃。”

徐凤年调整呼吸，眯眼伸指，清脆的叮一声，凝神旁观的魏叔阳便看到绣冬刀身弯出了一个弧度，可惜还差了地面上的山核桃一指距离。徐凤年并不气馁，手指在刀身上轻轻一掠，找准一点，一指弹去，绣冬瞬间弯弧如满月，叮一声，接着砰一下，将一颗山核桃瞬间砸碎，连同船板都敲出了一个印痕。

魏叔阳下意识想要抚须，猛然意识到有李老剑神在场，不敢造次，不过老道士对世子殿下这一手弹刀十分赞赏，别看绣冬刀身单薄，却不是谁都能随意弹出这韧劲的。

李老头儿单手托着腮帮，继续说道：“接下来争取压碎山核桃，但不能在地板上留下痕迹。”

徐凤年微微皱眉，没有急于弹指，而是在绣冬刀身上摩挲，在武当山上为了参悟《绿水亭甲子习剑录》的剑术精髓而去雕刻棋子，徐凤年受益匪浅，让他极早便有意识去掌控刀劲最根源的体内气机流转。击碎山核桃而不对船板造成影响，已经不是简单的在力道上增减的事情，这与剑道高人看似轻松刺出一剑却蕴藏无数繁琐剑招殊途同归，掠刀蓄劲，讲究何时何地炸裂，还要具体到炸开多少，是几斤几两，还是千钧万钧，都是头疼的深奥学问，徐凤年没有弹指，老头儿便始终托着腮帮，好整以暇，两指捏了一颗核桃丢到眼前，轻轻一吸，吸入嘴中，含混不清道：“小子，赶紧的，老夫没时间看你发呆。”

徐凤年泛起苦笑，收敛心神，屈指一弹，弧度依旧饱满，有一种玄妙的美感，核桃碎裂，但地板留下了细微的痕迹。

弹刀数次，皆是如此。

老剑神一脸不屑道：“《千剑草纲》白看了，你就这般听书的？浪费姜丫头的口水。”

徐凤年闭上眼睛，回想当初水珠成剑的一幕。

老头儿起身，拍拍屁股冷笑道：“哪天成了，再叠起两枚核桃，记得是去击碎下边的核桃，船板与上边的核桃都要完好无损。不过老夫估计以你小子的糟糕悟性，别说后者，就是现在这种小事，都悬。做不到，就甭去跟吕钱塘练刀了。”

徐凤年默不作声，苦思冥想，大概是老剑神觉得这家伙的样子实在太像吴家坐剑，越发没有好心情，头也不回地走入船舱。

魏叔阳轻轻离开船头，不让人打扰世子殿下。

枯坐至黄昏，再至月夜。

鱼幼薇深夜去给徐凤年披了一件衣衫。

徐凤年只是指了指满地碎裂的核桃，鱼幼薇立即再拿来一捧，堆放在他眼前。

清晨时分，老头儿睡眼惺忪地来到船头，瞧见徐凤年在学他托着腮帮发呆，走近一瞧，咦？这小子将绣冬换成了春雷？！而他眼前的地板上，叠放着足足三颗核桃？！

江上有数尾红色大鲤跃出水面。

这是大江大河里头常有的景象。

老剑神转身离开，走远了才喃喃自语道：“好小子，鲤鱼跳龙门了，这回走眼了。不过老夫倒要看你接下来十年能跳几次！”

两头幼夔蜷缩酣睡在徐凤年的脚下，憨态可掬，小家伙很好养活，随手丢进江中，它们自己就可以捕食江中鲤鲫，吃饱玩够，再伸出船桨，四爪如钩，很容易就能上船。

正准备起身的徐凤年抬头看到老剑神转身走回。

徐凤年的记性好，好到徐渭熊说他唯一的优点就是记得住东西，一目十

行，几乎过目不忘。武当上任掌教王重楼的大黄庭口诀、骑牛的撰写出来的《参同契》、《绿水亭甲子习剑录》、玉柱心法七八本、杜思聪的《千剑草纲》、紫禁山庄的《杀鲸剑》、青羊宫的三本秘籍，听潮亭内这么多年爬上爬下，早就看得多了，可惜大多属于马虎扫过不上心。

那些姜泥一字一字读过去的，徐凤年边听边悟，记忆尤其深刻。只是他练刀，白发老魁只将这位世子殿下领进门槛就仰天大笑出王府，后来姑姑在青羊宫里提议徐凤年先将先手五十招练至登峰造极，算是指出了一条登山小径，可问题又来了，徐凤年未到二品实力，做不到高屋建瓴评点世上百千武学，读书太过驳杂，反而成了修为上的羁绊，一团糨糊，故步自封。直到李淳罡给出弹刀碎核桃的难题，好似迷雾中撕开了一条细缝，徐凤年对此并不陌生，国士李义山当年传授他纵横十五道，就喜欢拿他新琢磨出的围棋定式让徐凤年去破解。

徐凤年枯坐到清晨，其间成功用绣冬将核桃弹成齑粉，船板依然丝毫不损，甚至顺势一鼓作气叠放核桃都难不住绣冬刀。

李淳罡坐在徐凤年面前，问道："知道剑招和剑意的区别吗？"

徐凤年茫然摇头。

老头儿面无表情道："抽刀。"

徐凤年平放绣冬。

老剑神伸出一指，随手弹在刀身上，不见绣冬如何弯曲，徐凤年身前的三颗核桃便同时炸开。老头轻轻拂袖，又叠起三颗核桃，再弹绣冬，依旧是核桃尽碎，两次动作结果都如出一辙，让徐凤年不知道老剑神葫芦里卖的是什么药。

李淳罡见徐凤年一脸的费解神情，嗤笑道："你试着将春雷放在绣冬之下。"

徐凤年变成双手持刀。

李老头儿再敲绣冬，徐凤年虎口一震，拿不稳春雷，因为春雷刀上有一点如同炸雷，然后蔓延到徐凤年的手上，导致整只手臂都刺痛发麻。徐凤年懂了，这便是剑罡，市井巷陌里的说书先生通常喜欢称作剑气，其实略有不同。李老头儿不给徐凤年缓口气的时间，再敲绣冬，一瞬间春雷几乎脱手，右侧刀锋猛然滑向徐凤年胸膛，只差毫厘，却是老剑神两指捏住了春雷，而绣冬刀始终纹丝不动。徐凤年骇然。这下子算是想破脑袋都想不通了。

李老剑神似乎觉得这小子悟性太差，不骂不舒坦，瞪眼道："你弹绣冬，谁都看得出弯出了一道弧度，外行看着带劲，却是华而不实。老夫来弹，以你的微末道行，看得出绣冬弹了几个来回？看似绣冬不动，就真是不动了？老夫两指，一指剑罡透绣冬，击在春雷上，第二指却是舍罡气求剑招，绣冬刀身其实早已弯曲六次，侧击在春雷刀锋上，这才使得春雷劈向你。上乘剑招，无外乎求快求稳，快如奔雷，稳如五岳，小子，你还嫩得很哪。"

徐凤年疑惑道："那剑罡与剑招，孰强孰弱？"

李老剑神冷笑道："老夫想要以剑罡破敌，那便是剑罡厉害，老夫若是愿意用剑招杀人，自然就是剑招强过天下所有剑罡。"

得，白问了。

徐凤年有些无奈。

李老头儿买卖挺公平，起身道："这两指够不够买你全部的宣纸？"

徐凤年点头道："很够。"

李剑神在船上晃荡了一圈才走回船舱，徐凤年望着老人的背影，忍不住百感交集，有蛟龙处杀蛟龙，非是胡乱吹捧，老人双袖藏青龙，至刚至阳，霸道无匹，飞剑摧塌太华山，更是号称尽得吕洞玄仙剑精髓，这压箱的双袖剑，自然而然比起那一剑仙人跪要威猛百倍，徐凤年原先觉得李淳罡断臂后何来双袖一说，只是现在彻底不敢小觑了。

两指弹绣冬，一指示剑罡，一指示剑术，言语可谓深入浅出，为正在武道岔口上犯迷糊的徐凤年指明了一条羊肠小道，加上覆甲女婢赵玉台的一番话，徐凤年好似顿时出了鬼门关，眼前豁然开朗了。至于何时能至一品境界，甚至摸着金刚境的边缘，徐凤年的确不急，这归功于老黄的潜移默化，言传身教，言语传授往往无益，不如身教。老黄的剑，当然离老剑神李淳罡还有一段距离，可在徐凤年心中，老黄的剑匣与老剑神的木马牛，谁重谁轻，显而易见。

骑马出北凉。

徐凤年终于从徐骁嘴里得知了当年老黄临死面北而坐，对王仙芝到底说了一句什么话。

徐凤年按刀而立，望向浩淼江面，闭眼不断吐纳，气机引导绵绵如江水，配合默念大黄庭口诀，“气回丹方结，壶中生坎离。阴阳生反复，普化一声雷。卦中演妙理，谁道不长生，白虹乘龙直上大罗天……”

一般而言，道教长生修道箴言往往都流于刻意追求玄言妙语，凡夫俗子初读，只觉得妙妙妙中妙，玄玄玄更玄，其实若无得道的真人亲自带路，传授具体的吐纳引气口诀，到头来只是入山不见仙，空手而返，正所谓神仙不肯分明说，迷了千千万万人，便是此理。

徐凤年神游万里时，感应到有人走到身后，这会儿敢上前打扰世子殿下清修的，唯有鱼幼薇了，她捧着武媚娘，柔声道：“不吃点东西？”

徐凤年睁开眼睛，嗯了一声。瞥了一眼鱼幼薇，真是尤物，可惜吕祖早早留诗警戒后人：“二八佳人体似酥，腰肢如剑斩凡夫。虽然不见人头落，暗里教君精神枯。”徐凤年对此十分无奈，他可不是花丛雏儿，从上山练刀到下山，始终能够坐怀不乱，这份定力，可见一斑。

吃饭时，坐在桌上的只有徐凤年老剑神和魏叔阳。

李淳罡啃了一块面饼，记起什么，随口说道：“老夫虽然逼退了那名吴家剑士，可以后再来，他的境界极有可能会更高一层。那一剑，你们这帮笨蛋只是看着热闹，可那家伙却能悟出一些门道，对他剑道的修行大有裨益。”

徐凤年面部僵硬，狠狠咬了一口馒头。

早餐结束，李老剑神在船舱内铺开宣纸，对躲着看书的姜泥笑道：“来，姜丫头，你不学剑便不学，但老夫可以教你练字。”

练字？

姜泥喜欢，否则在北凉王府便不会偷偷拿树枝在地面上鬼画符了。

只是老头儿单手执笔，气态浑然一变，仍是笑眯眯道：“但记住了，我教你练字，你可以看，却不许学！”

姜泥没上心，只是轻淡哦了一声。

徐凤年让青鸟温了一壶黄酒，独坐一处。

那年武帝城头，老黄临终死而不倒，身边便是天下第二的王仙芝，老黄只是面北说了一句：“来，给少爷上酒哪。”

三艘大船由江入湖，八百里春神湖，烟波浩渺，此湖容纳六水，吞吐大江，历来不仅是兵家必争之地，还是骚客游览的胜地，徐凤年站在船头给鱼幼薇讲解春神湖的地理地形，附带了许多当年李义山灌输给他的兵法见解，“春秋以前，南北对峙，无不是争此地作为据点，控春神便可扬帆东下，居高临下，以狮子搏兔之姿抢夺天下。早先北方想要饮马东南，或者南方想要举兵北伐，都要经过八百里春神湖，三城三关三山，素来被兵家瞩目。又以三城为重，襄樊，刑阳，武陵，以天下而言重在襄樊，以东南而言重在刑阳，以本州而言重在武陵。襄樊一直被说作天下腰膂，当初三国乱战于此，西楚旧臣王明阳临危受命，成为襄樊郡守，拒徐骁十万兵甲，死守三年，到后来西楚灭了，西蜀亡了，这个上阴学宫出来的稷下学士依然誓死不降。城中食人，王明阳更是亲手烹杀妻儿，三年后破城，二十万襄樊人只剩下不到一万，成为一座鬼城，据说破城十年后，仍有十数万孤魂野鬼不肯离城，夜夜哀嚎，王朝不得不让龙虎山掌教天师亲赴襄樊，设周天大醮，醮位达到骇人听闻的三万六千五百个，算是前无古人后无来者的壮举。这场攻守战，让王明阳赢得了春秋第一守将的名头，连徐骁都佩服，只是一人功成名就，却拉上了二十万人陪葬，王明阳再过一千年都是个争议人物。”

鱼幼薇胆战心惊道：“我们不会去襄樊吧？”

徐凤年最近一直习惯性用手指虚弹，一天到晚，不知虚弹了几千次，大概是练刀练到走火入魔了，轻声笑道：“本来想去，你若不敢，那我们就直奔武陵。”

鱼幼薇摇了摇头。徐凤年突然听到船尾传来一阵哭爹喊娘的声音，鱼幼薇不凑巧刚听到襄樊十万怨灵的传说，心肝一颤，好不容易意识到这会儿还是身处春神湖船头，一脸自嘲。徐凤年没有理会鱼幼薇，赶到船头，看到一名船夫捧着鲜血淋漓的手臂在地上打滚，两头幼夔通体猩红，对其低沉嘶吼，吕钱塘上前与世子殿下说了一遍经过，鸡毛蒜皮的小事，幼夔嬉闹奔跑，约莫是撞上了船夫，幼夔脾气暴躁，就咬了一口。虎夔是上古凶兽，饥则食人，徐凤年皱了皱眉头，蹲下身，咬人的幼夔金刚似乎感受到了主人的怒意，低头呜咽，肤色立即由红转黑，徐凤年却没有对其娇纵，屈指一弹，将伤人的金刚在船壁上弹出一个窟窿，坠入湖中。姐姐菩萨在窟窿处望着弟弟，可怜兮兮地回头望向徐凤年，貌似在求情，徐凤年冷哼一声，起身道：

“赔些银两给伤者。对了，让凤字营帮忙补牢船板。”

暮色中，春神湖上百舸争流，千帆竞发，一副热闹繁华的景象，越是临近江南鱼米之乡，就越发感受不到故乡北凉的千里旷野寂寥。

今晚一行人会夜宿春神湖心的一座岛屿，名姥山。临近湖中岛屿，徐凤年看到姜泥难得走出船舱站在身边，就解释道：“这山原本不叫姥山，叫监牢山，是西王母禁锢玉帝女儿春神的地方，监牢山四周也不是湖水，只是一座盆地。后来有一名陆地仙人气不过，沿着监牢山一剑画圆，塌陷八百里，这才涌出湖水，久而久之，湖成了春神湖，山成了姥山。至于仙人造湖的说法，自然是一番神怪妄谈。如今姥山上布满庭院楼阁，三教九流齐聚，不仅有权贵宅院，僧道结庐，还有几个亡国遗老在岛上画地为牢，商铺也多，上了岛，你可以挑些入眼的东西。”

姜泥伸出手，徐凤年愣了一下，问道：“什么？”

姜泥生硬道：“银子。”

徐凤年哈哈笑道：“行，这会儿你已经赚了好几百两银子了，你想要拿走多少？不过我好心提醒一声，你报我的名号，谁敢跟你要钱，何苦浪费你辛苦读书挣到手的秘籍。”

姜泥冷笑道：“你当我是你这种巧取豪夺的人吗？”

徐凤年被逗乐，笑眯眯道：“那你到底要多少银子？几百两都取出？或者我干脆赊账给你几千两黄金，如此一来，你读书可以读几辈子。”

姜泥愤愤道：“我只取一两银子！”

徐凤年无奈道：“需要这么小家子气吗？”

姜泥板着脸道：“拿来！”

徐凤年白眼道：“等下跟青鸟要去，本世子从不带这点小钱。”

姜泥径直回到船舱，做贼一般从书箱中小心翼翼拿出一个小账本，上面清楚地记载了读《太玄经》挣了多少文，《千剑草纲》、《杀鲸剑》等等，每一本书何时读何地读，每本读了多少字，都有详细记录，至今她挣了可不止徐凤年所说的几百两，而是一千零七两三十四文钱。整天就是吃喝睡的老剑神踱步进了船舱，正要在积蓄中划去一两银子的姜泥一手提笔，一手遮住账簿，李淳罡对此无可奈何，站远了任由姜泥做完手头上的活儿，这才拎着酒壶坐上桌。倒了酒水在桌上，手指蘸了蘸，等姜泥将账本放回书箱底层，坐于对面，李淳罡才以指做笔，以酒做墨，在桌面上挥洒开来，一笔一画，精神气意充沛盎然，姜泥正襟危坐，看老头儿写字，一气呵成，贯穿首尾，半张桌面，密密麻麻，如鬼门关那乱礁嶙峋。李老头儿写完后望向姜泥，后者一脸平静，老人似乎果真如起始所说不求小丫头学到什么，袖口一抹，重新来过，这回李淳罡有说话，“老夫的狂草，要点有三，首先连绵一贯，再力求千层万楼，最后才是一个无字，无畏，无情，无求，如这酒水，抹去便抹去了，不沾丝毫痕迹。第一点是偷懒不得的功夫，即便是醉时潦倒的草书，细看却无一处一点失笔，皆有规矩，为何？平日功夫做足做细了，一字落笔如挥出一剑一刀，马虎不来，老夫的字素来被誉为奔蛇走虺，观者看字如看剑，利剑锋芒，巍然可畏……”

李淳罡正说到兴起，却瞥见姜丫头在打哈欠，大船一顿，似乎要上岸，一肚子挫败感的老头儿低头一吸，叹息一声，念叨着莫浪费莫浪费，将桌面那些酒水吸入嘴中。姜泥对老头儿这类荒诞行径习以为常，一同走出船舱，看到徐凤年正在与大戟宁峨眉商量事情，好像大半凤字营不会上山，这也在情理之中，且不说一百轻甲士卒住得下与否，这些北凉悍卒本身就过于惹眼。在姜泥思量的时候，李老头儿还在那里自顾自地吹嘘一手字如何出神入化，姜泥左耳进右耳出，双手提起裙摆走下木板，瞥见一头幼夔蹿上岸，嘴中叼着一条肥鲤鱼，似乎在向徐凤年邀功，可徐凤年只是呵斥一声，那小家伙立马趴在地上一动不动，约莫是装死？徐凤年刚要抬脚踢小家伙，袍子被另外一只幼夔轻轻咬住，这才罢休，惩戒算是告一段落。姐弟幼夔可不记仇，欢快地跟在世子殿下身后，看得姜泥一阵心疼，两个小笨蛋，为啥对徐凤年那般温驯。

徐凤年回望春神湖，眼神恍惚，喃喃道：“到了？”

第二章 携初冬坐鼋观剑，春神湖战意喧天

徐凤年不介意他年身穿蟒袍去踏平江湖，他就是要活活气死，吓死，打死那些王八蛋。

在姥山上尽地主之谊的是一位北凉军旧部，在军中战功不显，不承想从商之后就开始飞黄腾达，富甲一州，连那类十世门阀都难以望其项背，曾与州内一位有着皇商背景的人物比拼财力，招来无数骂声，口水堪比半座春神湖。这位当年给徐骁牵马的老卒初看并不显眼，穿着打扮都像是寻常市井人家，更无气焰可言。见到世子殿下后热泪盈眶，跪在渡口平地上，不管徐凤年如何搀扶，都只是伏地泣不成声，让身后妻儿及一干家族成员都看傻了眼。

徐凤年却是知道内幕，这姓王的花甲老人，对徐骁佩服万分不说，对王妃更是打心眼里崇敬，还是北凉军中少数亲眼见过世子殿下年幼拔刀的幸运老卒。说是牵马小卒，徐家对其并不视作下人仆役。

北凉军出来的人，下场走两个极端。要么在底层挣扎，连那点柴米油盐都头疼；要么青云富贵，真正是高不可攀。这与王朝对北凉军的复杂心理有关，夹杂着畏惧嫉妒，诸多排斥，让贴上北凉军标签的人在失去铁骑庇护后都憋着口恶气，好不容易付出更多血汗终于功成名就之后，往往治家、经商、从政都尤为阴鸷酷烈。

跪在徐凤年跟前的王林泉便是个例子，在王家，家法远重于国法，治家如治军。曾有一名儿媳只因出言不慎，便被王林泉不顾儿媳背后的豪门氏族，直接给轰出家门，连带儿子都被拖到宗祠鞭笞。所以王氏成员见到喜怒无常、城府深沉的家主对着一位年轻公子哥下跪，当场老泪纵横，都被吓得不轻，各自揣测这名白袍公子的身份。

北凉王世子殿下出行游历，中途会在姥山歇息，自然只有姥山地头蛇王林泉一人获知，这些都由禄球儿秘密安排，不可有丝毫纰漏。徐凤年仰头望着姥山山巅上一尊巨大的持瓶玉观音，据说是由王林泉耗资百万银两，用去十年时间才得以建成的。这位净瓶观音脚踏黄龙，态兼金刚怒目和菩萨低眉，右手拈印，直指春神湖。

王林泉总算站起身，抹去满脸泪水，躬身为世子殿下领路，姿态一如当年为徐骁牵马。今日王林泉富贵滔天又如何，终究不能忘本。王林泉见世子殿下一直望向山顶的观音像，轻声道："启禀殿下，春神湖说来奇怪，千年以来每到二月二，必然会有一绺绺的水柱直冲云霄，那一日绝对无人敢泛舟游湖。说是湖底困有一头私自为江南布雨而受天罚的烛龙，当受人间千秋

罪，这条龙不服天庭的禁锢，专门在那一日兴风作浪，所以我们都称那天叫龙抬头，只是小人斗胆请来观音娘娘后，春神湖便再无古怪风浪。”

甭管精通与否，好歹学识算是驳杂的徐凤年轻笑道：“二月二，角宿始现，东方苍龙初露峥嵘，即龙抬头，故而古书上有龙类春分而登天的说法。”

“殿下博学。”富甲一方的王林泉由衷赞叹道，发自肺腑，并非吹捧马屁。王朝内商贾地位不高，可到了王林泉这个层次，即便与州牧同坐宴席，也无须卑躬屈膝。王林泉以不苟言笑和睚眦必报著称，要他歌功颂德与要他慈悲心肠一样困难。所以一旦被他称赞，不管是写出锦绣文章的士子，还是心系百姓的官员，都欣喜万分，十分有底气。

“真像啊。”徐凤年柔声道，“你就不怕朝廷有流言蜚语误了你的生意？”

“挣一百万和一千万，对小的来说并无区别，儿孙自有儿孙福，能让他们衣食无忧，小的便无愧祖宗了。”王林泉笑道。

“你倒是豁达。”徐凤年收回视线调侃道。

“都是跟大将军与王妃学来的皮毛，当不得殿下的豁达二字。”王林泉一脸惭愧。

王家的住所庭院深深，亭台楼榭，小桥流水，一派江南烟雨风情。大宅离山顶还有一段距离，步行需一炷香时间。安排鱼幼薇等人住下后，徐凤年和青鸟前往白玉观音座，王林泉特地让小女儿王初冬带路。这位生于江南的二八女子身穿半露酥胸的襦裙，上胸及后背袒露，外披透明罗纱，内衣若隐若现，绫锦质地极为考究，章彩华丽。这种装束本来只流行于东越，如今被王朝贵妇名媛接纳，加上诗词名家贡献了诸如“长留白雪占胸前”的旖旎词句，风气愈演愈烈，女子着衣姿态逐渐豪放。

王初冬这位待字闺中的富家千金在渡口码头上便睁大眼睛猛瞧徐凤年，一点都不忌讳，此时更是叨唠不停，像只叽叽喳喳的小黄莺。王林泉并未与任何人说起过徐凤年的身份，所以她只知道眼前的俊逸公子姓徐，一口一个徐公子，说到后来，干脆就喊徐哥哥了。徐凤年也不介意，笑而不语，听着小丫头的清脆嗓音，心境祥和。

终于来到矗立有那一尊净瓶观音像的广场，那白玉观音怒目低眉，惟妙惟肖。右手曲肘朝向春神湖，舒展五指，手掌向前，仿若在布施无怖畏给予众生。

徐凤年盘膝坐下，两只幼夔趴在他的膝盖上。

被本州文豪誉为王家有女初长成的小妮子跟着蹲在一旁，一脸虔诚道："徐哥哥，观音娘娘可厉害了，站在那里指向春神湖，春分时节就再没有水柱腾空了。我小时候特别怕二月二，总是打雷下雨，有了娘娘以后，就可以随便溜到湖上钓鱼、烹茶、赏雪啊。徐哥哥，考考你，知道观世音娘娘的手势有什么讲究吗？"

精于佛门典故的徐凤年抬头笑道："施无畏印。"

王初冬嘻嘻道："答对了。"

她见徐公子说完后便怔怔出神，百无聊赖，转头无意间瞥见徐公子家的青衫婢女眼眶湿润，惊讶道："徐哥哥，这位姐姐怎么哭了？"

徐凤年回神，轻声道："因为这位观音菩萨像一个人。"

王初冬哦了一声，善解人意地不再念叨。

不知何时，姜泥和老剑神李淳罡也到了广场。

李老头儿深深看了几眼，喃喃道："这菩萨无畏手印，可视作是一剑，剑意浩然无匹。"

姜泥平淡道："看不懂。"

李老头儿意态阑珊，斜瞥了一眼神情奇怪的徐凤年，疑惑道："那小子怎么了？"

姜泥犹豫了一下，低头道："这观音娘娘很像北凉王妃。"

老剑神沉默许久，默念道："独走独停独自坐，手上青蛇掠白线。独人独衫独持剑，剑尖锋芒生三千。世间无人能识我，只是冷眼笑疯癫。唯有山鬼与龙王，知是神仙在眼前。"

姜泥皱眉道："你作的诗？"

老头儿笑道："当年别人夸老夫的《青龙剑神歌》，这才一小段，你要听，容老夫再想想。"

姜泥没好气道："别想了，我不想听。"

王林泉兴师动众备好丰盛宴席，亲自来请世子殿下回去宅院，连三条大船上的北凉轻骑都没落下，捧餐盒的婢女络绎不绝，行云流水一般送去。

徐凤年离开山顶，在餐桌上尤其对春神湖特产的乌鸡炖甲鱼赞不绝口。这姥山乌鸡放养于山林，姥山多草药，因此肉质带着一股药香，皮肉骨嘴均为黑色。甲鱼更是春神湖一绝，必须挑选百年以上的老鳖，鳖甲因常年潜伏湖底，生出一寸绿须者方算是存活百年，与乌鸡文火慢炖，直到鳖甲软透为止，难怪文人雅士倍加推崇，大快朵颐后纷纷赞誉“未能抛得春神去，一半勾留是此汤”。

擦去满嘴油腻，吃到了离开北凉后最舒坦的一顿饭，徐凤年总算是酒足饭饱，私下跟王林泉要了本青州的历代地理志。

黄昏时在院中乘凉，姜泥在读一本从未在世间露面的《敦煌飞剑》。说来有趣，这名北莽王朝的剑士刚在极北之地的敦煌剑窟里悟剑大成，正要仗剑行走江湖，便碰上了北行练枪的王绣，干净利落地死于一枪之下。倒不是说那位剑士实力如此不济，而是闭门造车，剑术过于空中楼阁，少了与人对战的磨砺，枪仙王绣又最重杀伐，如此一来生死胜负立判。

所幸无名剑士一边练剑一边撰写心得，才有了这本仙气昂然的《敦煌飞剑》。起先选它，徐凤年是觉得名字霸气，随手拿上，不承想书箱里一大堆秘籍，老剑神挑三拣四，只说这本还凑合，李淳罡说凑合，徐凤年当然不敢马虎对待。

姜泥张嘴读书，徐凤年闭眼听书。

徐凤年记得李淳罡说过要他与吕钱塘对战，是该试一试了。他可不想学写出《敦煌飞剑》的剑士，才出江湖就夭折。在武当山练刀，徐凤年为何会拼着受伤也要去剑痴王小屏的紫竹林里讨打？老老实实待在瀑布下练刀岂不轻松惬意？

武夫境界多达九品，最高一品看似高在云端，不去说之上的金刚、指玄、天象、神仙四重妙境，寻常九品境界在三品以下的划分十分浅显简单，破甲多少，便有几品实力。伤甲而不破，是下三品，破甲与否是第一道门槛。这甲胄是指王朝的制式铁板甲，前后两层。中三品可破甲，但都在六甲以内，所以六甲是江湖武夫的第二道大坎，上三品中的第三品一般都可破甲八九。一二两品则就说不准了，像那京城内的龙虎山赵天师便传言可一记拂尘破百甲，不好定论，以徐凤年来看，那位天师府中功名心最重的大天师约莫该有指玄境。

徐凤年让姜泥等一会儿，去拿那格剑匣。

匣藏大凉龙雀剑。

这剑的主人曾经一剑破去一百六十甲。

徐凤年手中的剑匣由千年鸡血紫檀制成，本身已是价值连城。紫檀一直是由海运而来，巨宦韩貂寺数次出海，很大程度上都是去为皇室装载上乘檀木，即便如此，大内造作处依然不惜与南国私商购买檀木。当年西楚采购紫檀最是疯狂，号称无官不带檀。像徐凤年眼前这位昔年太平公主的皇叔，更是其中的佼佼者，文雅无双，创建了一座举世皆知的檀楼，可惜到头来几乎整座紫檀楼房都被搬到了太安城。

徐凤年拿起一块丝绸轻轻地擦拭着剑匣，都说养玉如养人，那么珍品紫檀就是一位小家碧玉，需要时常拂拭，使其莫惹尘埃。这块鸡血檀木一经擦拭，光泽圆润，隐约有丝丝紫气萦绕。

徐凤年正静心凝神听着《敦煌飞剑》，冷不丁听到姜泥打了个饱嗝，小泥人停顿了一下，似乎有些赧颜，徐凤年调侃道："扣十文。"

姜泥大怒，正要说话，一个绣花竹球高高抛来，青鸟掠到墙头接住，不让竹球落入院中，徐凤年早前就听到了远处的欢声笑语，想必是王家人在嬉戏蹴鞠。离阳王朝如今国力鼎盛，自然而然有了海纳百川的胸襟，蹴鞠本是北莽那边的游戏，传入离阳后并未被禁止，很快就成了女子们的喜好。本朝女子约束不多，踏青郊游、宴集结社、骑马射箭、荡秋千、打马球、穿北莽服，样样可行，这才有王初冬今日敢于豪放装扮的大环境。若在二十年前，根本就是无法想象的事情，大势所趋，古板大儒也无可奈何，何况大文豪、理学家们自身都有家室，干脆就睁一只眼闭一只眼，与世人说大道理不难，难的是与家眷妻女们讲小道理。

徐凤年接过青鸟递来的竹球，让她先将剑匣放回屋内。果不其然，很快就有人敲门，徐凤年看到意料之中的少女，递还竹球，笑问道："刚才那一脚是谁踢的？好大的力道。"

王初冬伸出青葱玉指点了点自己的鼻子，扬扬得意。

她性子活泼，不擅女红琴画，秋千、蹴鞠、马球却是十分拿手，不过宴席上王林泉似乎对这位小女儿的诗文颇为自豪。徐凤年倒是真看不出这位自

来熟的小丫头能有什么大墨水，况且有二姐徐渭熊以及女学士严东吴珠玉在前，连小泥人都写出了气势磅礴的《大庚角誓杀帖》，徐凤年就更不觉得有女子在诗词字画方面能入他的法眼。

此时王初冬换了衣衫，窄袖长袍，黑靴马裤，腰间束带，徐凤年看着舒服许多。少女学妇人半露酥胸，本就是本末倒置，哪里来的风情、丰韵可言，那襦裙换由舒羞来穿还差不多。

王初冬试探性问道："一起蹴鞠？"

徐凤年摇头道："不了，要去一趟集市。"

王初冬一听就雀跃起来，信誓旦旦道："一起去，我会砍价！"

徐凤年一笑置之，让青鸟去喊鱼幼薇等人，再丢给姜泥一个眼神，后者犹豫了一下，还是打算跟上，她人生地不熟，主要是对银钱没有什么概念，实在不知道一两银子能做什么。一行人，除了徐凤年以及作为他影子一般的青鸟，还有姜泥和李淳罡这一老一小，吕杨舒三名扈从，以及脱下重甲穿上便服的宁峨眉。王初冬一路上都在踢着竹球，动作娴熟灵巧，身形如燕，煞是好看。到了略显冷清的集市，徐凤年没料到这姥山岛都有青蚨绸缎庄，刚好给鱼幼薇购置了几身衣裳，还有一些可有可无的胭脂水粉。徐凤年出手阔绰，都没给王初冬杀价的机会，让小妮子闷闷不乐。

集市有一栋临湖茶楼，视野极佳，春神湖水汽升腾，雾气霭霭，本是出好茶的绝佳地点，可直到近几年春神茶才成为贡品。徐凤年与王初冬登上顶楼，姜泥和李老头儿还在集市上闲逛，鱼幼薇和舒羞结伴在购置物品，结果落座的只有他和王家千金，宁峨眉和吕钱塘、杨青风呈掎角之势站在一旁，楼上并无茶客，异常清净。茶楼老板显然认得王初冬，直接拿出最好的上品春神茶，王初冬毛遂自荐，为徐凤年冲茶，手法玄妙，举手投足尽显大家风范，让徐凤年好生刮目相看。

采摘于清明前的茶叶蜷曲似青螺，如雀舌，边沿上有一层均匀的细白绒毛，绿茶轻缓入水，如春染湖底一般。

徐凤年耐心等候，小丫头煮茶堪称赏心悦目。王初冬双手奉上一杯茶后，一本正经地说道："一般茶叶头酌、次酌、三酌，香味逐渐淡去，春神茶却是渐入佳境。而咱们姥山的春神茶比起周边要更好，茶园只许种植竹梅、兰桂、苍松，不杂以一株恶木，所以姥山春神茶清香悠长，但没有沃土气和青叶气。”

徐凤年喝了一口，喝不出个所以然来，他对喝茶一直兴致不高，只是到了春神湖却不喝春神茶实在说不过去。他突然想起来一首诗，正是这首诗硬生生将养在深闺人未识的春神茶变成了贡品，这一点像极了二姐当初无意间烘热了只在北凉出名的绿蚁酒的《弟赏雪》，下意识给念了出来：“此茶自古知者稀，精神气意我自足。蛾眉十五采摘时，一抹雪胸蒸绿玉。”

王初冬眨眨眼，一脸期待地问道：“这首诗好不好？”

徐凤年随口说道：“挺好啊，我对能作诗写赋的好汉一向都很佩服，不过要是能亲眼看到少女摘茶就更好了，雪胸蒸绿玉，你听听，多有诗情画意。”

王初冬俏脸微红。

徐凤年一头雾水，问道：“咋了？”

王初冬耳根红透，不言不语，只顾着低头喝茶。

顶楼来了几对年轻的公子和女子，俱是锦缎华服，神态一个比一个倨傲，其中为首的一位官宦子弟，年纪不大官气却十足。他瞧见了王初冬，眼神一变，径直走来，刚要搭讪，就被吕钱塘挡住，王初冬皱眉小声道：“这人是赵都统的儿子，游手好闲，胸无点墨，可跋扈了，讨厌得紧。”

徐凤年没有压低嗓音，眯眼笑道：“都统？多大的官，三品有没有？”

王初冬忍俊不禁，眉眼灵气，那点儿郁闷烦躁一扫而空，配合道：“不大不大，才从四品。”

不过她终归是富贵人家里耳濡目染官场险恶长大的子孙，并非不谙世情，悄悄提醒道：“这家伙的姐姐嫁给了州牧做小妾，他身边那几位都是青州大家族的膏粱子弟，我们别理他们就是。”

那从四品武将的儿子对王家小女一直爱慕，她爹王林泉是青州首富，被誉为金玉满堂，半座姥山差不多都是王家的私产，更插手了最是财源滚滚的盐铁生意，本事与靠山都硬得扎手。王林泉对这个女儿尤其宠溺，恨不得为其摘星捧月。当年与人斗富比拼，王林泉便在姥山宅院的池水上铺满了一片值十金的琉璃镜，邀请青州达官显贵一同赏月，他与父亲当时也在场，目瞪口呆。再者王初冬这小可人儿也不简单，年幼时便接连有数位高僧真人为其算命，都说此女荣贵不可言，那首脍炙人口的《春神茶》就出自她口，据说

连宫里的娘娘都赞不绝口，亲自说与皇帝陛下，春神茶这才成了贡品。

仗着姐姐登入龙门得以在青州横着走的赵姓纨绔看到吕钱塘恶狗挡道，这位鲜衣怒马惯了的公子哥虽然腰间挎剑，可一来佩剑只是做摆设，二则能与王初冬品茶的家伙，多半身世不差，他还没傻到一言不合就拔剑相向。若纨绔之间都是如此胡乱砍杀，这天下岂不是乱得不能再乱了？于是他挤出笑脸，准备先探个底，故作熟络地温言笑道："初冬，这位朋友是？"

哪知王初冬不客气地说道："初冬也是你喊的？我跟你不熟。"

唯恐天下不乱的徐凤年点头道："对，初冬只跟我熟。"

两人相视一笑，这般灵犀默契，实在是太打脸了。

那帮公子千金们一时间群情激愤，姓赵的阴沉道："王初冬，别以为我动不了你爹。"

王初冬咬牙，正要刺一刺这个狐假虎威的浑蛋，皱了皱眉头的徐凤年已经开口，"你是靖安王赵衡的儿子？"

全场傻眼。

这哪跟哪啊，扯到靖安王做什么？那帮青州权贵子弟都忍不住面面相觑。

与六大藩王同姓却没有半点关系的赵姓纨绔沉声笑道："你竟敢直呼靖安王的名字！"

徐凤年本就对喝茶没兴趣，只是想坐在这里观景而已，结果碰上了这么些个煞风景的白痴，他平淡地望了一眼吕钱塘，后者二话不说便一脚将姓赵的踹到了墙壁上。

鸡飞狗跳，那些只欺负过别人还不曾被欺负过的家伙赶忙扶着同党撤离茶楼。还能做什么？要么喊仆役群殴，再打不过，就只能搬出各自的父母家族了，被骂作北凉首恶的徐凤年对此还会陌生？

王初冬微微张开嘴巴，依稀可见嘴中雀舌更比杯中雀舌娇。

徐凤年笑道："喝茶喝茶。"

王初冬反而过来安慰徐凤年，扬起一张灿烂无忧的笑脸，柔声道："没事，天塌下来有我爹顶着。"

小丫头似乎忘了她老爹曾在眼前的公子哥面前长跪不起。

徐凤年喝了口茶水，王初冬凑过小脑袋，神秘兮兮道："我带你去湖边，但你不许回去跟我爹说！”

徐凤年说了一声好，就被王初冬拉着跑下楼，到了湖边一处僻静地方，小丫头站到石头上，吹了一连串口哨。

结果徐凤年等啊等，等了半盏茶工夫还没瞧见任何动静。

王初冬有些尴尬，脸红道：“可能还在打盹儿，它跟我一样，最贪睡了。”

徐凤年看到王初冬吹得腮帮鼓胀通红，仍不罢休，模样可爱。他站在湖畔石崖上，清风拂面，有飘忽登仙的感觉，本就穿了一件宽博长袖的白袍，发髻别有一枚紫檀簪，按刀而立，更显玉树临风。王初冬小心翼翼地偷看了几眼，总觉得看不够。

这姑娘大抵是要情窦初开了，她生于珍珠如土金如铁的豪贵家族，从小被众星捧月，而且高人谶语皆说小丫头荣贵至极，治家严苛的王林泉唯独对这个女儿百依百顺，其余兄长姐姐也都对她疼爱有加。如此万千宠爱集于一身，王初冬才能无忧无虑地写出了《春神茶》，当时年仅六岁。十四岁时她写出了让无数大家闺秀侯门千金潸然泪下的《东厢头场雪》。士子推崇这本凄美小说是“东厢头场雪，天下夺魁”，尤其是结尾处借女子说出“愿天下有情人终成眷属”，仅此一语胜过千本书。

虽说被江南大儒大肆抨击不合礼教，误人子弟，也有人怀疑这本夺魁的情爱小说是王林泉请人捉刀代笔，但那位足不出春神湖的十六岁姑娘，始终是那般特立独行，总是贪睡又贪玩，蹴鞠秋千玩累了，心情好便写几百字《东厢》后记，一字千金。传言只要王初冬动笔，不管写出几个字，都要快马加鞭送往皇宫大内，交到几位痴迷《东厢》的娘娘手中，更有秘闻说这位王东厢写死了说出那句传世名言的佳人后，宫里一位娘娘含泪写信于她，求王东厢笔下留情，莫要如此绝情，可小王东厢并未心软，坚决一字不改。

《东厢》末尾出版时正是喜庆的春节，以至于青州那一年小姐夫人们无一有笑颜，被许多几十年寒窗苦读圣贤书却不得名声的眼红士子称作文坛百年难遇的一桩咄咄怪事。一位精于闺阁艳词的文人甚至不惜以王东厢半个子孙自居，对《东厢》一书推崇至极，说此书道尽了男女情事，再不给后人留半点余地。那词人半百的年岁，竟然对一名不到十八的女子如此卑躬屈膝，自然毁誉参半，不过这么一闹，他本来平平的名气借着王东厢的东风的确是越来越大。

也就是徐凤年对这个不了解，要不然以他重金买诗的脾性，哪里还会如此小觑身边这个误以为只是天真烂漫的小丫头。要知道身边站着的可是一位当世女文豪啊，说不定世子殿下就要觍着脸求几首好诗了，既然相熟，也能要个友情价嘛。

徐凤年见王初冬总算是没气力再吹口哨了，在那里轻拍腮帮，似乎还要再接再厉，忍不住玩笑道："你朋友住在水里？"

王初冬点了点头，正色道："我出生那天它从湖底醒了，爬到我家门口，爹说它是我的长命物，等我长大以后，每到清明左右，我就找它玩。"

徐凤年好奇道："龟鳖？或是蛟龙不成？"

王初冬脸红道："蛟龙哪里会爬到我家，它是只驮了块无字碑的大鼋，长得像只大乌龟，很笨的，高人说它是大禹治水时的镇海神兽。小时候我坐在它背上游春神湖，它一高兴就潜入水底，差点淹死我，后来爹就不许我偷偷出来找它了。"

徐凤年震惊道："王初冬，可以啊，看不出来你还是天赋异禀。我以前在武当山上认识个骑青牛的道士，你更厉害，都骑上大鼋了。"

王初冬笑起来会露出一对小虎牙，明显很得意，却假装谦虚道："一般一般啦。"

水浪蓦然间哗啦作响，湖面上浮出一个庞然大物，龟甲阔达两丈，负大碑。

《说文解字》中记载甲虫唯鼋最大，鼋谐音元，元者大也。徐凤年因为雪白矛隼的关系，当年仔细读过《神州景物略》以及《天禄识余》，后者《龙种篇》便有鼋的详细文字著述。鼋嗜睡，尤以魁鼋为最，不逢乱世盛世不出水。目前加上眼前斩波劈浪的魁鼋，徐凤年自己就有的一头六年凤，一对幼夔，至于听说过的神物，排在首位的则是剑仙吕祖留在武当山上的丹顶鹤，以及龙虎山齐玄帧座下听经十数年的黑虎。

徐凤年搂住王初冬的纤细蛮腰，飘下石崖，来到鼋背上。小丫头荡秋千能荡到三楼高，旁观者无不悚然动容，自然不怕。徐凤年站在鼋背上，觉得荒唐，定睛一看，石碑果真无字。这只鼋类的老祖宗过于巨大，简直如同一叶扁舟，徐凤年估计十几个壮汉站在上边都没关系。《天禄识余》隐晦提及乘坐负碑魁黿可以找到海上仙山，历朝各代皇帝都不遗余力在大江大湖中找寻它的踪迹，十万宦官首领韩貂寺出海买檀，未必就没有寻访仙山神人的意图。

王初冬蹲在黿背前端，亲昵地拍了拍大黿脑袋，说道：“大黑，咱们去湖心玩，记得别被人看到。”

大黿缓缓游湖，安稳如泰山。

徐凤年轻声道：“初冬，你能招来驼碑大黿，不应该让外人知道，否则会惹来横祸。”

正在敲打大黿脑袋的王初冬转头道：“你也不是外人哪。”

徐凤年笑道：“我们认识才第一天，还不是外人？真怀疑你怎么到今天还没被人拐走。”

王初冬做了个鬼脸，“我知道你就是世子殿下徐凤年，能让我爹下跪的，除了天地祖宗，就只有大柱国，最后一个就是你嘛，我可不笨。”

徐凤年释然，有人无事献殷勤总归不心安，自己再皮囊出众，多半不至于让一位妙龄少女一见钟情，若是王林泉十几年旁敲侧击的缘故，就说得通了。要知道以徐凤年的性子，与王初冬坐黿离岸，将宁峨眉等人撇开，是下了不小决心的，徐凤年头疼道：“那你白天在渡口穿得那个样子，是想证实那个声名狼藉的世子殿下是否真的贪恋妇人丰腴？”

王初冬也不掩饰，嘿嘿笑着点头道：“还好，你的眼神只是有些怪，不像许多来姥山游玩的纨绔草包。那些襦裙薄衫锦绫内衣，都是跟我大姐借的，本来还以为我穿上会挺好看的，唉。”

徐凤年弯腰揉了揉小妮子的脑袋，安慰道：“难看是难看，不过等你再大些，去穿就好看了。”

正蹲着的王初冬苦着脸道：“会长不高的。”

徐凤年哈哈大笑，后撤两步，靠坐着石碑，后背一阵湿凉，将绣冬、春雷搁在膝上，遥望湖中夜景。八百里春神湖，如今看似祥和安宁，无法想象当年却是处处硝烟，樯橹熊熊燃烧，有几人是羽扇纶巾雄姿英发，有几人是灰头土脸丧家之犬？湖上乘船可至鬼城襄樊，三万六千五百周天大醮，又为谁而立？庙堂从来只听成王笑，不见败寇哭。像身边姑娘的爹，王林泉，

若非手持聚宝盆，有谁会花心思去顺藤摸瓜刨出王林泉当年为徐骁牵马的事迹。说来有趣，北凉军中扛纛人少有好下场，为人屠牵马者却大多权贵彪炳。

徐凤年正遐想联翩，王初冬跟大鼋打闹尽兴了，就面朝世子殿下坐着发呆。她与他，相对而坐，他膝上有双刀，才二八年纪的她手中笔刀写出了《东厢头场雪》，身在北凉从未听说过东厢与小王东厢的徐凤年自然不知书中身世凄凉的女子原型就是眼前这丫头。

徐凤年突然问道："王初冬，你既然跟大鼋是朋友，怎么今天晚饭没见你在吃乌鸡炖甲鱼的时候嘴下含蓄啊，我看桌上就你吃得最欢快。"

王初冬故作迷茫地啊了一声，眼睛侧望向一旁，红着脸不敢正视徐凤年，娇憨无比。

一般来说，甲鳖大则老，小则腥，冬季最佳，春秋两季次之，最下是夏鳖，被老饕们贬为蚊子瘦鳖。可春神湖的鳖却是特例，愈老愈成精，两百年老鳖的鳖裙更是至味。王初冬这贪嘴妮子当时可是一点都不含糊，动筷如飞，王林泉几次眼神示意，都得不到回应，徐凤年看得好笑。本来对她的装束十分反感，一顿饭下来，反而好感增加许多，女子率性天真才美，再漂亮的女子，若矫揉造作起来，在徐凤年看来简直就是死罪。

王初冬似乎有心要转移话题，不惜拿出撒手锏，小声说道："大黑背着的碑石其实有许多古体小篆，只是我看不太懂，查了许多古书，才勉强认得几句，似乎是在说东海再东有仙山，有人学得这般术，便是长生不死人。还有算是甚命，问什么卜，背负天书，神钦鬼伏。其余的，我就两眼一抹黑啦。"

徐凤年嗯了一声。

王初冬凑近了问道："你不想看？"

没有按照她的预想去追问的徐凤年忍住笑意道："我先摆架子，假装不想看。"

王初冬莞尔一笑，转身拍了一下大鼋的硕大脑袋，大鼋似乎不太情愿，她便赌气接着拍。估计它实在拗不过小妮子一拍接一拍要拍到天荒地老的蛮不讲理，嘶吼一声，身形一晃，那块无字碑吱吱响起，阳面凹陷下去，露出一墙面的阴书。徐凤年站起身，眯起丹凤眸子，飞快瞄了几眼，迅速记下。

古篆一个都不认得，但字形都牢记于心。怪不得徐凤年如此势利，保不齐哪天这部天书就是一块免死金牌。只是全部记下后，徐凤年指了指自己额头，坦白道："我已经都看清楚了，都藏在这里。"

小姑娘真是一点不懂人心险恶，一脸不以为意，只是佩服说道："你真的能过目不忘呀？我爹没骗我。"

徐凤年笑眯眯道："要不咱们也在石碑上写点东西留给后人去猜？"

王初冬愣了一下，拍手道："好！"

徐凤年抽出春雷刀，和王初冬走到石碑背面，问道："写什么？"

这对活宝，一个胆大包天，一个大逆不道，凑在一起才敢有这样荒诞不经的行为。

王初冬思索片刻，笑道："要不就写徐凤年与王初冬到此一游？"

徐凤年伸出大拇指，赞赏地点头道："干脆再加上年月日。"

王初冬开心地笑了，又可见她的小虎牙。

徐凤年写得一手好字，即便以刀刻字，一样刀走龙蛇，尤其是练刀以后更是气势惊人，小妮子看得心神摇曳。

徐凤年望着石碑上的杰作，哈哈大笑，这大概是千年以来无人能做的壮举了吧？

徐凤年重新背靠石碑坐下，对王初冬招招手，示意她坐近了，两人几乎肩并肩依偎。

小妮子呢喃道："你要是能带刀孤身入北莽就好了。"

徐凤年疑惑问道："为什么？"

王初冬娇羞道："有部小说里一名男子便是这般做的，他用北莽皇帝的头颅做聘礼。"

徐凤年想了想，"倒是可行。"

王初冬低头轻声道："若是这样，我就给你写诗三百篇。"

徐凤年没有深思，只是笑道："那我还是亏了，得是一颗北莽蛮子的头颅换取诗一篇。"

王初冬依然低着小脑袋，侧脸婉约，月光下，依稀可见她精致耳朵上的稚嫩绒毛。

徐凤年伸出一根手指，抬起她的柔美下巴，看到她两颊的红晕，睫毛轻

轻颤动。

徐凤年手指抹过她的嘴唇，轻佻笑道：“快快长大些，我再采撷。”

她被徐凤年顺势搂入怀中。

徐凤年轻声道：“怎么就看上我了呢？丫头，你真不走运。”

王初冬扳着手指头，眼神恍惚道：“打我记事起，就知道你了啊。爹说你以后肯定会是世间最奇伟的男子，我就在姥山一直听着，看着，以后也一样，等我长大了，你真的会回来看我吗？长大是多大呀？我今年十六，那十七岁够了没？”

徐凤年拿下巴胡楂摩挲着她的粉嫩脸庞，笑而不语。

她说话的时候吐气如兰，比春神茶还要清香。

徐凤年想起了她的雀舌，心中一阵燥热。

老子忍了！

能忍常人所不能忍方是大丈夫。

王初冬壮着胆子伸手去摸徐凤年眉心的枣红印记，手指肚轻微摩擦。

徐凤年笑着解释道：“我这可不是学你们女子化妆，是接纳武当上任掌教大黄庭修为后的痕迹。我现在才勉强修到二重楼，最高六层，不得不去苦读道门经典，日夜吐纳导气。道教讲究龟息，就像这大鼋闭气于湖底，所以我连睡觉都得运功修行，生怕挥霍了这一身大黄庭。”

王初冬仰头问道：“累不累？”

徐凤年笑道：“没什么累不累的，习惯成自然。这不心底希望着以后再出行游历，可以不带一大帮扈从保命吗？至于要做到你说的孤身去北莽，就更要勤快练刀了。”

王初冬摇头道：“别去别去，我说笑的，多危险。”

徐凤年双手捧住王初冬的脸庞，低头吻住她的嘴，贪婪而放肆。

雀舌柔弱甘甜。

王初冬瞪大眼睛，分明一点都不懂男女情事，哪里是那位能够写出才子佳人第一书的王东厢？

徐凤年重新抬头后，她才后知后觉地闭上了眼睛。

徐凤年微笑道：“从今天起，你就是我的女人了。以后与任何士子俊彦多说一句话，都要打你屁股。”

王初冬在他怀中纹丝不动，只是轻声道："再亲一下。"

徐凤年摇头道："不能再亲了，要不然你就彻底变成女人了。"

王初冬睁开秋水眼眸，似懂非懂。

燕子江畔，一只体型夸张的黑白大猫从山林中奔腾而出，直冲江水，只是到了江畔只差最后一跃，它猛然停下，一位骑在大猫身上的少女差点被丢到江中。

骑猫少女扛着一杆金灿灿的硕大花朵，此花本名一丈菊，向日而开，又被称为向日葵。大猫急停后，少女手中的向日葵剧烈摇晃，她似乎不满意屁股下那只千百年来前无古人后无来者的奇葩坐骑如此胆小怕水，也不出声责骂，直接一拳头砸在大猫脑袋上，委实怕水怕到一个境界的大猫摇头晃脑，转头可怜巴巴望着将自己从西蜀带到北凉再从小猫养成大猫的主人。少女又是一拳，别看她身体瘦弱，挥拳却势大力沉，击在大猫头上，砰然轰鸣。

她跳下大猫后背，来到它屁股后头，似乎要一脚将其踹进燕子江。

大猫呜咽着跑开，也不跑远，跑出一小段距离就蹲坐在地上，憨态可掬。

少女拿下巴指了指燕子江，示意这头宠物自觉跳下。

大猫拼命摇头。

她再摇动了一下下巴。

大猫再摇头。

扛着那株向日葵的少女面无表情，呵呵一笑。

心知不妙的大猫于是满地打滚耍赖求饶。

少女走近了，将向日葵放在地上，双手抓起大猫一脚，不见她如何发力便把它扛在了肩上，一记过肩摔砸到江水中心，这才拍拍手，拿起地上的向日葵。

大猫在燕子江中砸出一道冲天水柱。

过了会儿，原本怕水的大猫似乎开窍了，四爪扑腾，在燕子江中畅游开来，换了各种姿势，好不痛快。

少女掠到大猫背上，坐下后指挥这头曾在青城山打赢了成年虎夔的蛮横宠物游向春神湖。

她心情不错，因此笑了，“呵呵呵。”

赏月赏湖，顺带轻薄了小佳人，还在那块石碑上刻下了一串荒诞文字，徐凤年心满意足，与王初冬一同坐鼋回姥山，宁峨眉等人如释重负。回到王家宅院，先送小妮子到小院门口，四下无人，徐凤年又亲了一口。少女回到院中，坐在秋千上，一踮脚尖，轻轻摇晃起来，手指贴着嘴唇，嘴角噙笑。想到许多他说过的话，“如果仅凭英俊相貌就能行走江湖，本世子早就天下无敌了啊”，诸如此类，厚颜无耻，王初冬想了笑，笑了想，没个停歇。

徐凤年夸她天赋异禀真没说错，这妮子自小博览群书，看四书五经，更看闲书杂书，故而王初冬笔下写出来的东西总是浑然天成。青州有二月二童子开笔的风俗，她便写了“蛙声小透绿窗纱，楼外大江浪淘沙”，前一半是闺阁闲情，后一半却急转直下，气象迥异。因此世人评点《东厢头场雪》，都说王东厢以淡墨写浓情，往往柔肠百转，一字一词一语穿人心，深得圣人“乐而不淫，哀而不伤”此语的个中三昧，再由书尾“愿普天下有情人终成眷属”点睛，水到渠成，境界超拔。

王林泉走入小院，为女儿摇起秋千，笑道：“爹没说错吧，世子殿下分明是个玲珑剔透的聪明人，就说嘛，大将军与王妃教出来的儿子，差不到哪里去。嘿，当年殿下早早握刀，今日再见双刀在手，很是欣慰。爹最烦看到青州那帮自诩温良恭俭让的儒学士子，远不如殿下做事来得爽利痛快。听说你们在茶楼动手打了赵都统的儿子？打得好！不打不长记性，我正好想拿钱砸出个道理给这帮家伙看看，是女子枕头风厉害，还是真金白银能让鬼推磨。”

王初冬嗯了一声，转头说道：“爹，我不写《东厢》的后记了。”

王林泉坐在秋千一侧，慈祥道：“不写就不写，省得宫里娘娘们入了魔障一般挂念。”

小妮子俏皮道：“肯定有人要说我江郎才尽啦。”

王林泉开怀大笑道：“那帮吃饱了撑的穷酸书生，文不能握笔写佳篇，武不能提刀上马杀敌，理他们作甚。我女儿骂他们都是打赏天大的面子了。”

王林泉离开之前语重心长道：“女儿啊，现在私定终身还是早了点，再等两年。”

面红耳赤的王初冬扬起小拳头挥了挥。

王林泉来到世子殿下的小院，敲门而入，看到殿下坐在院中，桌上放有一格紫檀剑匣，只有婢女青鸟站在一旁。徐凤年刚要起身，王林泉慌张道：“殿下无须起身，老奴不敢当的。”

徐凤年没有多说，尊卑之分，森严礼数，不是三言两语就可打消。王林泉坐下后，小心看了一眼这么多年一直不敢忘怀的剑匣，所有老卒离开北凉军后，有几样东西是都不会忘记的，当年身处何营，那一杆所向披靡的徐字王旗。王林泉是真正的徐骁马前卒，有幸见到更多、记住更多的东西。其中一件，便是桌上这剑匣，匣中所藏名剑，在王妃手中可谓是“万里悲风一剑寒”，是当之无愧的人世第一剑。上代武评有诗云“一剑光耀三十州，罡气冲霄射斗牛”，足见王妃的绝代风华。王林泉看着看着便热泪盈眶，这些年沾染了满身铜臭，可夜深人静，每每思及当初大将军厉兵秣马，投十万马鞭入河，都会激动不已，正是这股气，支撑着王林泉走到了今天。

徐凤年缓缓闭目，两指抹过剑匣，剑匣刻有十八字。

是他娘亲亲手写就。娘亲是上一任吴家剑冠，虽然为了徐骁背离家族，但许多规矩还是照搬。她去世后便由覆甲剑侍赵玉台守墓葬剑，说是衣冠冢不准确，吴家剑冢，便是当之无愧的一座剑冢。修道人不敬天道，修到白发苍苍都是不得门而入，以此类推，剑士若对佩剑都不亲不敬，多半境界也高不到哪里去。别看替李淳罡扛起剑道大鼎的邓太阿随手拎桃花枝，看似放浪形骸没个高手的正形，可邓太阿早就明言，不是他不屑佩剑，只是天下少有值得他使剑的对手，唯有王仙芝是一个，曹官子之流只算半个。

徐凤年此次游历，除了亲手秘密绘制几千里地理走势，再就是与王林泉这些北凉旧部牵上线。这些不是徐骁传授，这个王朝内公认的败儿慈父的确从不去唠叨徐凤年该如何行事、如何为人，人屠只是任由世子殿下去闯祸，然后欣然为儿子收拾烂摊子。世子殿下坐拥扈从死士一拨接一拨，为何要独力练刀？总不是真的要单纯去做冲锋陷阵的猛将，这种事情，家里就有个天生神力的弟弟黄蛮儿，日后由徐龙象扛纛，谁与争锋？怎么都轮不到徐凤年。是为了老黄，想要替缺门牙老仆拿回树立在武帝城头的剑匣？有一部分原因，但最隐蔽的，却是对徐家来说最难以释怀的难言之隐。

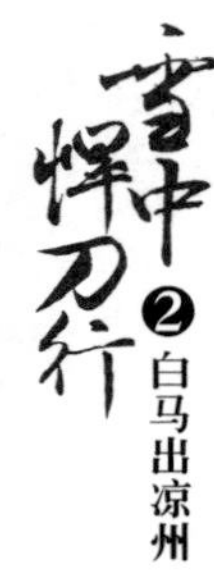

徐家赶赴北凉前，王妃曾独身赴皇宫，当时在场的有一品高手十数人，大内与江湖各占一半。这是一个知情者个个噤若寒蝉不敢言说的禁忌，是一件短短二十年便被铺满历史尘埃的秘闻。徐凤年知道老皇帝的打算，徐骁若膝下无子，便是身兼大柱国的北凉王又如何？三十万铁骑将来终归稳稳妥妥是皇家的囊中物，这等拙劣的帝王心术，徐凤年都不需要别人提点就能知道。至于那些江湖隐士高人，大多在徐家铁骑马踏江湖中家破人亡，或者是十大门阀豢养供奉的老祖宗，要报国仇家恨，在徐骁最登峰之时给予致命一击，还有比这更解恨的手法吗？

只是他们都没有想到怀有身孕的王妃竟然在那一夜由入世剑转出世剑，当武夫境界超出天象，成就陆地剑仙，便不再能以常理揣度衡量。

那一战，长远来看，两败俱伤，没有赢家。

原先对王朝忠心耿耿的北凉铁骑与朝廷彻底生出不可弥补的隔阂，而王妃落下了沉重病根，红颜早逝。

徐凤年有一本生死簿，上面记载了那十几个当日出现在皇宫的人名，三分之一已经陆续暴毙，无一是老死。徐凤年已然及冠，以后对上这些活着的人，总是希望能亲自斩杀，即便终生都做不到，也比什么事情都不做要好。徐骁当年为了朝廷百年盛世大计不惜与整座江湖为敌，那么徐凤年比徐骁更想要把这座江湖给踏平一空，总有一些事连道理都不用讲。徐骁能为自己带来二十年安稳，出门铁骑护驾，更有明暗死士，可徐骁总会有年老的一天，十年后，二十年后？徐骁的人心是打江山打下来的，徐凤年要为徐家博一个大树不倒，务必要接手北凉铁骑，这可不是动动嘴皮的小事，北凉重军功，崇武好战，若真顺从二姐徐渭熊的话，一心一意马下帷幕治军，徐凤年没这个信心。

徐凤年这些年一直扪心自问：没有徐骁，你算个什么东西？

徐凤年下意识握紧双刀，长呼出一口浊气。

王林泉追忆往昔，感慨万千道："当初大将军平定西蜀，赵军师只差十里路便可亲眼见到西蜀皇城，遗憾病逝，大将军便率军投鞭断江，告慰赵军师在天之灵。西蜀谁人不胆寒？！"

徐凤年沉声道："北凉铁骑唯有死战。"

王林泉重重点头，"唯有死战！"

兵法诡道，徐骁却反其道行之，任你千军万马气势汹汹，我北凉军只有死战。

徐凤年微笑道：“徐骁这趟进京面圣，八成又要搅得京城一团乌烟瘴气。”

王林泉噤声不敢妄言。

徐凤年却不介意与这位老卒说些说出去就要掀起轩然大波的家事，王林泉都敢当着无数眼线在码头长跪饮泣，徐凤年如果连这点心胸气度都无，别说日后接过徐骁手中的马鞭，便是这座江湖都不用闲逛了，早点回去躲在北凉王府才省事省心。示意青鸟去拿些酒来，说道：“王叔，都是自家人，咱们不说两家话。这次我到姥山，你这般正大光明摆出北凉旧部的姿态，接下来注定要被青州甚至是朝廷许多人下黑手，我会叮嘱褚禄山帮你看着点，真要闹大，大不了让徐骁出来说话，我就不信当年被徐骁拿马鞭敲肿脑门的靖安王赵衡敢撕破脸皮。至于徐骁入京，嘿，我猜是去给我讨一个世袭罔替的明确结果，确保将来我能穿一件不输给他那身朝服的大黄缎蟒袍。”

世袭罔替！

平时看似老眼昏花的王林泉一听到这个说法，双眼立即绽出光彩。北凉三十万铁骑，以及所有分散在王朝各地的旧部老卒，谁不惦念担忧这个？世袭两字，含义浅显，就是承袭父辈爵位、封号、俸禄以及封地，罔替就大有学问了，不更替不废除。因为即便是宗室藩王，除了战功实在煊赫的燕敕王与广陵王，以特例对待，按照《宗藩法例》都要按辈递降承袭，如靖安王赵衡，儿子无殊功就只能袭封下一级的郡王。徐凤年一旦被朝廷承认世袭罔替，就依旧是北凉王！

这才有大黄缎蟒袍一说。

九五之尊，九龙五爪，才算是帝王黄袍。

徐凤年不介意他年身穿蟒袍去踏平江湖，他就是要活活气死、吓死、打死那些王八蛋。

王林泉只觉得大快人心，刚好青鸟端来好酒，老人痛饮一杯，抹嘴笑道：“如此一来，北凉谁敢不服！”

徐凤年一饮而尽杯中酒，略微自嘲道：“不过我这会儿才一刀破六甲的本事，实在是拿不出手。”

王林泉不以为然道："世子殿下天纵英才，真要练刀，还不是随便练出个一品高手！"

徐凤年打趣道："王叔，这话你说着轻松，可我练刀真心不轻松。"

王林泉只顾着笑，心中默念了几句王叔，比下肚的酒更暖心哪。

王林泉突然一脸遗憾地说道："我那两个儿子不成气候，只会读死书，没办法给殿下牵马了。"

徐凤年摇头道："没有这个道理。"

王林泉第一次反驳世子殿下，肃穆说道："殿下，只要王林泉在世一天，王家便任由大将军驱使，世上没有比这更大的道理了！"

徐凤年不知如何劝解，举杯仰头，再次饮光了琉璃夜光杯中酒，轻声说道："就是不知朝廷会不会摘掉徐骁大柱国的头衔。"

王林泉默然。

两人喝光一壶酒，王林泉毕恭毕敬伏地再跪，这才起身离开。

徐凤年转头望向剑匣。

望向那十八个字。

此剑抚平天下不平事，此剑无愧世间有愧人。

徐凤年一壶接一壶，连喝了三壶酒，喝醉后就直接趴在石桌上酣睡，青鸟替世子殿下盖上了一件貂裘大衣，静坐在一旁。徐凤年清晨时分醒来，看到一板一眼正襟危坐的青鸟，歉意地苦笑了一下，青鸟则是展颜一笑。徐凤年拔出绣冬在院中练刀，开始试图将《千剑本草纲》《杀鲸剑》《敦煌飞剑》《绿水亭甲子习剑录》等一大堆剑道秘籍中最精妙的剑招拣选出来，融入刀法，再以骑牛的那套心法做底子，力求一气呵成。

只不过赵姑姑建议的先手五十将招式臻于巅峰谈何容易，徐凤年这会儿的练刀难免有些画虎不成反类犬，走刀相当凝滞，如此练刀只能事倍功半。不过徐凤年有一个不被注意的优点，就是从小养出了不俗的定力。童年抄书，少年下棋，三年六千里游历更是砥砺干净了当世子殿下当出来的浮躁心性，否则以家中鹰犬无数并且拥有武库的身世，真能脚踏实地，静下心来练刀？至今才一刀破六甲，换作其他眼高于顶的世家子弟，早就跳脚骂娘了吧？

出了一身汗，回房换上青鸟昨日在青蚨绸缎庄购置的崭新衣衫，通体舒泰，刚要吃早饭，就看到天大地大睡觉最大的王初冬破天荒起了个早，站在院门口捏着衣角。徐凤年招了招手，一同进餐，王初冬吃相娇憨随性，徐凤年数次抹去她嘴角残留的食物。徐凤年今日就要离开姥山前往被说成第二座酆都的襄樊，早餐临近末尾，王初冬便越是神色凄凄惨惨戚戚，以她的城府，怎么都遮掩不住，徐凤年也不曾劝说什么。只是吃完后带上小丫头最后一次前往白玉观音像，当徐凤年说了一句等下就别送行了，王初冬彻底伤心，一边抽泣一边如小猫般胡乱擦脸，含糊不清地哽咽道："等我长大了，记得回来看我。"

徐凤年用手指弹了一下王初冬的鼻子，调侃道："瞧瞧，都哭花脸了，难怪说女大不中留，你爹白心疼你了。"

天下夺魁的王东厢在书中写死了那名至情的女子，当时她也有躲起来偷偷哭过，但贪睡贪吃贪玩过后，就淡了。只是她不知道当王东厢不再是王东厢，只是少女王初冬时，莫说死别，便是有缘再相会的轻轻生离，也是如此的揪心。她很想告诉徐凤年以后她可能都不爱睡觉了，想问以后想他了却见不到该怎么办，可她不争气地只是哭，什么都说不出口。

徐凤年很见不得女子流泪，听不得哭腔，提高了嗓门说不许哭，她乖巧温顺地立即闭上了嘴巴。

徐凤年哭笑不得，伸出双手捏着她红扑扑的脸蛋，低头用鼻尖碰鼻尖，柔声道："放心，这一路向东南而去，总会有很多有关我的小道消息传到青州，你等着，会有惊喜。"

王初冬点头挤出笑脸道："我会给你写诗的！"

徐凤年没有当真跟小丫头约定的一颗北莽头颅诗一篇，万一真有那一天，她岂不是要忙死？

徐凤年突然有些懊恼自己过于草率地在她心中留下烙印，记得鱼幼薇以前有唱词一首，懵懂时候不相思，才会相思，便害相思。可不就是在说眼前的少女吗？世子殿下哪怕在王府梧桐苑，除了青鸟红薯，对其余丫鬟都不敢如何用情，点到即止，十数年如一日。怕的正是那些无法揣测的天灾人祸，相亲相近的女子一旦凋零，徐凤年不愿去承担这份痛苦。徐凤年不知这相思词恰巧出自青州王东厢的《头场雪》，算是被王初冬给一语成谶了。

一行人浩浩荡荡，走到码头，徐凤年登上船，离姥山愈行愈远，鱼幼薇走上前，轻声道："你不知道王东厢？"

徐凤年一阵莫名其妙，反问道："什么人？"

鱼幼薇玩味笑道："你竟然没读过《东厢头场雪》？"

徐凤年皱眉道："听李翰林说结尾死得一干二净，我就不乐意去翻了。上次我大姐回凉州，身上便带了本《东厢》，硬逼着我读给她听，好不容易才逃掉。"

鱼幼薇低头抚摸白猫武媚娘，柔柔说道："那王家幼女便是王东厢啊，出自《头场雪》的'愿天下有情人终成眷属'，连北莽那边都朗朗上口。"

徐凤年轻声道："难怪。"

鱼幼薇抬头说道："王东厢可不止会写婉约词曲，虽说从未远赴边境，可连边塞诗都写得别有生趣，'我到凉州不吟诗，原来凉州即雄文'这句诗可是连大柱国都称赞过的。"

徐凤年笑骂道："徐骁懂个屁的诗词曲赋。"

但世子殿下轻声补充了一句，"不过小丫头这句诗的确有那么点意思。"

鱼幼薇笑了笑，越发肥胖的武媚娘在她怀中慵懒地伸了个懒腰。

鬼城襄樊，由六大藩王之一的靖安王坐镇。

赵衡在宗室亲王中算是难得的文武兼备，只是高不成低不就，文采不如弟弟淮南王，武力输给燕剌、广陵两位王兄。兴许是心灰意冷，耳顺之年开始崇信黄老学说，一度曾有去龙虎山做道士的念头，最近两年又弃道学佛，兴师动众，特地向皇帝陛下求了特旨前往两禅寺烧香，甚至主动要给黑衣僧人杨太岁当菩萨戒弟子，可惜病虎老僧置若罔闻，始终不加理会。

赵衡如今长习佛教，手中常年缠绕佛珠一百零八颗，多愁善变如女子。

徐骁说过，这个赵衡阴沉如妒妇，求佛问道都是早年造孽太多，求个心安的幌子，六大藩王中数他最不是个爷们。

三条大船才离开姥山没多远，两条春神湖水师楼船便靠了上来，徐凤年所站船只与之相比，小巫见大巫。

徐凤年眯眼望去。北凉铁骑在春秋国战中摧城灭国势如破竹，可谓无敌，唯独不善水战，所以徐凤年对春秋各国水师极有研究。本朝湖上战舰大小四十余种，都有不浅的涉猎，眼前楼船称作黄龙，在青州水师中只比青龙楼船和六牙巨舰略逊一筹。江海通行，已是气势凌人的巍然大物，设三楼，高六丈，饰丹漆，裹铁甲，置走马棚，上下语音不相闻，女墙上的箭孔密密麻麻，触目惊心，更有巨型拍竿，一竿拍下，寻常大船都要被拍得支离破碎。

很不幸，徐凤年这几条船就经不起几竿怒拍，但青州水师更不幸，因为此时船头站着的，是北凉王世子殿下。

徐凤年平静道："宁将军，去拿大戟。"

性格温良的大戟，宁峨眉难得露出一脸狞笑，转身去船舱取出那一杆卜字铁戟，连短戟行囊都背上了。

吕杨舒三人自然而然做好了跃船厮杀的准备，寻常武卒，实在是经不起他们三个二品高手折腾，只不过民不与官斗，侠不可犯禁，多少有些先天的忌讳，但一想到到底是谁教会了江湖这个血淋淋的道理，三人立即轻松无比。

徐凤年让鱼幼薇先回内舱，抬头看到昨日挨了吕钱塘一脚的赵姓纨绔与一帮狐朋狗友站在黄龙大船三楼指指点点，敢情是在装模作样指点江山？

黄龙楼船逐渐靠近，清晰可见巨型拍竿已经准备就绪。

拍竿张牙舞爪前，那位给青州州牧做小舅子的赵姓公子哥双指捏着一只白瓷酒杯，看上去挺潇洒不羁，他朝徐凤年喊道："外地佬，你还敢造次吗？！"

徐凤年笑着回应道："行啊，我倒很想掂量一下青州楼船的斤两，就怕你们中看不中用。"

姓赵的下意识用眼角余光瞥了一眼一行人中的同姓公子，这同龄人容貌风雅，行事却低调内敛，哪怕与他们相处，也毫无架子，在青州境内口碑极佳，都统之子居高临下，问道："你敢再重复一遍昨日的言语吗？！"

徐凤年明知这是个一眼就能看破的陷阱，却依然淡笑道："靖安王的姓名说了又何妨？藩王赵衡的儿子站在这里，一样打得他回家以后连赵衡都认不出来。"

姓赵的心中大喜，瞥见身侧那位青州境内无人敢在他面前自称豪族公子的斯文青年，露出一抹不易见到的阴森。

那面如冠玉的白净公子上前一步，他一上前，赵姓纨绔当下便后退。

公子哥直视徐凤年，平静道："你别后悔。"

徐凤年一抬手，三艘船内一百凤字营兵士尽数出舱，持弩而立，腰挎一出鞘便是清亮如雪的制式北凉刀。

如此一来，反倒是青州水师骑虎难下了。

今日，难不成真要水战一场？

凤字营都尉袁猛怡然不惧，频频用手势督战，井然有序。凤字营本就是北凉轻骑中的翘楚，马战、步战、夜战都名列前茅。掌舵船夫早已被控制，三条船瞬间拉出一条圆弧，互成犄角。北凉军虽不善水战，但那只是跟马战相比。青州水师？当初北凉铁骑围困襄樊，这两艘楼船上的水师士卒都还在吃奶吧？西蜀曾凿开石壁挂了三条铁索拦江，试图阻拦北凉临时拼凑出来的水师，不承想那场水战尚未开启便已落幕，大江沿岸天险被北凉军悉数摧破，真要严格来说，北凉军还是青州水师的半个老祖宗。

徐凤年放声讥笑道："可敢一战？！"

春神湖自春秋国战以后再无硝烟，难不成今日三条商船要让青州水师开荤？

黄龙楼船上一班纨绔中隐隐领头的世家子皱紧眉头，一场实力悬殊的水战胜负在他看来不须想，只是一旦轻启战事，以他的敏感身份，后遗症太大，哪怕是他父亲都不敢承担。

这三艘黄龙战舰借着水上演练航行到姥山附近，更多是耀武扬威，若对方是寻常勋贵子弟，且不说楼船前后左右设置有四杆巨型拍竿，钩距和犁头镖就已经够他吃一壶了。拍碎或者掀翻对方大船后，就丢一个走私盐铁的罪名，便可成为一桩无法深究的官司。青州本就对姥山王林泉插手盐铁生意多有不满，一来替赵都统的儿子出口恶气，二来也可以给姥山一个警告，一石二鸟，何乐不为？

只是当他看到三条船上百余人携带制式军刀不说，更是手持弓弩，佩刀还好，王朝虽不鼓励游侠莽汉带刀游历，但并不严令禁止，可弓弩却是非军伍不得私自配置。他可不是睁眼瞎，对面那个登姥山游玩的子弟身后可是站着一位披重甲持大戟的魁梧武将，王朝甲士百万，能用铁戟的勇夫屈指可数，这次要教训的人身份自然水落石出，有谁能让北凉大戟宁峨眉亲自护卫？他早就听说北凉王世子殿下二度出门游历，不承想今日便不巧撞上了。

世子殿下可不是谁都敢假冒，藩王子孙出境需要朝廷钦准，出行阵仗更有明文规格。何况显而易见，自称任何一位藩王世子都要比假冒那北凉王世子要安全得多，人屠的儿子，随便站在春秋八国中，喊一声我是北凉王世子殿下，看会不会被多如过江之鲫的刺客死士蜂拥而上。

同是王朝最顶尖世家子的年轻男人眼神复杂，喃喃自语："这家伙带了一百北凉轻骑，与我父王几乎等同，好大的排场，不愧是异姓藩王的儿子。"

屁股下的位置不同，脑袋里生出来的想法便截然相反，与为首世家子的谨慎不同，包括赵姓纨绔在内的青州子弟听到徐凤年叫嚣后，火冒三丈。要知道水战有两大依仗，一个是占据上游，顺势而下，敌师难以争锋；再就是以大船碾压小船，王朝水师这些年耗费巨资打造了三艘与城墙等高的巨舰，旧东越境内的余皇、旧西楚的神凰，再就是青州水师旗舰，莫说黄龙楼船，便是已算大物的青龙大舰，都要被船头冒铁撞竿一撞立碎。黄龙与三大巨舰的差距，无疑正是眼下商船与黄龙的差距，那厮何来的勇气说出"可敢一战"四字？这得吃了多少颗熊心豹子胆才成？

这批穿锦衣骑壮马的豪门子弟中除去为首的世家子，有两人性格最为激进毛躁，除了父亲是都统的赵姓纨绔，再就是家里老爹身为青州水师一把手的韦玮。韦玮一直被青州百姓私底下骂作恶蛟，仗着父亲权势，最喜欢强行掳掠姑娘到湖上肆意妄为，事后要么沉尸，要么剥光衣服逼迫她们下船，后者大半不堪受辱，投水欲自尽，韦玮最令人发指的地方在于他能力挽三石弓，女子一旦落水，便被他持弓射杀。

他父亲堪称青州龙王爷，韦玮这鸟人斗大的字不识几个，寻常在街上架鹰走狗，见着士子装扮的读书人就要去痛殴一顿，从老子那里学来了七八分的凌厉狠辣，生平最佩服凉州四恶中家设兽笼的李翰林，经常说有机会定要与李大公子结拜兄弟才痛快。

韦玮当下暴跳如雷，他此生最见不惯两样东西，气度儒雅的读书人，再就是比他更跋扈的公子哥，那站在船头的家伙都齐全了，如何都瞧不顺眼，竟敢在他的地盘上大放厥词，活得不耐烦了，转头朝远处一位府上仆役怒喝道："去给爷取弓来！"

奴仆赶紧跑去拿那张染血无数的大弓。

两艘黄龙楼船上共计有楼船士四百人，五行中土胜水，其色黄，故而船上士卒身穿黄裳、头戴黄帽，名黄头郎。每艘黄龙船按照水战兵书《水上制敌太白阴经》配备长矛钩斧各十，弩三十二，箭矢三千三百，甲胄四十。黄头郎中善战者授予"楫濯士"称号，黄龙有楫濯士十数人，何况两艘楼船顺风而战，不管如何看，都远胜敌人仅有的一百把弓弩，胜券在握。

黄龙船上几位女子皆是穿着贵族女子特有的大袖长裙，"大袖"首创于皇宫内的赵雉赵皇后，与凤冠袆衣都是娘娘嫔妃的常服。近年来朝廷执政宽松，上行下效，"大袖"开始在民间的高门大族中流传开来。楼船上的女子们身着丹紫粉绿鸭黄大袖，宛如一群彩蝶莺燕，煞是好看。服饰豪奢的她们与同船的公子哥们心态略有不同，她们本就对那佩双刀的家伙无甚浓烈敌意，看在眼中，只觉得风流倜傥。双刀一长一短，长刀漂亮，短刀古朴，风格迥异，站在船头面对青州四百楼船士竟能丝毫不惧，更显男子玉树临风的大将风度。先不说是否是绣花枕头，仅凭这份胆大作态，便让她们怦然心动了，情郎可不得就找这般潇洒无畏的公子哥？

她们才不管什么两军对峙剑拔弩张，两个胆大些的青州豪阀千金，已经悄悄丢去了媚眼。

徐凤年对于青州水师能否迎战其实并不上心，更多的是在观察黄龙楼船的一些细节：战舰调动是否有条不紊；钩距拍竿是否擦拭清亮；楼船船板上篷帆裹有的牛革铁甲是否完备。一叶可知秋，青州水师战力有多少，大抵能看出十之八九。老道士魏叔阳站在世子殿下身侧以防偷袭，徐凤年转头与宁峨眉随口说些水战要事，对青州水师简明扼要做了一番评点，这名北凉四牙之一的武典将军不谙水战，但听着世子殿下口中所讲，神情凝重中带着几分惊讶，殿下分明是精通水上兵法战略的行家，阐述利弊，娓娓道来，可不是看几眼《太白阴经》就能纸上谈兵的。

大戟将军微微一笑，躬身请命道："只要敌军敢战，末将一戟便可挑断楼船拍竿，让其近不了身。至于比拼箭术，黄头郎比我北凉健卒更是差了十万八千里。恳请殿下准许末将率兵先声夺人！定要让青州水师见识一下何谓战阵悍勇！"

徐凤年摇了摇头，打趣道："宁将军，我们约战，打不打最后还得由对面那些人来决定，若是你先出手，事后追究，我这个一向名声糟糕的世子殿下倒是不怕，最多就是徐骁在朝堂上与张首辅等一帮殿阁大学士破口对骂，但是小心你连武典将军都做不成。你瞧瞧那边与你同阶的楼船将军，志得意满，估计想着帮妥这事儿就得升官发财了。宁将军跟在我身边本就遭罪，没法子升官也就罢了，若再被降阶，传出去我的名声就真要烂遍三十州了，以后谁还敢给我这个无良世子鞍前马后？"

重甲威严的宁峨眉约莫是大致摸清了世子殿下的脾性，会心笑道："是这个道理，看来赶明儿就得求殿下让大将军给末将一个千武牛将军当当，这趟好不容易出门在外，总得给殿下长长脸面。"

徐凤年哈哈笑道："硬是要得。"

北凉轻骑凝神对敌时，偶尔会观察世子殿下与宁将军的神态，看到两位主心骨如此轻松随意，他们都跟着豪气横生。北凉军旧部可谓是离阳王朝最不受待见的一批人，三十万无敌铁骑屯扎在离阳北莽两国边境，对这股足足蔓延十多年的风气也无可奈何，他们跟着世子殿下与宁将军、袁都尉好不容易逮着机会走出北凉，虽说雨中小道一战折损兄弟不少，可入了北凉军，有谁怕过马革裹尸？颍椽城门外宁将军一戟将那不长眼的顾剑棠旧将挑翻下马，后来听宁将军说世子殿下亲口说若是他在场的话，定要把那东禁副都尉吊在城门上示众。如果那会儿凤字营轻骑还在半信半疑，可经过了鬼门关世子殿下亲自救人，再听今日放话可敢一战，他们是信多过疑了。先不管世子殿下是否鲁莽，这一等一的跋扈做派，终归是不愧北凉徐字王旗！

世子殿下当日在激流中腾挪如猿，尤其是那握住卜字铁戟提人的手法，凤字营可都看在眼中记在心里，那几个被殿下从水中救起的轻骑，最近与袍泽们插科打诨，言语中总有些自傲。

徐凤年见到黄龙楼船上一个壮硕青年拿过牛角巨弓，拉弓如满月，可见膂力不俗。

那一箭，直指自己。

右手握绣冬的徐凤年眯起一双极好看的丹凤眸子，默默说道："就等你了。"

姥山，王林泉来到小女儿王初冬的楼中书房，一同观战。

王东厢的“头场雪”书斋是姥山最高建筑，书籍遍地，散乱无序，但她从不要丫鬟女婢整理，书房是禁地，尤其是她写书、写诗时，无人敢去打扰。每本书都被评作三六九等，分门别类，给予不同的昵称，无聊时便趴在地上书堆里，让不同类别的书籍进行假象的角斗，自言自语，自娱自乐，所以从不孤单，因此站在书斋外的贴身丫鬟总能听到诸如“呀，经学胜了兵法，罚尔等兵书四十六部，半旬不被我阅读”“哦，西蜀诗集与南唐曲赋势均力敌了，不错不错，奖赏你们各自领兵的大将军《花间集校》与《菩萨蛮》各读三日”。

丫鬟们对自家小姐一个个天马行空的想法已经习以为常，觉得跟着这么个喜庆逍遥的主子，真是幸运。小姐若是写书、读书闷了，便与她们一起蹴鞠、荡秋千、打马球。尤其是一些个丫鬟都在《东厢头场雪》里露过面，这可太神奇了，天下士子都知道她们啦，以至于青州士族中许多俊彦都慕名而来，只求娶回一个“《东厢》丫头”，与那老家伙自称东厢子孙并称本州文坛两大奇事。

王初冬踮起脚尖，望向湖面舟船对峙，忧心忡忡地问道：“爹，打得过吗？”

姜到底还是老的辣，王林泉胸有成竹道：“青州水师看似船大人多，其实中看不中用，青州十年无战事，这帮黄头郎也就做做样子。殿下的亲卫扈从却不同，百里挑一，精于骑射，一百矫健悍卒对上四百个不谙兵战的废物，真要对战，几盏茶工夫，黄头郎就要丢盔弃甲。但殿下需要顾忌庙堂上的捭阖，不好先手破敌，青州水师也不敢说无法无天到殿下摆出身份后还敢水战一场，这可不是官欺民的小事，说遮掩就遮掩，两派官军相斗，是朝廷大忌，现在就看青州水师那边有没有明眼人了，若是由韦玮之流鼠辈来掌控局面，多半要输了水战再输庙堂。青州水师一旦败露出如此不济，这些年水师都统韦栋的贪墨枉法，就连州牧都要捂不住，到时候这支水师便要变天了。本来青州水师被顾剑棠旧部把持得滴水不漏，对爹的盐铁河运生意反复诘难，哼，爹趁此机会刚好可以安插嫡系人手进去。”

王初冬呢喃道：“春神三万六千顷，一百甲破四百甲。”

王林泉赶紧收敛心神，不去说那些官场上的钩心斗角，笑眯眯地赞赏道：“好诗好诗，气势磅礴。”

王初冬瞪了他一眼，“这哪里是诗！女儿随口胡诌的呀。”

王林泉厚着脸皮吹嘘道："我的初冬倚马万言出口成章，不是诗但胜过诗嘛。"

王初冬正要反驳，猛然瞅见湖上风云突变，伸手指向江面，提高嗓音道："快看！"

是楼船三楼，韦玮弯弓拉出一个大圆，然后电光石火间射出了一箭！

锋利箭矢激射向徐凤年。

早前大戟宁峨眉便看到有人拉弓，想要替世子殿下挡下这一箭，却被九斗米老道士魏叔阳用眼神示意无须出手。

徐凤年瞬间抽刀，楼船众人以及四百黄头郎只看到一抹耀眼白芒抡出一道弧线，定睛再看，便是那根破空而去、气势惊人的箭矢被斩成两截，箭头半截被握在了那人手中。不给坐等对手毙命的韦玮回神，徐凤年轻轻抛起半根箭矢，屈指一弹，只见箭矢去势迅猛无比，这一击却不是回赠韦玮，而是射向了那名为首的世家子。这名年轻公子早已退居幕后位置，显然想要坐山观虎斗，徐凤年就是不让他得逞，既然钓鱼，不钓大鲸算是怎么回事？这家伙十有八九是靖安王赵衡的子孙，入襄樊城前，他就是要让靖安王知道，当年你被徐骁拿马鞭连敲几十下都不敢声张，今日本世子就亲手揍一揍你的儿子，看谁家才是虎父犬子！

那名世家子身边自有高手护卫，以袖挡去半截箭矢，但那名世家子显然被吓了一跳，后撤数步，不小心撞到了一名青州高门名媛的胸口上，惹来一声此时此景中格外刺耳的娇嗔。

徐凤年缓缓收刀，依然是那副极其嚣张欠打的表情，朗声问道："可敢一战？！"

宁峨眉将手中铁戟往船板上一蹴，轰然作响，他的长相本就豹头环眼、燕颔虎须，此时对着黄龙楼船怒目相向，无比狰狞雄武，喝声道："凤字营！死战！"

袁猛与一百凤字营轻骑当下齐声喊道："死战！"

雷鸣冲霄。

对面两船人不由心神一颤，面面相觑，都从对方眼神中看出了浓重的惊恐。

四百黄头郎更是手脚颤抖，已然握不住手中兵器。

第二章 春神湖脚踏黄龙，襄樊城万鬼夜行

徐骁坦然笑道：『不是一家人，不入一家门，不吃一家饭。什么自在不自在的，都是命。』

官与官斗，可曾见到大人物们撕破脸皮在官衙里卷起袖管打架斗殴的？不都讲究个笑里藏刀，暗箭伤人？这帮纨绔千金此行游玩，更多是凑个热闹，给姓赵的撑个场面，想要亲眼看到黄龙战舰用拍竿砸烂大船的罕见画面，哪里料到这个与王林泉交好的外地佬却是硬到不行的扎人点子。带有一百扈从甲士不说，还敢主动约战，乖乖，约战的对象可不是一群家族仆役，而是青州水师的两艘楼船啊。

黄龙在青州百姓眼中已是无敌巨舰，一直被夸成是青龙不出谁与抗衡的水师主力战舰。这些年与王朝内其余几支水师一争高下，排名都不低，因而韦栋官阶虽不算太高，在青州境内却敢与高他一阶甚至数阶的官员吹胡子瞪眼，便是州牧郡守，都对韦龙王十分和颜悦色，争着抢着极力拉拢。

若非挟青州水师，坐拥这等特殊权势，韦栋也养不出韦玮这么个目无法纪的儿子。州内有个在京中台做谏言官的，爱女返乡，不幸被韦恶蛟凌辱后逼死射杀，那品秩不高却可左右言路纠察百司的谏官竟然临死都无法为女儿求来该有的清白。韦龙王只是丧失了巨舰龙幡的指挥权而已，而闯下大祸的韦玮只是禁足半年便再度出山横行，足见盛产京官的青州与朝廷那边自立门户的青党是何等共进退。

传闻那个时运不济的清流谏官临终前写下一首绝命泣血诗，讥讽当朝言官风骨尽失。

其中一句更是诛心到了极点：“我道言官不如狗，犬吠尚有鸡鸣和。”

徐凤年重新将矛头指向那名身份最为显赫的世家子，为的就是要让靖安王赵衡投鼠忌器，令其身陷局中，牵扯越大，徐凤年浑水摸鱼摸出来的鱼就越大。那部给藩王套上沉重枷锁的《宗藩法例》，对异姓王徐骁来说却是禁锢甚小。宗室亲王强势如广陵王，也得十日三次去州牧府上画卯，一期不到，按律当拘押至审理所；弱势如淮南王赵英，许多青壮子女都未能请到名字，不得婚嫁。

可佩刀上朝的北凉王却十数年不曾有一次去凉州州牧府，每逢徐骁回府，都是上任州牧严杰溪屁颠屁颠去王府请安禀事，想必“叛逃”出北凉的严杰溪也憋了口恶气，难怪他到京城以后就成了时下抨击北凉军政最激烈的股肱忠臣。女儿嫁给皇子赵篆，严杰溪披上外戚身份，外界猜测很快他就可以填上三殿三阁中排在第四的凌烟阁大学士的位置。殿阁榜首的保和殿大学

士如同大柱国，是数百年来王朝两大虚衔，不敢奢望。

张巨鹿百尺竿头再进一步，倒是有望摘得此项殊荣桂冠，只是以张首辅能够隐忍二十年的韬晦，多半不会让自己如政敌徐骁一般置于火炉上蒸烤。

只不过徐凤年貌似小觑了韦玮这帮在青州心狠手辣惯了的纨绔拥有的胆识气魄，韦玮一箭无功，再听徐凤年质问可敢一战，气得一佛出世，二佛升天，转头对身后那位对他一直唯命是从的楼船将军吩咐道："用拍竿！"

拍竿是水战利器，尤其是在大型战舰间近身后的决斗，注定无法以钩距掀船，善战水师往往在帆篷上涂抹厚实药泥，以阻火攻，最终要靠的就是这拍竿轰砸，拍竿制如大桅，长十余丈，上置巨石，下设机关贯颠回旋，敌军船近，便倒拍竿击碎之。

徐凤年转头对宁峨眉与魏叔阳轻笑道："衡量一支水师战力如何，可以看笨重拍竿能拍打几次，我看这青州水师最多两次，想要使用三次，得烧高香才行，比起广陵水师可差远了。"

这边谈笑自若，那边青州黄龙已经开始准备拍竿，两名楼船将军一声令下，舵头和负责拍竿的黄头郎在一旁楫濯士的指挥下开始忙碌，箭垛孔隙中箭矢密布。站在三楼看戏的男女都回到船舱，韦玮和几个手上沾惹命案的凶悍公子哥则坐在窗口观战。被徐凤年拐弯抹角连骂带打的世家子举起一杯酒，并不饮酒，只是不断双指旋转瓷杯，面沉如水，他独坐桌前，无人胆敢接近，这位平日里在青州以雅致平易著称的世家子如同一尾盘起来的毒蛇。

身着大袖的千金小姐们聚在一起窃窃私语，本来有一两个偏向青州死党的女子，殊不料被含情脉脉的同伴好一阵叽喳渲染，都在两眼放光诉说那位外乡公子的好话，说他如何英伟风采，说他长了一双如何漂亮的眸子，说他耍刀如何声势浩大，立场不坚定的她们立马临阵倒戈，恨不得跑出去替那位不知名的白袍公子摇旗呐喊。

出身豪阀但生活总是平静居多的女子聚在一起，谈论最多的还不就是各自遇上的有趣男子？除去那名鹤立鸡群的世家子，她们家世并不比韦玮等人逊色，自然不必在乎他们的脸色好坏。利益盘根交错的青州相当排外，故而韦玮射杀言官女儿，朝中青党捏着鼻子都得帮忙擦屁股，而且青州内耗很小，所以凶名在外的韦玮无论如何蛮横粗暴，对楼船上的女子却也算和善，甚至不介意被她们嘲笑一些陈芝麻烂谷子的糗事。百姓说他是江上恶蛟，她们更乐意调侃他不是一条龙而是一条虫，一口一个韦虫子，韦玮也不气恼，欣然接受。

青党能有今日地位，可与张首辅一脉、顾大将军部以及各个亡国遗老新贵派分庭争权，与青州豪门士族子弟的盲目抱团分不开。

这是治学不显、治国更平平的青党立身之本，韦栋深谙此道，州牧皇甫松是如此，朝中身居高位的老狐狸更是坚定不移，否则他们会试图竭力促成隋珠公主与皇甫松长子皇甫颉的婚事？原先八字没一撇的事，青党大佬们却要殚精竭虑硬生生去画上两撇！

“出行带甲士，这人是谁啊？”一位穿了双尖藕弓鞋的小姐低声问道，这话算是问到了关键。

“还能有谁，北凉王世子呗。”一身鸭黄的名媛轻笑道，瞥了一眼那边举杯出神的同舱世家子，放低嗓音，“以前只听说世子殿下骄横北凉，今日一见才真正相信了。若是换了我们这位殿下去北凉辖内，敢这么跟徐大柱国的子孙叫嚣吗？”

“不能吧？咱们靖安王可比不得北凉王。眼下北凉王进京面圣，听我爹说就是给世子殿下去要一身蟒袍的，其他藩王连入京的机会都没，还是那位大柱国厉害。”长了一张鹅蛋美人脸的女子嬉笑道，“听说北凉王世子对待看上眼的女子可是宠溺得很呢，一掷千金买一笑那都是说轻了，我二姐嫁去北凉，寄给我的书信里可都说凉州女子莫不以被世子殿下带回王府为荣，再瞧瞧咱们姐妹身边只会辣手摧花的韦虫子，真是没法比。”

“北凉王真能世袭罔替？”菱藕小脚的小姐讶然问道。谁说女子无才便是德，若想嫁个门当户对的好人家，没点才华且不说如何去相夫教子，便是高门内的妻妾相斗，就要吃亏、吃苦。曾有胭脂副评谈及天下女子，说北凉女子可纵马勒缰；东越女子多婉约才俊；西楚女子重情义；而青州女子则是钩心最多。这话并非无的放矢，青州女子出嫁外地后总能在夫家站稳脚跟，坐稳大妇的位置，让侍妾苦不堪言，当然，这与青党势大难匹不可区分。青州女子，对庙堂上的钩心斗角和江湖上的尔虞我诈总有一种天然的敏锐嗅觉，别州对仕途有野心的门第士族自然喜欢迎娶一位青州儿媳在内庭持家。

“难说，按照常理朝廷一百个不愿意承认北凉有罔替一说，要不为何《宗藩法例》上只提到两大藩王可罔替，独独对异姓的北凉王讳莫如深？还

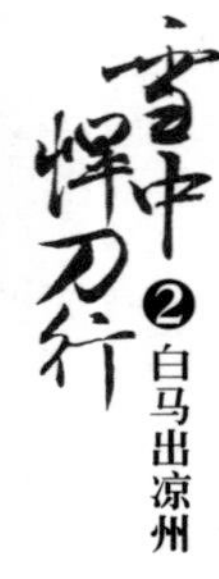

不是担心北凉是大柱国的北凉，而非王朝的北凉。”

家中二姐远嫁北凉的鹅蛋脸名媛对北凉军政秘闻十分热衷，此时算是闺阁密语，谁泄露出去便是坏了青州规矩，会被视作叛徒，连累整个家族都无法立足，她不担心这个，可以十分言谈无忌。她托着腮帮，望向窗外，静等大战酣热，“朝中张首辅、顾剑棠大将军，尤其是那帮恨大柱国恨到极点的春秋亡国遗老遗少，以西楚忠烈旧臣孙希济为首。这位老太师本已一心求死，思及大柱国仍屹立不倒，才背负漫天骂名出仕做官，明言只求亲眼看着北凉王下场凄凉。至于我们青州的老祖宗们与靖安王，嘻嘻，这就不需要我多说了，会眼睁睁由得北凉世袭罔替？”

“燕妮子，那你说说看有关北凉王世子殿下的见闻，这事儿你懂得多。”大袖丹紫的小姐好奇询问鹅蛋脸闺中密友，一脸期待，一群莺莺燕燕当中就数她最雀跃，当时看到徐凤年提刀断箭，若非身边同伴拉住，她都要大声叫好了。她以往因为家族缘故以及青州风气，对大柱国以及那位恶名远播的北凉王世子嗤之以鼻，今儿亲眼看到世子殿下傲立船头的出尘风姿，不得了，彻底魔怔了，只觉得嫁人当嫁徐凤年。青州子弟越是跋扈，越是见多了本州膏粱子弟的不可一世，她就越发觉得北凉王世子更胜一筹，连同为藩王世子的赵珣都敢挑衅，扬言要打得连靖安王都认不得，那姓徐名凤年的家伙还不够英雄气概？！

“北凉男子无一不在骂，尤其是那帮搁在青州便是韦虫子之流的公子哥，更是敬畏嫉妒得牙痒痒。在女子中倒是毁誉参半，我二姐曾经远远看过北凉王世子的行事，觉得颇有意思，二姐夫便没少拿这事跟我姐吵架闹别扭，说我姐鬼迷心窍啦。你们知道我二姐说了句什么狠话堵住我姐夫的嘴吗？”她卖了一个关子，笑容灿烂，她在青州女子中以精灵古怪出名，自小捉弄韦玮等人便很是手腕厉害。

“说什么了？”一帮千金小姐异口同声地问道。

“我二姐说了，相公，你再拿这破事跟我吵，小心我下次行闺房事就喊那世子殿下的名字。”她率先捧腹大笑。

这话可真是狠。

其余女子也都先是愕然，继而个个笑出了眼泪。

她们可以闲情逸致，同时说些闺房情话与官宦沉浮，可韦玮那群串在一根线上的公子哥们可就神情凝重了。

先前要动用拍竿砸船，那是觉得对手分量不够，权且当作湖上相聚的助兴勾当，如今只要在座的不是傻子都能猜出对手的身份，曾在王朝上下引领风潮的制式北凉刀！那一句震慑心魄的死战！韦玮以青州世族子弟自居且自傲，他一错之下，孤注一掷，一错再错，下令黄龙楼船拍竿拒敌，他连京中清流言官的女儿都敢凌辱致死，不介意再荒唐一次，真当韦玮是个官场白痴？

此战不说结果如何，只要不杀那北凉王世子，韦玮挫败北凉军的名声就要广布大江南北，甚至连皇宫大内都要听闻一二，谁不跷起大拇指，称赞韦玮不读书却忠义当头？父亲当年被他连累无法指挥巨舰龙幡，这些年一直引以为憾，今日壮举，说不定就可以顺利将父亲韦龙王推至青州真正的巅峰高位！

那白袍佩刀的北凉王世子无疑是一块最佳踏脚石！

举杯不定的世家子不同于莽夫韦玮，有着更深层的思虑，脸色阴沉。

皇宫里头的那位一直喜欢看到藩王明争暗斗，否则也不会有两王不相见的宗室律法。这次与徐凤年争锋，与其说是两位世子之间的怄气，不妨看作是父王与徐人屠两个二十年老冤家的斗争延续。父王这么多年求道向佛，他依稀记得当年父王求旨上龙虎，数次被拒，甚至被陛下不顾颜面大加苛责，一位弟弟更是借故被革为庶人，送往凤阳高墙内圈禁，附上六十余人被发配到两辽卫所充军，若非宫中一位出自青州的娘娘美言，别说去龙虎山烧香，就连他将来本该板上钉钉的世袭郡王都成问题。

今日水战，无论输赢，父王与他会是什么下场？皇帝陛下心思深重，登基以来最擅长藩王与地方、文臣与武将、党派与党派的各种制衡术，他实在没有把握去揣度那高在九天的帝王心术。

要不趁势斩杀了徐凤年？

这个惊人念头一掠而过，靖安王世子终于低头喝了口酒，去掩饰脸上的诡异神色。

因利而聚，容易同床共枕却异梦，韦玮正想着如何一战成名，但底线不许黄头郎击毙那姓徐的，而靖安王世子则开始思量是否可以痛下杀手，将韦玮在内的一群青州子弟都当成弃子。

富贵险中求啊。旁人的死活，与爵位权柄比较轻重，对堂堂藩王世子来说根本无须思考。身为皇家宗室子弟，偌大一个天下都是我赵家囊中私物，看待任何人，你便是殿阁大学士，或是三十位州牧，甭管表面如何客气，不都是打心底在斜眼瞧你？

六大藩王的世子，除去得以在《宗藩法例》中许可世袭罔替亲王爵位的两位，其余四个就当真一点不奢望那杏黄大缎的五爪蟒袍了？四爪与五爪，仅仅相差一爪，可真实地位相距何止千里？可怕之处在于九蟒五爪降爵变作九蟒四爪，再下一代该如何？如今天下盛世，到哪里去讨要军功？北境有北凉王坐镇，南国则有燕剌王，两位藩王都是王朝公认心狠手辣数一数二的巨枭，谁肯与你分一杯羹？该死的是《宗藩法例》中写有赤裸四字，仕途永绝，等于断绝了宗室子弟为官的通道。

靖安王世子低着头，轻轻皱眉，重重思量，戾气浓如杯中酒气。他连窗外厮杀震天的嘶吼声都不去听。

“他娘的，拿大戟的那家伙不是人，连拍竿都被他用百斤铁戟给一下斩断了！”一位青州公子哥倒抽了一口冷气，情不自禁喊了出来。那身披黑甲的雄健武将真是万人敌，手中长戟轻松挑开箭雨，更将黄龙挟巨石之力落下的拍竿给击破。

“怎的黄头郎几百弓弩，还会被一百号北凉蛮子压着射杀？躲在傍牌箭垛后边，连头都不抬了，全他妈变缩头乌龟了！”另外一位小心翼翼探头再缩头的纨绔一脸震骇，岂不知他自己与黄头郎一般无二，那批被他谩骂的黄头郎好歹还算是直面北凉悍卒，他算什么？

窗外，近距离的绞杀已经完全类似贴身肉搏，即便是精制北凉弓弩射程更远，并无优势可言，不妨碍楼船上库藏箭矢六千的黄头郎抛洒出阵阵箭雨。只是一拨箭矢过后，对方北凉轻骑损伤无几，这边倒被精准射杀了数十人，楼船上所有人都可清楚感受到北凉弓弩射在船身带来的通透撼动。这与楼船上众人预料中的己方凭借数量压制对方到不敢喘气的画面截然相反。

“那家伙倒是不怕死，只是提刀挑箭。”青州蜀间郡郡守的次子啧啧称奇道。

物以类聚，能与韦玮这条恶蛟称兄道弟的家伙，都不是善茬，更不是一般富贵家族出身。在座任何一位随手翻一翻族谱，谁找不出几个名垂青史的老祖宗？千年以来，皇帝宝座轮流坐，长则四百年，短则数年，你方唱罢我登场。

唯有一样东西不变，那就是世族门阀，春秋国战中立不世之功的徐骁最为人诟病的是屠兵百万？错了，能骂大柱国的人物都不会纠缠这个去骂人屠的不仁，而是痛心疾首于春秋国战后无贵族，十个传承数十世的豪阀毁去了大半，读书种子没了，道德礼仪断了，这才是徐人屠的大不义。对那帮自以为担当天下一个“礼”字重任的老夫子来说，这才是徐骁百死不抵的滔天大罪。西垒壁后无士子，这一句话，惹了多少后辈读书人戚戚然？又有多少亡国臣子掬了多少把辛酸泪，临死都在大骂徐骁不义？

可惜骂人不能杀人。

所以世子殿下徐凤年很难相信所谓的忠义，他知道这玩意儿肯定有，但盲信不得，真正可以依赖的，唯有手中刀。试想徐骁饱读诗书，张口闭口仁义道德，还能有今日三十万铁骑的人心所向？赵长陵、李义山之流已是无双国士，为何愿意为一介匹夫、白丁出身的徐骁出谋划策？上阴学宫皱着眉头接纳二姐做稷下学士，只是因为徐渭熊惊才绝艳？徐凤年立于船头，有箭矢飞来，一刀挑去，无人暗箭，便观战，这场敌我双方总计才六百人的小规模水战，算不得鏖战，李义山一直不以常理教他学问，若是只许管中窥豹，为何不能举一反三，见微知著？

青州四万水师，朝中青党极力吹捧的水上雄师，放话说可与广陵水师一战，不过一只绣花枕头而已，这绣花偏偏还难看。委实无趣，徐凤年心想经此一役，会不会替它提前敲响几声丧钟？

韦玮怒目望向徐凤年，对父亲治下的水师怒其不争，更对徐凤年生出无穷恨意，其间夹杂有一丝不敢承认的畏惧，这名北凉王世子若真的世袭罔替，穿上一身五爪蟒袍，身后就不止是一百北凉士卒，而是那三十万铁骑，父亲这条一湖龙王该如何自处？不说以后，若这场阵仗败了，整座青州定然民意沸腾，以及那些个眯眼细看各家密信的青党大佬们才可怕，青党不内斗，可处置无用弃子的手法，却异常果决！

徐凤年对宁峨眉笑言道：“宁将军，借我一杆短戟。”

宁峨眉此时已然是无所事事，两军弓弩对射，黄头郎竟然完败，软弱无力的一拨箭雨过后便胆怯退缩，虚张声势的孬种！宁峨眉卜字铁戟连折两根拍竿，端的是战场陷阵的万人敌勇将，听闻殿下要求，从背囊中恭敬抽出一杆短戟。

右手握绣冬的徐凤年左手接过短戟，一掷而出，直冲楼船三楼窗口，去势汹汹。韦玮敢明目张胆射箭，徐凤年便敢以箭矢射靖安王世子，更敢用短戟吓得他们三条腿一起发抖。

短戟刺入窗口，偷看战局的郡守次子躲得快，只是脸颊被划出一道血槽，短戟钉入天花板。

那帮本来拿着北凉王世子谈天说地的青州千金终于开始切身体会到战事近在咫尺，脸色苍白，尤其听那蜀间郡太守次子捂着脸哀嚎，简直就是死了爹娘一般撕心裂肺，若没有人搀扶，恐怕早就要满地打滚了。

已到了绝境的韦玮狞笑道："去让另外一艘楼船去撞，撞死这帮不长眼的北凉蛮子！"

这艘黄龙的楼船将军正要领命离去，韦玮放低声音道："记住，先撞其余两船。"

楼船将军愣了一下，猛然醒悟，松了口气，心中直呼万幸。若真撞死了那名气焰嚣张的北凉公子哥，以其身份，他这种小小楼船将军能有好果子吃？自己这种不起眼的替罪羊，拎出去一百只都不够宰啊！

船舱被这么一闹，混乱至极，靖安王世子手指敲了敲桌面，替他挡住半截箭矢的王府扈从躬身接近，世子殿下只说了一个字。

"杀。"

无须自小在襄樊城中长大的世子殿下如何叮嘱，高手扈从就知道该如何把事情做得安逸稳妥了。

船舱中，恶蛟韦玮与徐凤年结仇最大，依旧是不敢以黄龙撞徐凤年所在的船只，而与徐凤年头回相见看似并无深仇大恨的世子却要决然杀人。那些名媛小姐更有意思，被刺入船舱的短戟吓得不轻，反而对指挥军卒如同驱使家奴一般天经地义的北凉王世子更加心生爱慕，青州女子重功利心而轻仁义，可谓一语中的。如此人以群分的一舱人，表面和睦，如何成大事？

青党如今凭借权术侥幸执政治国，能持久几年？可有明眼人瞧出其中端倪？有利则聚，无利则散，与蛇鼠何异？朝中一言九鼎力压文武的张首辅对青党从来都是言语拉拢却不肯真正分以大任，大概因此？

姜泥不知为何在船舱内看书总心不在焉，李老头儿坐在一旁脱了靴子抠脚丫，手指在脚趾间来回摩挲，再放到鼻尖闻一闻，嘴馋了，还要丢颗花生米进嘴，这等高人风范实在是高到不能再高了。

老剑神看姜丫头的眉头时而紧皱时而舒展，想了想，笑道："想看这水战？想看的话，老夫可以护着你出去，别说几百支箭，便是上万箭矢如雨泼来，老夫照样保管你安然无恙。"

姜泥一板一眼问道："当真？"

李淳罡嘿嘿一笑，"稍稍说大了，万箭齐发，除非是如齐玄帧巅峰时的那般神仙本事才能毫发无损，以老夫目前天象境的雕虫小技，还差了些火候。不过一切皆是因为老夫手中无剑，不怕你这丫头笑话。"

姜泥追问道："你这样的用剑高手，做不到手中无剑自有千万剑？"

老剑神这回出奇没有论剑素来的自吹自夸，只是轻声道："可以是可以，但真有一剑在手，心境终究大不同，哪天你学剑大成，便会明白，否则老夫说破嘴皮，你也不理解。"

姜泥哦了一声，站起身。

她也不说为何要出去冒险观战，但手无缚鸡之力的她就是去了。

李老头儿扯了扯羊皮裘，紧随其后，走到船舱门口时，已站在姜泥身前，零散箭矢飞来，不需老剑神如何动作，便偏出老远。

李淳罡名中有剑罡。

这话可不是白说的。

兴许是这位断臂剑神觉着箭矢碍眼，又或者是不忍姜泥担惊受怕，当小妮子看到黄龙直直撞向身旁的一艘商船，瞬间抽刀的徐凤年带着宁峨眉与四名扈从狂奔而去，她下意识惊呼出声。

李淳罡冷笑一声。

一脚踏出。

掠过了所有人，踩在黄龙船身上。

身形飘荡如青龙。

一脚便将那艘黄龙楼船给踩翻入水！

韦玮命令楼船将军撞船，是铁了心要破釜沉舟，官宦子弟中确实少有他这般杀伐果决的猛人，生于高门望族，看见得多，得到得多，往往不会大方，反而心中计较更多。

韦玮只是求名，希望为自己博一个好名声，若是在仕途上助父亲一臂之力，则是锦上添花，所以不会真与徐凤年过意不去。父亲韦龙王只是大江大湖里的小庙龙王爷，远比不得徐骁这种翻转天地的当世蛟龙。听说这位大柱国此时正逗留京城，若徐凤年遭遇叵测，这种仅次于天子之怒的雷霆震撼，韦玮再不学无术，都知晓利害。靖安王世子却是求一件五爪蟒袍，相差天壤，因而他在思量后愿意铤而走险，一击不成便不成，春神湖上的战事，谁去留心隐蔽的十步一杀，可若成了？

韦玮站在窗口，本来期待着黄龙撞翻敌船，冷不丁看到一个穿羊皮裘的不起眼老头掠出船板，只见老家伙脚尖在黄龙船身上轻轻一点，在春神湖上足可横行的大黄龙便翻了？

真翻了！

韦玮目瞪口呆，双手死死抓在窗沿上。

靖安王府豢养的龙爪手高手才出船舱便折回，对世子殿下沉着脸摇了摇头。

湖水顷刻间汹涌荡起，连累这艘黄龙楼船都开始剧烈摇晃不止。

“为何？”靖安王世子倒是相对镇静。

“有个独臂老者一脚踏翻了黄龙楼船。”已是古稀之年的扈从苦笑道。

“一脚？”世子两指握紧酒杯。

“一脚！”在靖安王府锦衣玉食的高手点头，神情极其不自然，同样是藩王府邸里的走狗鹰犬，自问别说一脚翻黄龙，便是给他十脚百脚都踏不翻一艘可以载物五千石的楼船。

“一品高手？”世子突然笑了笑。

扈从无奈地叹气道：“差不离。”

世子似乎轻松许多，并未因为独臂高人的一脚踏黄龙而气馁，好奇地问道：“独臂？你可知北凉有独臂高手？”

扈从摇了摇头，“不曾听说，大概是北凉王府秘密请出山的人物。”

靖安王世子起身，准备去另外的船舱。

眼不见心不烦。

这艘楼船的将军已经赶忙让麾下黄头郎去救人，连他在内都被那老神仙的一脚踩得肝胆俱裂，只求神仙爷爷别跟他们这帮蝼蚁斤斤计较，一脚踹翻就踹翻，小的们都知道你老人家的通天本事了，好好歇息着，千万别来第二脚啊！韦玮知道大势已去，完了。

面如死灰，这位从未在春神湖上失手的恶蛟转身颓然坐回椅子，身边还有脸上被短戟剐出血槽的死党在痛哭流涕，在寂静船舱中显得格外聒噪。韦玮怎么都想不明白，一百北凉甲士怎就压得四百黄头郎大气都不敢喘，更想不通怎就会有人能以脚力胜黄龙，堂堂青州水师的主力战舰是一叶扁舟不成？

徐凤年没料到老剑神会来这么一出，但既然已经营造出摧枯拉朽的派头了，他便借势跃上鸡飞狗跳的黄龙楼船，正忙碌打捞落水人的黄头郎都惶恐逃散，老道士魏叔阳、大戟宁峨眉、吕杨舒三名王府扈从，都追随世子殿下掠上黄龙，登楼而上，直达三楼本作瞭望指挥的船舱。凑巧遇到正要匆忙离开的靖安王世子，徐凤年拿绣冬刀鞘抵住这名世家子的胸口，后者的贴身亲卫试图阻拦，瞬间被宁峨眉以大戟相指，更被吕杨舒三人围困，靖安王府里养尊处优的龙爪手高手当下便不敢动弹。

徐凤年在绣冬刀上稍稍用力，将眼前隐约猜出身份的世家子逼回舱内，里面一伙十来号青州首屈一指的公子千金都望向这位白袍白马出北凉的人屠之子。

那些青州名媛则瞪大眸子，讶异，惊艳，畏惧，以及崇拜，光是她们的脸色与眼神便是一幅动人画面。

朝中青党势大，外地人谁敢在青州境内与紧紧抱团的青州子弟叫板？

更别说此时圈中还站着一位靖安王世子殿下。

徐凤年笑眯眯问道："小子，想溜？这黄龙楼船就这么大，你能躲本世子躲到哪里去？"

靖安王世子表面修养极佳，显然得了靖安王赵衡的真传，被徐凤年以刀鞘抵住心口，仍是一脸不以为意，淡然道："出去透透气，顺便好见识一下世子殿下的风采。"

徐凤年稍微缩回绣冬，却没有回挎到腰间，而是提起轻拍眼前家伙的脸庞，啪啪作响，这动作辱人至极，徐凤年嘴上更是戏谑道："别以为本世子不知道你是谁，姓赵名珣，靖安王赵衡的长子。你我同为世子，怎的差距就这般大？"

被拍红脸颊的赵珣直视徐凤年，平静道："北凉王功盖千秋，我父王却一心向佛，自然不能比。"

赵珣这话有玄机，却不大，谁都听出来靖安王世子无非是在说你徐凤年能有今日风光，无非是仗着有个背负全天下骂名的人屠父亲，与你这个世子殿下却是无关。

"啪！"

绣冬刀这一记尤其用力，靖安王世子赵珣嘴角渗出血丝，徐凤年微笑道："说得好，该赏！本世子重重赏你一记绣冬！"

赵珣仍是在强撑着笑。

靖安王府的扈从已经准备拼死救主，但徐凤年已经与赵珣擦肩而过，轻轻说道："黄龙楼船本世子收下了，麻烦你跳船游回襄樊，与赵衡说好，到时候父子二人一起出城迎接本世子大驾。"

赵珣都不去擦拭嘴角猩红血迹，径直走出船舱，缓缓道："襄樊城定会恭候大驾。"

徐凤年没有理睬马上要成为一条落水狗的靖安王世子，先朝那帮瞠目结舌的小姐姑娘扬起一个温煦笑脸，然后转头望向缩在角落的都统之子赵纨绔，以及露怯的恶蛟韦玮，拿绣冬点了点这两位，微笑道："一位是从四品大员的儿子，拉帮结派，让赵珣送上门来，好样的；一位是青州龙王爷的儿子，敢拉弓射箭，敢黄龙撞船，更是英雄好汉。"

随着老剑神来到三楼舱外的姜泥见到这一幕，神情古怪。

敢情徐凤年对府外人都这般跋扈蛮横？以前在北凉王府，只听说他对府上丫鬟女婢动手动脚，出了北凉，在那县城折腾晋兰亭，到了青州，便拿青州水师肆意戏耍，她原本以为他只会欺负柔弱女子呢。

徐凤年没有急着去拾掇韦玮和姓赵的，转头望向青州千金们，笑容灿烂道："哪位姐姐妹妹会煮茶，咱们一起喝茶赏景，打打杀杀什么的，本世子讨厌得紧，惊吓了姐姐妹妹，待会儿容我以茶代酒，自罚三杯十杯的，如何？"

二姐远嫁北凉的鹅蛋脸姑娘丝毫不怕北凉王世子，自告奋勇笑道："我带了些雨前春神茶与一整套茶具过来，还没来得及煮茶哩。"

徐凤年对待船上女子便判若两人，好说话得一塌糊涂，笑呵呵道："缘分哪。"

姜泥小脸蛋僵硬着，瞧瞧，这家伙的狐狸尾巴一下子就露出来了。

可恶！

那被打肿脸的阴沉家伙看着就可恶。

可这个一上船就跟一群姑娘眉来眼去的家伙最可恶！

徐凤年每走一步，韦玮与姓赵的便后退两步，直到无路可退，徐凤年来到窗口，正巧看到靖安王世子与扈从跳入水中，徐凤年眯起眼，感触颇深。当年帝王心术登峰造极的老皇帝突然驾崩，皇宫内廷第一宫"正大光明"牌匾后头的密诏不翼而飞，顿时出现八龙争嫡的混乱场面，一波三折。先是被废黜的太子在清流领袖老首辅的拥戴下几乎一举登顶，不料前太子迟于先皇三日暴毙，紧接着是六皇子赵衡声势最盛，太后对这个孝顺儿子最是器重，外戚一派与群龙无首的文臣一拍即合，而赵衡便是在那时候写下"提兵百万驱莽奴，立马立碑第一峰"的诗句，那时候可谓是如今的靖安王最风光无限的一段短暂岁月。孰料螳螂捕蝉，黄雀在后，本来最不被看好的二皇子横空出世，不知如何获得了宦官内侍与军部武将的鼎力支持，先是秘密拘禁太后，其后展开一系列暗杀，数位大权在握的外戚一夜之间死于非命，遗诏再度出现，清清楚楚写到先皇属意二皇子登基，二皇子名正言顺地坐上皇帝宝座，便成了如今的皇帝陛下。八龙争嫡，祸起萧墙，最终才死了先太子一龙，其实在明眼人看来已经算是皇帝陛下心慈手软了，比起各朝历代皇子皇孙死得一干二净要好太多。赵衡等皇子都陆续获封藩王，各有封地军权，虽说一部《宗藩法例》苛刻万分，可靖安王赵衡、淮南王赵英等诸位弱势藩王，也不曾有半句牢骚传入天下人耳中。

至于主仆二人如何去襄樊，这就不是徐凤年关心的了，略加思索，转头对宁峨眉说道："落水救起的黄头郎都重新踹下去，一艘楼船承载不了这么多人，让那名楼船将军带着游到姥山，由王林泉负责接待，踢他们屁股的时候别忘了说姥山那边有好吃好喝的，本世子算是仁至义尽。"

宁峨眉领命而去，青州士族官宦小姐们听到北凉王世子的话都忍俊不禁，相视一笑。对她们而言，大柱国与北凉王世子都是远在天边的人物，庙堂争斗，如何都殃及不到她们，青党从不直接参与到藩王间的斗法，青党审时度势保身安命的权术，号称庙堂第一，若非如此，三十个州，独独出了个青党？眼前的北凉王世子颇为有趣，哪怕明面上是在打青州水师的脸，可暗中矛头却始终直指靖安王府，如此一来，与靖安王赵衡留有清晰距离的青党便会宽心许多，猜到老祖宗们不上火，她们便心情轻松许多。青州家族抱团不假，可明摆着韦虫子一家要被放弃，与其被拖累下水，还不如在一旁喝茶观景，与北凉王世子殿下同船赏景，说出去得是一个多大的噱头？

徐凤年终于回神，走到角落，把姓赵的拎起来丢出窗外，哀嚎着坠入水中，再对那个作势要困兽死斗的韦玮说道："楼船借本世子一用，带到襄樊城外，恩怨一笔勾销，如何？"

早就绝望甚至做好拼命打算的韦玮先是愕然，随即惊喜挂满那张布满痘印的坑洼脸庞，扑通一声跪下，来了个结结实实的五体投地，颤声道："谢世子殿下！"

徐凤年拿脚踩了一下韦恶蛟的脑袋，笑骂道："不长眼的东西，听说你这家伙削尖了脑袋想要与李翰林结为兄弟，都不知道他这些年天天都在给谁背黑锅吗？"

韦玮虽说跪着还被踩脑袋，心中却是越发安定了，抬头舰着脸谄媚笑道："都怪小的有眼不识泰山。"

能屈能伸大丈夫，床上床下都如此。哪怕是如韦玮之流只会做无良纨绔，可三百六十行行行出状元，大抵都能做出自己的一些门道。

徐凤年笑道："起来吧，男儿膝下有黄金，跪我算怎么回事。"

韦玮小心翼翼站起身，刚松了口气，但北凉王世子下一句话便再度将他打回原形，"你箭术不错，据说是射杀女人练出来的，去，对那名都统之子射上一箭，射死了，我介绍李翰林给你认识，射不死嘛……"

韦玮沉默不语。

徐凤年装模作样给韦玮拭去身上灰尘的时候，低声说道："王林泉的银子便是本世子的银子，王林泉的姥山便是本世子的姥山。你真当这青州都是青党的？此行去襄樊，自会有人替你想好如何弹劾本世子在春神湖上骄纵行凶，如何辱骂靖安王，殴打世子赵珣。只是你出去射箭时，记得手脚干净些，本世子可以保证那桌姐姐妹妹们都不会乱嚼舌头，如何？”

韦玮躬身作揖后大踏步离开船舱。

徐凤年坐到桌前，与抬起雪白手腕煮茶的鹅蛋脸美人儿肩并肩坐着，与其余皆是两两相坐于一条长凳的青州千金们凑成一桌。徐凤年耐心等着春神头酌茶，肆无忌惮地打量身边诸位富贵小姐的脸蛋身段，大多是中人之姿，只有身边这位烹茶的小娘能有将近八十文的风韵，徐凤年堂而皇之伸手搂过她的纤细小腰，这还不止，桌下伸脚轻踩着她的菱藕小脚，转头望着俏脸绯红的青州美人，笑眯眯问道：“敢问姐姐芳名，本世子有一把桃花美人扇，回头就将姐姐绘在扇面上，日日把玩。”

日日把玩？

一桌红绿莺燕们齐齐望向鹅蛋脸女子，她们眼神中夹杂着促狭嫉妒。

被徐凤年搂腰的女子虽然家教不俗，一直以来行事说话气概豪迈不输男子，只是此时如此被公然调戏，仍是吃不消，那一肢小蛮腰不敢躲，也不想躲，低眉顺眼假装在关注火候。她的家世可不简单，离阳王朝四根顶梁柱，青党这一根虽然最为细小，但说话声音并不弱，王朝十二位柱国以及上柱国，青党大佬分得四个席位，此女家族内的老祖宗便是其中一名上柱国。三十年间辗转于兵部、户部、吏部三大部，门生故吏不计其数，被誉为两朝官场“不倒翁”，曾有人戏言这位不倒翁亲眼见到的廷杖次数，仅比老首辅少些。

徐凤年终于喝上了茶，痛饮如酒，没什么风雅可言，笑道：“晚上姐姐妹妹们若是觉得被褥不暖，吩咐一声，本世子立即亲手捧去厚实锦被。”

自然又是一阵只可意会的羞赧娇嗔。

那名煮茶的鹅蛋脸美人悄悄望向徐凤年侧脸，似乎察觉到什么蛛丝马迹，怔怔出神。

徐凤年转头问道：“何事？”

她温婉一笑，摇了摇头。

喝了茶，赢来满桌的欢声笑语，徐凤年告罪一声离开船舱，来到船头，鱼幼薇并未登上黄龙楼船，姜泥与老剑神倒是站在一旁。

韦玮已经一箭射死了前一日还在把臂言欢称兄道弟的赵姓纨绔，瘫坐在

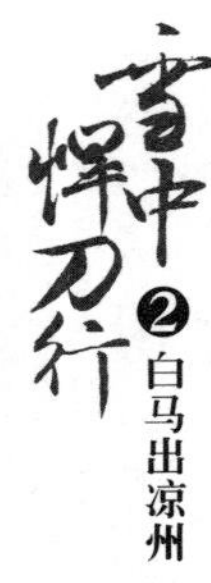

船尾甲板上捧着大弓发呆。

徐凤年开口笑问道："不晕船了？"

姜泥冷笑道："这茶是不是好喝极了？"

徐凤年拔出一根射在船身上的北凉箭矢，握在手中，身体慵懒地靠在船栏上，望向浩淼湖面，轻轻说道："没什么味道啊，远比不上姥山喝到的春神茶。"

姜泥面无表情地问道："真要去襄樊？"

徐凤年点了点头。

姜泥皱了皱眉头，"你真不怕那靖安王赵衡搬出数千人马把你给碾作齑粉？"

徐凤年哑然失笑道："北凉王世子殿下死在襄樊辖下，赵衡担当不起这个罪名，他当年若是真的心狠手辣，不是那般优柔寡断，这天下就是他的了。赵衡这位藩王运气不算差，但总觉得做什么都会功亏一篑。志向是有的，否则也说不出'大柄若在手，定要泽被满天下'的话。能力也不差，襄樊当年破城，仅剩两万濒死百姓，变换城头旗帜后，这两万人都疯了一般爬都要爬出襄樊，彻底成了一座空城、死城，但在赵衡治下，推行黄老学说无为而治，如今襄樊人口重新恢复到数十万，天下腰膂重镇的说法，名副其实。靖安王，靖安王，这个藩王封号给得好，赵衡在青州百姓中口碑极佳，可算是七个藩王中最好的一个，这种人，最是爱惜羽毛，我怕什么？说不定赵衡还得担心有人嫁祸于他，恨不得请出兵马来给我护驾。小泥人，你信不信？"

姜泥一脸匪夷所思道："你瞎说的吧？"

老剑神淡然笑道："徐小子没有瞎说。"

徐凤年双手弯曲了一下那根北凉制式箭矢，突然笑道："听说襄樊仍有十万孤魂野鬼不肯离城，小泥人，到时候你小心点。"

唰地一下，姜泥脸色雪白，色厉内荏道："要怕遭报应，也该是你，与我有什么关系！当初襄樊若不是大柱国铁了心要围城，不肯招降，不肯留出一座生门，襄樊如何能变成酆都！"

十年困城，城中人如牲畜论斤卖。

慈母割肉喂子女，恶父丢儿入烹锅，人间百态，善与恶都在那座鬼城中被极端扩大，一寸墙头一寸血，一寸草木一寸悲，襄樊阴气之重，无法想象。

十年攻守，在朝廷严令下不许任何士子史家付诸笔端。

真相何等惨烈？！

徐凤年打趣道："有道理，到时候入了襄樊，你记得离我远点。本世子为何在晋兰亭府上砍了那么多上佳桃树，还不是因为魏爷爷是九斗米道的高人，好随身多带几柄斩妖除魔的桃木剑。你这几天赶紧跟他套近乎，否则到时候你被无数孤魂野鬼缠上，女子本就是阴体，身上阳气远逊男子，便是李老剑神也救你不得。"

姜泥脸色越发雪白，嗫嚅诺诺，想要反驳给自己鼓气，却不知道该说什么。

小泥人的姿色一直可排在徐凤年生平所见美人中的前三甲，第一当然是雌雄莫辨的白狐儿脸，榜眼是三年游历中在洛水河畔看到的女子，至今分不清是士族女子还是洛水河神，只是她美则美矣，二十几岁的女子，容颜依然如十九道棋谱上的一个定式，再精巧，都变不到哪里去。而小泥人不同，她这些年始终在成长，昔年胸脯符合太平公主封号的亡国公主早已不再"太平"，而是越发鼓起了，说不定将来某一天就能悄然与白狐儿脸媲美。此时脸色奇差的小泥人，别有风情，徐凤年喜欢逗弄、欺负、算计她，一部分原因是习惯成自然，再就是心底觉得板着脸死气沉沉的小泥人好看是好看，可灵气不多，不如她生气懊恼时来得可爱。

老剑神不忍天真的姜泥被这个徐小浑蛋蒙蔽惊吓，没好气地出声道："丫头，这小王八蛋故意骗你的，鬼魂一说就像神仙，信则有，不信则无。老夫行走江湖看遍天下奇景异士，说到神仙，却也只有齐老道能算。若襄樊真有十万不愿投胎的孤魂野鬼，几十万活人这些年如何生存？"

徐凤年嘿嘿一笑，对于李淳罡的讥讽称呼不以为意，面子这玩意儿，他看得挺淡，这不是世子殿下天生就有，而是被逼出来的本事。继续弯曲手中的箭矢闹着玩，吹着口哨，优哉游哉。让老剑神挫败的是，徐小子的满口胡诌明显比他语重心长的劝慰要有杀伤力，姜丫头依然白着一张绝美小脸蛋，似乎下一步就要跑去桃木剑在手的魏叔阳身边，这还没到襄樊呢。对鬼神之

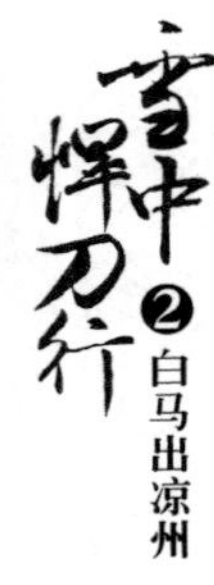

说深入骨髓的姜泥战战兢兢地说道："那到时候我不进城，就待在船上！"

无奈的老剑神只好翻白眼，唉声叹气，心想那小王八蛋真是姜丫头的命里克星。

徐凤年笑道："到了襄樊，我们便要弃船走陆路了，你到时候怎么办？留在船上一辈子？我可跟你说明白，湖里可也有冤死水鬼无数，你不会真以为襄樊十年攻守战只是简单的攻城战吧？唯有襄樊水师先死绝了，才有围城的说法。城中好歹还有龙虎山天师摆弄出来的周天大醮，城外有什么？"

姜泥无言以对，欲哭无泪。

李老头儿实在有些听不下去，揉了揉裤裆位置，打算去黄龙楼船四处走走。这对冤家活宝儿想怎么闹腾就怎么闹腾去，他算是不乐意掺和了。

姜泥怯生生地问道："龙虎山老神仙设下三万六千五百周天大醮，很有用的吧？"

徐凤年瞥了一眼李淳罡的背影，玩味道："这个当然，这周天大醮是道门最高科仪，设一千二百位神坛，已是规模宏大，一般而言是只有天子家中或者道教祖庭出了大状况才有的盛举。醮这一字，字义是在讲斟酒礼仪，说得简单点，便是牛鼻子道士请天上神仙喝酒嘛。周天大醮在本朝以前的极致不过是为皇子设醮二千四百圣真下凡，为之祈福消灾，以及为天子举醮以求护国佑民的三千六百普天大醮。襄樊由天师府创立道统历史上前无古人的三万六千五百大醮，等于请遍了天上的镇圣仙人，当初仅贡品一项花销就耗去国库九十万银两，这若还没用，天师府早就从龙虎山上搬出去了。"

姜泥重重点头，握紧拳头，脸色舒展许多。

不料徐凤年话锋一转，阴阴笑道："但是别忘了，就像你刚才说靖安王想要对付我怎么也得弄出个两三千兵马，可见敌人本事越大，排场就得跟着上涨，鬼城襄樊如果没有不易降伏的凶魂厉鬼，何须王朝如此砸钱？"

姜泥又被吓傻了。

徐凤年将弓箭随手丢给楼下一名正在回收箭矢的北凉轻骑，走向姜泥，压低声音说道："我呢，不仅有魏爷爷助阵，身上还带了许多道门法器，等到了襄樊，你干脆就跟我睡在一起，同床是最好，不同床也要同屋。"

姜泥一脚踹在徐凤年膝盖上，带着哭腔愤怒道："我宁肯被野鬼害死，也不与你住在一起！"

徐凤年弯腰拍了拍昂贵如名玉的白缎袍子，伸出大拇指夸赞笑道："有骨气！"

徐凤年故作想起什么，居心叵测地温和笑道："对啊，记起来了，襄樊十万游魂与徐骁是死敌，等于是与本世子有不共戴天之仇的死敌，你被野鬼们害死后，肯定特别有共同语言，它们越喜欢你，你就越不能转世投胎，你们可以日日夜夜一起说我的不是，一起说个十年、百年、千年……"

小泥人死死望着这个最卑鄙、最阴险、最无赖的世子殿下，细微哽咽起来，哭红了眼睛。

徐凤年悄悄叹息，敛了敛神色，伸手去擦小妮子脸颊上的泪水，但不等姜泥转头，他的手便缩回，柔声道："小笨蛋，还真信我的胡言乱语啊，你想啊，你这丫头那么想着拿神符刺杀我，幽魂野鬼们怎么舍得害死你，巴不得你长命百岁为它们报仇雪恨呢，是不是？"

姜泥木然地点了点头，抽泣着嗯了一声。

徐凤年转身望向襄樊方向，双手按刀，微风起，拂面拂袖，衬托得长了一双丹凤眸子、额心更有枣红印记的世子殿下如神仙一般。

徐凤年轻声自言自语道："所以说你怕什么，该我怕襄樊才对。你知道我是真的信佛，信六道轮回，信因果报应。"

姜泥抹了抹眼角，茫然问道："那你还去襄樊？"

徐凤年笑道："去看个热闹啊，三万六千五百的周天大醮，你不想见识见识？"

姜泥摇头道："一点都不想！"

徐凤年伸了个懒腰，"走，你该读书了。"

书籍都在商船上，两人一先一后走下黄龙楼船，徐凤年说搂着她一跃而过，她不肯，徐凤年只好停下两艘船，船与船间架了一块木板，徐凤年让姜泥先走。她走得小心翼翼如履薄冰，可天下事越是怕就越容易发生，走到一半，姜泥就一个摇晃差点坠入春神湖，所幸被徐凤年双手扶住肩头，可晕船严重且不识水性的她稳住身形以后竟然不敢再动了，哭笑不得的徐凤年只好一把抱起这个说胆小却敢刺杀自己、说胆大却不敢多走一步的奇葩丫头，不顾她挣扎，如履平地走到船板上，放下她，结果挨了她好一顿踢踹，在船舱内读书的时候都在咬牙切齿。徐凤年一心两用，一边听姜泥念书，一边阅读青州地理志，桌上摊有一张特地让王林泉搜集到的襄樊图稿。

仅看图稿，就是一座雄城。

接下来数日，青州名媛千金们分三批离去，她们大多不愿去襄樊，一来鬼城阴气过重，二来不愿被靖安王府见到自己与北凉王世子殿下一同临城。

鹅蛋脸美人儿是最后离开的一位，这几日大半时分都在与世子殿下品茶闲聊，她被摸过手，踩过玉足，搂过纤腰，捏过脸蛋，所幸留下了完璧之身，到底是万幸还是不幸，看她离别之际的神情，似乎是后者居多。青州女子重功名轻生死，历年入宫选秀，当数此州最上心，若北凉王世子能够世袭罔替，按律可有王妃一名，侧妃两名，真要做了北凉王的王妃，天下女子除了皇后在内屈指可数的几位娘娘，至多加上一个仍是空悬的太子妃，又有几人能比？

别看徐凤年终日游手好闲，但不管是与青州士族小姐们调笑，还是听姜泥读书，或是夜幕中在船头发呆，其实都在绞尽脑汁琢磨着如何去鲸吞体内大黄庭，大黄庭约莫只吸纳了两成。

手中绣冬单刀破六甲。

黄昏中，临近襄樊城。

徐凤年走到黄龙船板上，按捺住心中烦躁，这两日有消息不断从禄球儿那边传来，称不上好坏。一个是久久不曾确立的太子终于要浮出水面了，京城那边暗流涌动。再就是十年一度的文评、武评、胭脂评重见天日，江湖上仙魔乱舞，武评开篇便说天下三教鼎立，佛道中唯观自在，仙道中唯吕祖，神道中唯荡魔天尊，三者最是杂处人间，与人最近，故评西域大观音入一品，龙虎山小吕祖入一品，武当新掌教入一品。

武评中有单独的剑道评，武当剑痴王小屏与剑冠吴六鼎赫然在列。

禄球儿在密信上说那位大观音已出西域，小吕祖的齐小天师也已下山。

显然，多半是冲着徐凤年而来。

京城风雨飘摇，各路仙魔纷至沓来，无意间立于大潮潮头的徐凤年当如何自处？

到襄樊了，可以望见城墙埂上著名的城楼钓鱼台。

钓鱼台一柱撑起十年半壁。

城楼匾额写有“孤钓中原”四字。

徐凤年没有理睬韦玮与黄头郎，径直下船，骑上骏马，于暮色中向那座鬼城策马奔去。临近城门再下马，姜泥似乎真以为世子殿下身怀道教法器，跳下马车就小跑到徐凤年身边，徐凤年忍住笑意，拿绣冬刀指了指城头，眯眼道：“瞧见没，当年天下第一守将便在那儿坐镇足足十年，才有现在稳坐钓鱼台的说法。能让徐骁恨得咬牙的家伙不多，那名读书真正读出春秋大义的西楚士子能排前三，哪怕西垒壁后你们西楚帝都被破，哪怕整个江南全部失陷，这座城与这个钓鱼台都屹立不倒，可惜不管襄樊如何固若金汤，却影响不了天下大局。”

姜泥咬了咬嘴唇。

徐凤年牵马缓行道：“城中粮尽食马，马尽罗雀掘鼠，雀鼠尽再食人。”

姜泥默不作声。

徐凤年轻轻说道：“甲士知必死，守城士卒战至最后一人，无人独活，这便是春秋国战，这些惨剧是上阴学宫唇枪舌剑之辈无法想象的。襄樊雄城，城高十八丈六尺，底宽九丈，城墙长达十一里，基座全由花岗岩和石灰岩条石砌成，墙面由三州特质的巨砖砌成，每一块砖头的砖侧皆印有制造地、监造人和造砖人的姓名。砌砖时，缝隙中浇灌糯米汁与高粱汁以及石灰与桐油混合的夹浆，更有蒸土筑城，负责襄樊造城工程的匠作大匠持有利锥，若锥入一寸，即杀造城人而并筑之，故而坚密如铁，当时史家莫不称作残忍苛暴。”

徐凤年停下脚步，不去看姜泥的脸色，语调生冷道：“当年徐骁攻城，王明阳守城，各自备战，这位稷下学士出身的读书人坚壁清野，城外粮食物资尽运城内，连房屋都尽数拆去，木料砖瓦搬到城中。为防徐骁挖掘地道，事先沿城脚挖井一百口，井内放置蒙覆皮革的大陶罐，使耳聪者伏罐而听。不说五万守兵，更将十五万襄樊百姓列成三六九等，僧侣、工匠、游侠各司其职，守城必备物资分作官备、民备两大类。再拣选江湖善战人士日夜巡城，以防城中有奸细内应纵火开城。机关算尽，王明阳在上阴学宫一身兵家所学，在十年中展现得淋漓尽致。徐骁曾亲口说过，上阴学宫若人人如此，便是要他去当个稷下学士都无妨。”

徐凤年继续前行，“攻城先要跨河越壕，继而接城，接下来才是最惨烈的攀城。攀城别名蚁附，你望一望那城头，可以想象千百人于云梯上顶着箭矢、巨石、滚木、火油攀附而上的场景。城内僧人便是在这场战役中发明出了降魔杵，牛鼻子老道则创造出一触肌肤则溃烂的行炉金液。攀城之后是巷战，襄樊当时汇聚了大批江湖草莽与绿林好汉，誓死要替中原三国守下这腰膂重镇，可谓同仇敌忾，巷战之前便在城头短兵相接中无数次击退北凉军，若非他们，襄樊无须十年破城，三年便足够。世人只知北凉军马战冠绝天下，却不知步战攻城并不差，春秋国战中一直摧枯拉朽，唯独到了襄樊，精锐折损大半，其中就有三百名精于钻地的穴师，死亡殆尽。这场耗时十年的攻守，至于谁对谁错，天晓得。但正是在这十年中，一生睚眦必报的徐骁与江湖的仇算是真正结下了。”

那条护城河异常宽阔，河上吊桥并未收起，襄樊夜禁森严，但这些年吊桥一直平铺，甚至连正门也不曾关闭过。似乎按照龙虎山天师的授意，设三万多用作超度九幽拔罪好事的周天大醮后，不闭鬼门，任由冤魂离开酆都襄樊。传说龙虎山黄紫天师离城前，亲手绕城画符篆书，最后更在钓鱼台内顶楼悬有一张道教天符，上书“天罡尽已归天罡，地煞还应入地中”，说等到何时襄樊游魂散尽，此符便会燃烧精光。

但天符书成多年，始终不见消失，无疑成为襄樊城数十万人心头一道挥之不去的阴霾。

徐凤年牵马而行，脚下是两头幼夔，身旁是神情复杂的姜泥。徐凤年下意识看了一眼城头上的钓鱼台，月明星稀，这座城楼蔚为壮观。

徐凤年转头对小泥人温柔说道：“别怕啊。”

手心是汗的姜泥低头嗯了一声。

世子殿下抬头看不到楼中人，楼中人却可低头看见徐凤年。

楼中人身材修长，身穿普通道袍，脚踏麻鞋，道髻别木簪，手挽拂尘。钓鱼台顶楼是禁地，有数位龙虎山德高望重的老道士驻守，便是靖安王都不得入内，当年大天师离城时明言非天师府真人不可踏足。

若是去天师府砸过场子的东西小姑娘与南北小和尚在，便会认出这位道士，是领着他们走入天师府内院的那位，正是他用白尾拂尘挡下了天师府那位倨傲黄紫道士的一招，还亲自引见了白莲先生。

这位龙虎山上的外姓小天师姓齐，与大真人齐玄帧同姓，与龙虎山一位先代祖师爷同貌。

手持拂尘，被掌天下道教的国师称赞“太公坐昆仑”。

他下龙虎山后，种种传说如滚雪球一般，仿佛全天下都在赞誉，但他无动于衷，因为这些都不是他在意的。对他而言，那些大道理，连大多数人听都听不懂的东西，都不是道理。世间兄弟相亲，子女孝顺，夫妻恩爱，便是道理。那些大学问，只是在书堆典籍里较劲的学问，都不是学问。老农辛勤耕种，小贩讨价还价，商贾日夜逐利，便是学问。他自认道根浅陋，故而不求天道，只想以武道入世济世，下山只为了两件事，一件是入襄樊，师父闭关前说天符会烧，他想亲眼确认；再就是去一趟武当，去确定那位年轻掌教能否真的肩扛天道，至于如何判定，很简单，手中拂尘可作剑，杀得掉，便是假的，杀不了，便是真的。

他转身望着那张以一根朱绳接天地的天符，皱了皱眉头。

天符在摇晃。

徐凤年眯起眼睛，望见城门中走出一位奇怪女子。

她头顶剃尽三万三千烦恼丝。

穿着一袭雪白僧衣，手腕上以一条白蛇当绳咬住一枚白壶。

赤脚，一双玉足却不惹纤毫尘埃。

她轻灵地走上吊桥。

襄樊城门外鬼气重，如大雪铺天盖地，唯独她好似一尊观自在菩萨，超度众生。

钓鱼台中，天符燃烧成灰。

“万鬼出城。”

天师府道士叹息一声：“龙虎山输了，烂陀山赢了。”

白衫、白蛇、白壶的女子肌肤胜雪，这样一位仙佛女子从襄樊鬼门走出，徐凤年缰绳所牵骏马低头长嘶，马蹄使劲捶打地面，不仅是这头牲口，马队皆是如此。

徐凤年脚下那对幼夔也都鳞甲竖起，通体猩红，面孔狰狞，似乎遇上了什么不干净的浊物。

徐凤年张目望去，不知神仙还是凡人的女子走上吊桥，护城河中不见有人踩踏，却顷刻间水波汹涌，翻滚如沸，好似千军万马而过。

老剑神李淳罡出凉州以后，头回露出凝重神情，脚步轻点，掠至徐凤年与姜泥身前，站在吊桥这一端，与那女子针锋相对，遥遥相望。

白衣观音依然前行，行至吊桥中间，老剑神独臂伸手，摘下匕首神符，两两对峙，不见吊桥上她如何动作，只看到护城河猛然炸锅，众人所见景象的镜像扭曲起来，只剩下白衣观音清晰独立。

徐凤年终于看清那女子仿若笼罩于千重雪山后的绝美面孔，愕然惊呆，女子如画，他知道她是谁了。

当初自称从烂陀山而来的龙守僧人说要带他去西域，这红衣袈裟大和尚伸手是禅，很是出尘，所以徐凤年特意上了听潮亭，翻阅秘典。眼前女菩萨便是佛门人物谱高居探花的密宗红教上师，一大串头衔：大慈法王、补处菩萨、六珠上师……四十几岁的老女人了，徐凤年本以为早已人老珠黄，即便驻颜有术，也不会青春纯澈到哪里去。可眼前女子除去身高过于高了点，容颜与二十岁女子无异，眉目慈悲，额心天生一点红痣。

徐凤年心想早知这位烂陀山女法王如此明艳动人，大可以讨价还价一番，双修？没问题啊，只要上师肯出西域，凉州风土总比贫寒西域强些，拥有金山银山的世子殿下还缺一张锦被大床？

这个俗不可耐的遐想念头一闪而逝，徐凤年正了正心神，与李淳罡并肩而立，轻声道："此人是烂陀山女法王，被称作六珠菩萨，据说身具观自在上师、愤花王上师、忿怒金刚上师等变身法相，打得过？"

老剑神独臂拿神符，一脸笑眯眯，若非知道羊皮裘老头的身份，否则真要误以为是为老不尊的老家伙在拦路劫色。李淳罡低头一吐，凝意成神的通玄本事，竟吐出一口徐凤年肉眼可见的青色罡气，包裹住那把价值连城的神符，在夜幕中光彩流溢。

老头儿轻声道："烂陀山的和尚号称'打不死'，当初符将红甲人与一个持杵的老家伙斗了三天三夜，都没能敲死对方。一品中的金刚境，便出自释门，老夫倒要看看是否真的是金刚不败之体，不过跟一个后辈女娃娃斗剑，胜之不武。"

唯恐天下不乱的徐凤年一肚子坏水道："老剑神只是拎了一把匕首，已经算是保留实力，不算欺负后辈。”

老头儿用斗鸡眼斜瞥了一下不求息事宁人只求旁观酣战的世子殿下，嘴角扯了扯，并不介意，世人练剑练不出个名堂，便是由于做不到一剑破万法，与人对剑，怕这怕那，怕得最终丢了剑道本心。没有“虽千万人吾往矣”的心无旁骛，如何使得出一手好剑？李淳罡对于徐凤年那些小肚鸡肠，一直不乐意上心，出北凉到青州再到襄樊，这一路他何尝不是在观察这位金玉其外的北凉王世子？

得出的结论竟是这小子武道天赋颇为不俗，心性坚毅近无情，可惜习武终究是迟了些，否则在而立之年前未必成为不了曹官子之流。

那尊白衣观音向前再走一步，李淳罡便要一袖青龙而出了。可就是只差一步，她停在吊桥上，不是与潜在的敌人老剑神对视，而是望向正慢慢后退的徐凤年。

她抬手。

名中有剑罡的老剑神手上神符如青蛇，罡气如青蛇吐芯，一股青气喷薄而出，整只独臂被青气萦绕。

可这位生自天竺帝王家、长自烂陀山的女性法王只是抬手提壶，揭开壶塞，喝了口酒，酒气不输老剑神的罡气，以至于整座吊桥上都芬芳弥漫，那条小白蛇缠住她的白玉手臂，这一幕诡谲至极。

这位六珠菩萨轻轻望了一眼徐凤年。

只是一眼，徐凤年体内一身大黄庭翻涌如潮水，没来由喷出一口鲜血，看得身后几位扈从触目惊心，正要上前护驾，被徐凤年摇手阻止，一口血吐出，徐凤年胸内不闷反清，二重上三重？

再看几眼岂不是就要大黄庭尽在我身？

她果真再度看来，正当徐凤年目瞪口呆时，老剑神皱眉一下，轻喝一声，一抹青罡现桥上，似乎斩断了无形的丝缕气机，对徐凤年怒目道：“小子不知死活，给了点甜头就真以为她是大慈大悲的菩萨了？！小心怎么死都不知道！”

白衣观音微微摇了摇头，收起酒壶，默默前行。

“小子，你与姜丫头后撤。”老剑神说完一跺脚，以脚掌为中心尘土泛起，波纹跌宕，震耳欲聋，徐凤年拉住姜泥飘向后方。

白衫无垢的女法王无视老剑神一脚踏出的无形剑气，赤脚前行。

就在剑气即将抵身时，桥上老剑神与白衣观音之间出现一位穿红袈裟的大和尚，神情木讷，堪堪挡下这一圈圈沛然剑气，只见他身上袈裟飘荡，身形屹立不倒。

徐凤年悄悄叹气一声，这个曾说过可等三十一年的龙守僧人都出现了。若只是六珠法王一尊菩萨，徐凤年相信以李淳罡的实力，加上身后实力都在二品上下的扈从，不说杀敌，困住这位烂陀山观音不是没有可能，别看红衣大和尚没到一品，可在眼前微妙的态势下，他便是最大的变数。再者徐凤年对眼前大和尚没有恶感，对于得道高僧，他一直心怀颇多敬意，真要生死相搏，不说后果成败，终归不是一件赏心悦目的好事。

红衣大和尚双手合十低头道："我师此次入世，并无斗勇心，请世子殿下不要怪罪。我师这趟出襄樊，超度恶鬼十万，是为殿下攒无量功德。"

徐凤年觉得这话说得荒诞不经，偏偏深信不疑。佛道两门都隐晦记载襄樊城中有十万被亲人烹食的恶鬼，怨气冲霄，便是三万六千五百周天大醮都消弭不去，于是当年两教便立下一个不着文字的赌约，谁胜谁入襄樊，谁输谁出襄樊，百年不变。若是龙虎山赢，两禅寺与烂陀山为首的僧侣便要在百年中不得踏足襄樊，反之，则龙虎山要撤去周天大醮，搬离大小道观，不得在城中传经布道。

三教纷争，门派争名利，其实很多都如同孩子怄气，不可理喻。

姜泥喃喃道："她真好看，像观世音娘娘。"

徐凤年苦笑道："观世音，观察世间牛马众生声音。凡夫俗子观其音声，可得解脱。"

那位小泥人眼中的观音娘娘先与桥头李淳罡擦肩而过。

再与世子殿下擦肩，轻启梵音："我观世音，你不自在，不配双修。"

徐凤年不知为何，嬉笑道："既然我不自在，那求菩萨给个自在？"

徐凤年说完话，才留心到身侧的观音菩萨身高竟比自己还要略胜一筹，她可是赤脚而行，徐凤年的身高本就十分出众，凉地汉子大多魁梧健壮，徐凤年丝毫不显矮，到了江南这边更显身材修长。身边女子中姜泥还在成长中不去说，像鱼幼薇和舒羞这样高挑的女子都要比他矮半个脑袋，女法王却愣是比世子殿下还要高，且不说她衣着气质如何另类，光是这份鹤立鸡群的高度，就相当惹眼。

两人擦肩而过后，徐凤年很没有风度地转头盯着烂陀山红教法王，神情木讷的龙守僧人经过一旁再度双手合十，与世子殿下算是单独打过招呼。两人在北凉城中有两面之缘，加上徐凤年名声虽恶，对释门佛法却亲近，这一点北凉尽知，因此出世人龙守和尚对徐凤年并无反感。

红衣袈裟大和尚投之以桃，徐凤年报之以李，微微点头。因为王妃崇佛的关系，徐凤年爱屋及乌，对佛法宗门颇多精通，倒不是对道教义理有所贬低，中原根底在道教的说法，他还是认同的，只不过从小耳濡目染徐骁与道门的仇怨，一经对比，难免对某些道门人物有些看法。

其实佛教一直被中原士子称作西方教，带有浓重色彩的贬义。春秋国战以后，初期名利心不重的亡国遗老纷纷避世遁世，一旦选择释门，便广受世人诟病，冠以“畏死逃禅”四字，骂之老僧本色是优伶。随着现在的皇帝陛下开始崇佛，才有改观，仅京师便有游僧不下万人，但释门素无领袖一说，远不如道统以龙虎山为尊这般明明白白。

黑衣老僧杨太岁是两朝帝师，手腕资历都够，本是释门执牛耳者的最佳人选。可惜病虎老僧却是一株无根浮萍，甚至早早与家族断绝了关系，便是传授龙子龙孙们驳杂学问，都会板着脸，传闻大内的鸡毛掸子都不知道被他打碎了几根，皇子公主们都怕这个老和尚怕得厉害。皇宫里以隋珠公主行事最为跋扈，可连天不怕地不怕的她都说只怕黑锅巴，加上黑衣老僧十几年如一日拒绝访客登门，因此杨和尚何来结党一说？若无结党，单枪匹马，又何来的势力？

白衣观音翩然远去，对徐凤年厚颜无耻求个自在的说法置若罔闻，她一走，本来乐意等个三十年的龙守僧人便再无理由“画地为牢”，跟着返回烂陀山。除去两禅寺，和尚们都恨不得说一句贫僧自烂陀山而来，可百中无一能真正往烂陀山而去。徐凤年瞥见一旁姜泥痴痴望着女法王的背影，一脸呆相，忍俊不禁地打趣道：“想跟着去烂陀山？你要做明妃或者尼姑？我跟你事先说明，吃斋念佛可比读书挣钱吃苦多了。”

轻轻将神符别回发髻的李淳罡玩味道：“这个烂陀山婆娘存了与你双修的心思？”

徐凤年一脸遗憾道：“以前我怕她老牛吃嫩草，死活不肯，现在竟然轮到她嫌弃起本世子了，这世道啊。”

老剑神好不容易逮着一个机会挖苦徐凤年，自然不会错过，阴阳怪气道：“徐小子，她当着一大帮人的面说你不配双修呢，你堂堂北凉王世子殿下能忍？这话传出去岂不是被天下人笑破肚子？”

徐凤年嗯嗯道：“笑死最好，都不用我学刀了，见到不顺眼的，就跟他们说这个笑话，听着听着他们就笑死了。”

李老头儿愣了一下，好不容易回神的姜泥听到这等泼皮无赖的言语，没好气道：“你真不要脸！”

徐凤年无奈道：“那你倒是给个我要脸的法子？让一百号人冲上去打这位观音娘娘一顿？还是跪在地上哭着求着她与我欢喜双修？”

小泥人约莫是见到徐凤年被她心中的神仙姐姐瞧不起，心情不错，转过头笑着重复念叨着：“不配，不配，不配……”

徐凤年故意与姜泥撇开一段距离，望向城头叹气道：“今晚可是一个十万野鬼出城的好日子。”

姜泥立即闭嘴，下意识走近徐凤年。徐凤年率先走上吊桥，襄樊是兵书上典型的雄城，城池外缘筑有凸出马面，徐凤年走过护城河，遥想当年国战第一攻守，忍不住记起攻城中的木马牛，转头询问身后的老剑神：“木马牛的名字有什么缘由？”

徐凤年似乎问出口后才惊醒这个问题不合时宜，对剑士而言，佩剑被折，无异于生平最大的羞辱，何况还是被王仙芝以两根手指断去。不承想李老头儿相当不以为意，只是平静点头道：“木马牛取名的确缘自你所猜想的攻城器械，寓意天下敌手皆城池，没有木马牛攻不破的。木马牛锻造与神符一般无二，同是来自一块天外飞石，前朝皇帝派人海外访仙，偶遇飞石坠海激起千层浪，从海底捞起，一半锻造木马牛，一半造就符将红甲，剩余精髓，却是制成了老夫头顶这柄匕首神符，三者殊途同归，这三物称得上姐妹兄弟。”

徐凤年调侃道：“那老前辈和小泥人真是有缘分。”

老剑神呵呵一笑。

雄城襄樊夜禁森严，仅是对寻常老百姓而言，对徐凤年这种敢跟青州水师一战的顶尖权贵，以及六珠上师这种烂陀山神仙，当然是来去随意。城门校尉十有八九得到靖安王赵衡的授意，并不阻拦，否则兵戈相见，无非是给徐凤年长脸面罢了，总不能指望在这等琐碎小事上让北凉王世子吃瘪。春神湖上的闹剧，至今仍无人能说必定是徐凤年遭受责罚，毕竟与以往不同，这会儿一袭蓝缎五爪九蟒袍的北凉王就待在京城中。首次金銮殿早朝，这位异姓王佩刀登殿，面对张巨鹿、顾剑棠以及文武首官以外的数位功勋大臣责问，连同三位殿阁大学士的轮番诘问，人屠只是独自站着打瞌睡，一个都不理睬，让两班大臣气得七窍生烟，至于耿直怒容背后是否存有忐忑畏惧，便不可知了。京师有小道消息说北凉王与铁骑驻扎休憩的下马嵬驿馆门可罗雀，京师上下都觉得大快人心，拍手叫好，都说这是天理昭昭，失道者必寡助，北凉气数已尽！

下马嵬驿站，当真是门庭冷落。内庭院落中，富家翁装束的北凉王在与一位黑衣老僧对饮绿蚁酒，酒是徐骁特意从凉州带到太安城的，眼前绰号“病虎”的老家伙，则是被徐骁硬拉过来的。其实这些年借着二女儿徐渭熊的那首《弟赏雪》，京城中绿蚁酒多有贩卖，只不过北凉王亲自带着烈酒行过几千里，礼轻情意不轻。这也算是徐骁面对他乡故知的一种表态：你杨太岁不当我徐骁是朋友，连入城都得替皇帝陛下盯着我，可徐骁却仍然当你老秃驴是朋友，当年你请我喝酒当作送行，这次重逢便要还请你喝一壶绿蚁酒。

京城春寒早已消弭，蝉鸣不止，可徐骁似乎还是怕冷，抬手呵了口气，感慨道：“我离京时记得王朝有一千八百六十四个驿站，这会儿兼并那么多个国，不增反减，还能剩下一半吗？”

黑衣老僧平淡道：“太安城太安城，天下太平安稳，何须再现当年驿馆林立、羽檄飞传的景象？这难道不是好事吗？”

世人皆知徐骁对驿站有一种难以割舍的情怀，因为离阳王朝当初对驿站建造并不重视，徐骁执掌兵权后，提出十政，其中驿站与马政几项都在他手中得到最大程度的发展，还有几项政事因为春秋落幕，尚未来得及普及，便已中途夭折，削减驿站只是一个缩影而已。离阳王朝兵马鼎盛时，可谓是“一驿过一驿，驿馆同鱼鳞；一骑接一骑，驿骑如流星”。故而国战结束时，几乎所有亡国皇帝被押解往太安城，其间见识到三十里一驿，都震惊于徐骁的手腕，许多战败后仍是只怨天时地利的名将这才服气，因为小小驿站

要牵扯出驿道等诸多事情，每一件都麻烦至极，仅是驿路两旁植物的栽种和维护，每年便要耗费国库不少银子。当时兵戈正酣，昏君不去说，几个明君也至多是盯着甲胄锻炼，恨不得今日花钱明日便可立竿见影，为臣子的能如徐骁一般说服皇帝陛下在百年大计上砸钱？

徐骁笑道：“短时间来看自然是好事，等你我百年以后，是不是好事，可就难说了。”

黑衣老僧虽是僧人，却也饮酒，喝了一口，语气平淡道：“你操甚心。”

徐骁哑然失笑道：“又不是你这种出家人，老子不操心，对得起当年随我征战的英烈？这天下谁打下来的？”

杨太岁皱眉道：“张巨鹿会操心，顾剑棠也会操心。再者是你帮先皇打下天下又如何，没有你徐瘸子，总会有李瘸子王瘸子顶上，你居功自傲，先皇却没有狡兔死走狗烹，依然由着你去当北凉王，这还不够吗？”

徐骁轻声道：“够了。所以当年你拉我喝酒，事后我也没怎么样，当年欠你和他的恩情，都算一笔还清了。”

说到这里，黑衣老僧有愧，便不再说话，神情有些落寞。

那名女子初入世，剑匣仅刻有“此剑抚平天下不平事”九字。

先皇得知后笑着说没有这个弟媳妇便没有徐骁，便没有朕的大好江山，大凉龙雀剑当得起这九个字。

那名奇女子临终前才刻下后九字，每次想起，黑衣老僧都觉得有愧，因为他便是世间第一有愧人。

老僧问道：“那你还请我喝酒？”

徐骁冷哼一声道：“若不是到了北凉后那些年媳妇一直劝解我，说你这秃驴有苦衷，老子就算再大度，也懒得理你。”

杨太岁苦涩一笑。

徐骁喝了口酒，冷笑道：“下次朝会，顾剑棠再敢唆使一帮杂碎出阴招，就别怪老子抽刀劈他！”

杨太岁皱眉道：“顾剑棠便是空手，你也打不过。天底下用刀的，他稳居第一人。”

徐骁反问道：“我砍他，他敢还手？！当年我把他的嫡系斩首挂在城头上示众，他就敢阻拦了？当年不敢，现在这小子越活越回去，就更不敢了。”

黑衣老僧笑呵呵道：“似乎不敢。”

徐骁笑道：“这不就是了。”

这哪里是身穿五爪蟒袍的北凉王，分明是市井无赖啊！

怪不得能教出徐凤年这般品行无良的儿子。

徐骁笑眯眯问道：“我若真砍死顾剑棠，你这回？”

杨太岁平静道：“我欠的忠义人情，当年也还清了。既然你今天能请我喝酒，我明天就能请你杀人后出京城。”

徐骁哈哈笑道：“你这秃驴，还算有点良心。”

黑衣老僧默不作声。

世间再无人比这头病虎更一诺千金。

一壶绿蚁很快就空了。

老僧轻声道：“你以前连累王妃活不自在，现在是连累你几个子女也是如此，尤其是那徐凤年，你就没点愧疚？”

徐骁坦然笑道：“不是一家人，不入一家门，不吃一家饭。什么自在不自在的，都是命。”

老僧一声叹气。

徐骁问道：“你可知那烂陀山六珠上师？”

老僧点头道：“此人最初修行耳根不向外闻，不若世人，早早得了动静二相了然不生的大解脱境，是佛门里的大智慧者。当年由初地一跃到证第八地，与武当山新掌教一跃入天象如出一辙，都是罕见的肉身菩萨。”

徐骁哦了一声，皱紧眉头。

老僧问道：“听说这位红教法王去了襄樊，你不担心？”

徐骁呢喃道：“怎么不担心，她与凤年双修，担心，可不双修，更担心啊。”

第四章 齐仙侠问剑武当，瘦羊湖再见温华

心中有佛，视人便人人是佛；心中有粪，视物便物物是粪。

北凉王徐骁抵达京师已有十日，这十日中徐骁没有去拜访谁，也没有人到下马嵬驿馆递交名刺。按理说徐骁身为异姓王，不被《宗藩法例》上的条条框框所束缚，京师大大小小近万官吏，平日最好趋炎附势，便是放榜日里那些个原先寂寂无名的新科进士，身边都有不在少数的官员打着同乡的幌子亲近热络一番，怎么偏到了徐骁这边，就没一个人影？

其实略作思量就清晰明了了，朝中大体上是张巨鹿统领文臣，顾剑棠领导武将，青党自立门户之余还笼络了一批“散兵游勇”，八大亡国的遗老互成奥援，还算泾渭分明。

只是随着朝中第二代“遗少”崛起，早前的仇视对立的情绪也开始慢慢淡去，融入早先的三足鼎立。八个旧国中，又存有分裂：西蜀离青州最近，故而大多被青党吸纳；西楚多士子，对大黄门出身的当朝首辅张巨鹿最是心存好感；而民风彪悍的东越等蛮夷之地，则更喜欢亲近大将军顾剑棠，后者也觉得这帮既可马上提枪、亦可马下吟诗的后生对胃口。如此一来，老首辅这些老一辈国之栋梁本就与徐骁不对路，新一辈当红官员受祖辈以及春秋国战的影响，不管是出于爱惜羽毛，还是自恃奇货可居，也不会主动投靠偏居一隅的北凉王，大多被明面上的四大派系所瓜分。

当然，若是北凉王主动青眼相加，相信也没有谁会拒绝这份天大的殊荣，雍州小吏晋兰亭，可不就是靠着北凉王一封举荐信就成了清贵至极的大黄门？

今日早朝，徐骁没有迟到，走出马车时便已身穿蓝色大缎五爪蟒袍。以往百官上朝，几乎都是最早到的首辅张巨鹿率先走入，从来都是踩着点末尾入门的大将军顾剑棠殿后，无人胆敢逾越雷池。

除此之外，接下来是谁第二第三个上朝入殿，就不太讲究了，大体上是按照资历大小、官爵高低，可朝中党派争斗日趋白热化，就显得越发没有规矩可言。顾党一脉武夫居多，最瞧不起曾是手下败将的亡国遗老，对青党也不甚尊重，而势力最大的张党倒是一直温良恭让，再算上外戚和宦官两大变数，当真是一派乱象横生，纠缠不清。今日朝会大多数官员都已得知顾大将军前两日去了两辽，短时间内肯定赶不回来，这让许多期待着两大春秋名将在保和殿上大打出手的旁观者很是失望。大概是群虎无首的缘故，原本习惯蛮不讲理争抢入门的顾党今天十分低调，不急于过正南的太安门，只是对着

那一袭蓝缎蟒袍的老瘸子虎视眈眈。

顾党按兵不动，张党由于首辅张巨鹿束手插袖站在门口仿若等人，也都没谁入门。号称张党股肱文臣良心的新晋武英殿大学士温守心站在首辅身边，额头冒汗，因为首辅不入门，眼前却有个驼背老头正走来。

身着蟒袍的徐骁笑呵呵问道："温大学士，今天怎么没抬着棺材上朝啊？"

温守心还算是有些胆识气魄，重重冷哼一声，对冷嘲热讽不加理睬。早前他让府上老奴抬棺上朝请死，弹劾北凉王徐骁十大死罪，恳求皇帝陛下以命抵命，只求换来徐骁一死。可谓一桩壮举，京师百官、百姓谁不竖起大拇指？本来一些张党内部对他晋升武英殿大学士多有腹诽的同僚，也都彻底转为沉默，算是默认了首辅的这个布局，张党势力最为深广，少了谁都不缺，因而内部往往是倾轧最烈。张巨鹿对于这种内耗，出奇地不太上心，只要不触及底线，从不插手。这些年，只有寥寥数人被剔出张党，下场悲凉，不是发配边疆，就是永不叙用。

徐骁见这位武英殿大学士装聋作哑，拍了拍肩膀，和气地笑道："朝廷需要你这样的忠义臣子啊，听说温大学士做县吏时两袖清风，廉洁至极，甚至还饿死了两个女儿，我在北凉那边刚听到这消息便纳闷了，这般官员怎的才做八品小吏，是咱们张首辅的过失？不承想还没几年，这会儿便做成了武英殿大学士，三殿三阁排第几？看来温大学士还是少生了几个女儿，再生两个，岂不是就没张首辅什么事了？别说武英殿大学士，便是那保和殿大学士还不一样是温大人的囊中之物？不过也难说，难保张首辅没有几个老师，死了一个老首辅便有今天这般风光，这点温大人还是比不上啊。咦？岂不是可以说你们两位大人，都是发死人财？哈，这话胡说了，两位大人都是肚里能撑船的宰相，千万别往心里去啊。"

温守心一张脸涨得通红，想骂人却不敢骂，十分憋屈。

周围一些张党官员故作激愤者多，真正动了火气的人其实很少。

一旁的首辅张巨鹿年过五旬，却不显老，这位当朝第一人的相貌尤其被人称道，生得紫髯碧眼，十分奇伟。年幼时便被昵称"碧眼儿"，给老首辅做幕僚时，备受重视。只不过老首辅耐心好，舍得花三十年时间去雕琢这块璞玉，没有揠苗助长，数次替心爱门生拒绝了官场上的晋升，甚至外放做封疆大吏的机会都一并不理，而张巨鹿耐心更好，三十年黄门生涯，不骄不躁，对庙堂政事一直捺着性子冷眼旁观，只看只听，唯独不说，一出黄门便成龙，恩师死后两年内他连升十一级，顶上了老首辅的空位，甚至权位犹有过之。

张巨鹿被徐骁一顿奚落，并未流露丝毫异样，面无表情道：“杨国师曾说‘心中有佛，视人便人人是佛；心中有粪，视物便物物是粪’，据说当年国师说这句话时大柱国也在场，不知大柱国是听在耳中还是听在了心上。”

徐骁哈哈大笑道：“杨太岁说什么，不管你们怎么想，反正除去说我的好话，我都当它是屁话。”

张巨鹿轻轻一笑置之。

皇城南门后的主要建筑是外朝三殿与内廷九宫，三殿中以保和殿为贵，市井百姓称之为“金銮殿”，以为朝会都在此进行，其实并非如此，保和殿一般用作各大典礼，皇帝陛下上朝多在天乾宫或者养神殿，大概是为了表示对北凉王徐骁的郑重，两次早朝都设在保和殿。

此殿屋脊滴水瓦当以及外檐额枋门窗，再加上殿内金柱、藻井、屏风等共有龙纹一万八千条，真正做到了万龙朝圣。这还只是保和殿一殿规模，铺散开去，皇城内的龙纹不计其数。

保和殿的巨大台基呈现出坐北朝南的“土”字。

从皇城正南起，中轴线上三殿一字排开，不植一株树木，朝见天子，御道漫长，太监侍卫隐匿于两旁森严建筑阴影中，仿若天地间唯有己身一人独行，无形中便生出一股莫大的压力。

当初染血无数的徐骁第一次面圣时便以计算步数来驱散惧意，徐骁尚且如此，更别说一般初次上朝的臣子是何等战战兢兢。伴君如伴虎，尤其是王朝接连两位皇帝陛下皆是雄才伟略，帝王心术登峰造极，无人敢说自己熟稔于揣摩圣意，这更让臣子们如履薄冰。

今日碧眼儿张巨鹿有意让徐骁第一个上朝，徐骁也当仁不让率先走入巍峨宫门。

似乎除去张巨鹿，所有人都忘了只要保和殿大学士之位一日空悬，文官便要尊大柱国为首。

武当自打老掌教王重楼仙逝后，本就不多的香火便又清减了几分，所幸牌坊后的近千个老道人、中年祭酒与道童们过惯了清贫日子，屋漏便补，衫旧便缝，培几洼菜地，养几笼鸡鸭，倒也没什么怨气。倒是此时一个年轻道人蹲在“玄武当兴”的牌坊后头唉声叹气，身旁跟着蹲了几个附近道观里的顽劣道童，一个个争抢着要这道士说些书上的情爱故事。这故事听着可比道经要有趣多了，可就是过于凄凉了点，里头的男男女女怎么就没一个有好下场的，听身边这位说书说到了临近结尾，越发揪心了，这不强撑着被师父拿板子抽也要逃掉道课偷溜出来？

“太上师叔祖，这本书里咋有那么多灯谜、酒令和诗词哩，该不是都是一个人想出来的吧，要是真的，写这书的得有多大的学问才行？差不多能跟太上师叔祖比了吧？”一位才上武当山没两年工夫的小道童怯生生问道，小道士生得唇红齿白，十分灵气，双手托着腮帮使劲望向一旁师父的师父的师父的师叔，按理本该喊掌教的，可观里似乎都说这位太上师叔祖不太喜欢，就依旧按辈分来喊了。

“瞎说，写这书的哪能有师叔祖的学问厉害！”一个稍早些入山的小道士出手打了一个板栗，一脸的正色凛然，被教训的年幼小道童抱着脑袋不敢反驳。

“不是瞎说。写书的这位若与我辩论道教义理，估摸是说不过的，可要说这些情情爱爱，我就差了十万八千里。这便是术业有专攻的道理了，你们以后与师父们学习经文，碰到难题，莫要以为师父们说的都是对的。一些个师父责罚而你们却不觉得错的事，可以去莲花峰上找我，若我仍是说你们错了，你们还不服气的话，可以下山去寻个对错。如果有一天觉得找到了答案，我与师父们是错的，可以回山告诉一声我们真的错了，假若发觉自己错了，也不要觉得有甚丢脸的，记得咱们武当的山门永不闭。”年轻道士微笑道，揉了揉最小的那位道童脑袋，笑容温煦。

“太上师叔祖，我觉得师父一不高兴就打我们板子就是错的啊，你觉得呢？”那小道童天真地问道。

年轻道士轻声笑道：“我小时候也挨过几次打，可这会儿知道大多的确是自个儿错了，几次不对的，久而久之，也就不去计较了，师父师兄们都不是没脾气的圣人，难免会有些错。武当千年来，记载在册的道士有十数万，可玄武天尊的雕塑才一尊，咱们啊，包括我在内，都是凡夫俗子，得许得别人犯错，许得自己犯错，莫要去钻牛角尖，那就活得不快乐了。好不容易来世上走一遭，总闷着生气，你便是高高在上的帝王将相，也无趣。再说了，咱们是出世人，荣华富贵什么的，无非是过眼云烟，道成瓦砾尽黄金，丹药炉中自有春，武当为我枕，我枕是武当，就够了。”

一个年纪稍长的小道士悄悄道：“师叔祖，听说富贵人家天天都吃肉呢，我可馋嘴了，肚饿念经时，总是想着就流口水。”

俊雅出尘辈分最高的年轻道士微笑道：“天天吃肉与日日粗茶淡饭可不就是一样吗，清风，师叔祖给你十个馒头，第一个尝着美味，那第十个馒头是啥滋味？”

道号清风的小道士苦着脸道：“十个馒头，都撑死啦。”

年轻师叔祖哈哈笑道：“对啊，山上山下都是这个理，掌教师兄说过道高不如人心高，我们若贪心了，可就没止境了。山上吕祖登仙前挂剑于南宫月角头，那把剑最厉害的地方知道是什么吗？”

“听师父说可以飞剑千里！”

“肯定是斩妖除魔啊！”

……

答案林林总总、千奇百怪，年轻师叔祖听着微笑不语，等寂静下来，才柔声道：“吕祖看似留下三尺剑，实是留了道根与武当，教我们要以青锋宝剑斩去烦恼、贪嗔与色欲。”

“色欲？”最幼道童一脸茫然。其余几个懵懂略知的少年道士都嘿嘿笑着。

“我读的书叫《东厢头场雪》，里面一些略过的男女之事便是了。”年轻师叔祖笑眯眯道。

“那太上师叔祖有色欲吗？”小家伙刨根问底了。

不等师叔祖回话，小家伙就被小师兄小师叔们痛打了一顿。

年轻师叔祖再次替他揉了揉小脑袋，轻声道：“有的。”

身边响起一阵惊讶的啊啊声，却没有谁觉得自称有色欲的武当山年轻掌教如此一来便不高大、不学问、不和蔼了。

年轻师叔祖呵呵笑道："自知不好，不是坏事。这与我们道士求天道一般无二，自知道不在我手，才要去求个道。"

"师叔祖，你还没成道吗？"一个少年道士忐忑问道。

"不好说啊。"年轻师叔祖实诚道。

这时一批从雍州来的老年香客总算走过了十几里的神道，气喘吁吁地来到牌坊下，年轻道士立即起身，招呼身边的小道士一起去帮忙提拿行囊。上山时，道童们娴熟地介绍起武当山景与道观，老香客们约莫是觉得小道士们可亲可爱，都露出沧桑笑颜，走走停停，疲态渐消。年轻师叔祖知道后辈们不可能送到山顶，就让他们先下山，独自拿起所有行囊，老人们过意不去，这位一路上言语不多的年轻道士笑着说没事没事，老香客见他上山如行云流水，说不出的神奇风采，的确不像是在故作轻松，便放心许多。没了小道士，老香客们终于问起一个略微敏感的问题，绕不开武当山新老两位掌教。这批雍州老香客们上次来武当已是十多年前，这次差不多是此生最后一次登山烧香，他们大多对武当山印象不差，只是家中子孙更愿意舍近求远去龙虎山，他们的身子骨走不动，不过言语中也透露出他们如能年轻二十年，说不定这趟真就去了连续出了三位国师的龙虎山。

那个背起众多行囊的年轻道士听闻这些，也不说话，只是微笑，显得憨态。看在老香客们眼中，反而要比竭力给武当山说好话来得顺眼舒服许多。

一路缓行上山，临近山顶，才遇到一位坐望云海悟道的老道士。

老道士好不容易认清了负重上山的年轻道士容貌，赶紧起身毕恭毕敬地打了个稽首，道："见过掌教。"

年轻道士笑着点了点头，算是打过招呼。

十几位老香客们不太相信耳朵，齐齐望向陪了一路便听了一路龙虎山如何了得、武当山如何清冷的年轻道士。

他们的确有听说武当山掌教出奇的年轻，这一趟上武当烧香很大原因便是希冀着能与新掌教见上一面，哪怕远远瞧几眼，就当沾沾仙气也好。

武当不管这百年来如何式微，终究是曾经力压龙虎山的道教祖庭，有仙人王重楼珠玉在前，对于新任掌教，香客们都还是打心眼里视作神仙高人的。

可这位年轻神仙，咋就给咱们这帮糟老头子背行囊了？！

得知道士的武当掌教身份，老香客们是如何都不敢让这山上头号神仙代劳背负行囊了，年轻掌教拗不过老人们的坚持，便只好一路陪同走到大莲花峰玄武殿门口。香客寥寥，年轻道士站在一棵千年樟树下遥望着香客们捧香祭拜四方，最后投入巨大香炉，武当山上总算是有些香火烟气了。

他突然转头，看到一位身穿山外道袍的道士，手持一根白尾拂尘，黄杨木别起发髻，面容肃穆，缓缓步入大门，身上不惹尘埃，仅论瞧着是否仙风道骨，便是樟树下的这任武当掌教似乎都远远不如，年轻道士朝不速之客略微稽首。

那年纪上稍长的道士却没有理会，只是望向玄武大殿，依稀可见殿内那尊真武大帝的宏伟雕像，雕像高达数丈，披发跣足，金锁甲胄，脚踏玄龟。

这道士看了眼这红铜雕像，再看了眼殿外香炉，摇了摇头，喃喃道："敕镇群魔，统摄北方，非玄武不足以挡之？"

做了武当掌教以后便悄无声息的道士站得远，却听见了这名道士的询问言语，没有直接回答，只是不确定地反问："约莫是的？"

外来道士皱眉道："连你都不确定？"

总不太能将一件事说个准确的年轻掌教笑问道："龙虎山说你是三代祖师爷转世，又说当年吕祖将青胆剑胎一分作三，你得了其一，那你说这是真还是假？"

不承想这道士却是毫不犹豫摇头道："假的。"

武当新掌教估计是被震惊到了，木讷无言。反倒是在别家地盘上的龙虎道士显得咄咄逼人，终于愿意打量一眼，望向气态风范还不如天师府上任何一名打杂道士的武当第一人，问道："你叫洪洗象？"

叫洪洗象的家伙点了点头，径直蹲在石阶上，你看我我看你，虽说眼前龙虎山道士气势凌人，可一个巴掌拍不响不是，蹲着的这位不红脸不白脸就跟见着了远道而来的客人一般，半生不熟的那种，故而不矫情热络也不冷眼冷面，因此两人对峙非但没了剑拔弩张，反而只有一种鸡同鸭讲的滑稽。

龙虎山的访客知道他叫洪洗象，洪洗象既然知道青胆剑胎的说法，自然也知道这个大有来头的家伙姓齐名仙侠。除了这是个过耳不忘的名字，更多是由于姓齐的不光在龙虎山和天师府出名，即便放在整个天下道门里，也是首屈一指的天才，未来注定要为道统扛鼎的人物。若要问这厮为何如此了得？武当方面得知的理由很简单，小王师兄的剑术已经够超群了吧？可大师兄当年却说道门中论剑，王小屏只是第三，位居榜眼的是一处洞天福地的老前辈，两者都被年纪轻轻的龙虎山齐仙侠压下一头。

当然，说法归说法，真相如何，得亲眼见到才行。在洪洗象眼中，齐仙侠不光手中一柄马尾拂尘是剑，便是站在千年老樟下，古树都是剑，而且都是出鞘剑，江湖上流传的所谓“我不持剑自有千万剑”的通俗说法，大抵就是齐仙侠的传神写照。

蹲在石阶上的洪洗象重重叹了口气，看吧，山下尽是厉害人与可怕事，多危险。

至于齐仙侠为何上山，洪洗象本就不是真正不谙世情的笨蛋，武当道观不多但也不少，道观与道观间难免有些小的争执摩擦，谁不服气谁，隔三岔五就要登门理论理论，私下里小道士们嘴上输了，便拿拳头来讲理。小时候骑牛逛山，总能遇到一些约好在山上僻静处“私了”的后辈，以往他旁观得不亦乐乎，如今做了掌教，倒不好拍手叫好了，只能是等打完了再去劝解几句。龙虎山那边除了让齐仙侠来武当，其余谁来都不合适，四大天师，年纪摆在那里，打嘴仗抡拳头就算赢了也不光彩，小天师中，白莲先生辩论是无敌，可若自己不管白莲先生说什么都说是、都说好，想必白莲先生也会很无奈。齐仙侠就不同了，不与你浪费口水，光站在面前，就有莫大的压迫感，这如何是好？真要打架不成？

齐仙侠说自己的青胆剑胎是假的，可洪洗象左看右看上看下看横看竖看，这家伙都是锋芒难挡哪。

齐仙侠看着洪洗象转眼珠子一脸为难的表情，不似作伪，虽说心境依旧古井无波，只是预料了无数种状况，都没猜到武当新掌教是这么个既没上进心又没担当的俗物，若非上山时见到洪洗象替香客背过行囊，齐仙侠早就将真武大帝的雕像给捣烂了，这也就是挥几下拂尘的事，至于武当与龙虎山是否就此结恶，天师府是否因此责罚，齐仙侠毫不在意。天师府上，数百年来，一直对吕祖抱有一种复杂难明的态度，无论吕祖如何诗剑如仙，毕竟是武当山上的老神仙，龙虎山自有仙人无数，也有几位法力通天的祖师爷，可似乎都不如吕洞玄来得可亲可近。齐仙侠心中很早就觉得相比吕祖，龙虎山赵家天师族谱上的祖师爷们更像是道观里的一尊尊泥塑雕像，刻板而疏远，喝不来豪迈酒，写不出飞扬诗，只是瞧着高高在上，让人徒有敬畏，而无亲近。

一时间，真武殿外气氛有些冷场，年长道士都避而远之，只有几个天真无知的小道童凑在一起对外来道士品头论足。在这帮孩子看来，年轻师叔祖不管是不是掌教，可都是天下第一，北凉王世子殿下够跋扈吧，不一样被师叔祖收拾得服帖？当然，这大半是因为他们没见识到徐凤年痛殴洪洗象的景象，不过话说回来，便是看到了，道童们也只会觉得这是师叔祖气量大，不与凡夫俗子一般见识。

齐仙侠主动开口问道："《参同契》是你写的？不是你几位师兄代笔？"

洪洗象答非所问："山上没什么可招待的，回头送你一本。"

齐仙侠皱了皱眉头。

洪洗象突然问道："江南风景气象，可好？"

齐仙侠默不作声。

洪洗象追问道："听说龙虎山离湖亭郡挺近的，这会儿那边天气不冷了吧？"

齐仙侠似乎被这类无聊问题纠缠得有些恼火，语气越发冰冷，"你自己不会去走一遭？"

这下轮到洪洗象沉默。大概是想到洪洗象从未下过山的说法，再联想到偶尔一次从天师府上道听途说的秘闻，齐仙侠脸色古怪，犹豫了一下，冷笑道："湖亭郡此时不算冷，就是闹出了个大笑话，你们北凉王的长女徐脂虎作风不正，在那边惹了众怒，甚至连京城里都有所耳闻，宫里头有位写《女诫》的娘娘很是生气，传出消息要拿这位出嫁江南的郡主好好兴师问罪一番。"

洪洗象一本正经地抬头问道："问什么罪？"

齐仙侠平淡道："你作为武当掌教，就只关心这个？"

洪洗象笑了笑，指了指殿内真武大帝雕像，说道："那位才关心万民疾苦。我呢，素来没有你们天师府经世济民的抱负，只惦念着山上饱暖，至于山下如何，也就问问。对了，你给说说，到底是问什么罪？"

齐仙侠不理会洪洗象，只是再度望向昏暗大殿内的荡魔天尊，轻声感慨道："铸造已千年。"

齐仙侠转身，撂下一句，"与你道不同不相为言，我这就去太虚宫拿走吕祖挂在檐角的古剑。问什么罪，我不知晓，只知道当年那郡主要上龙虎山烧香，曾被拦在了山外。"

洪洗象起身。

踏出了一步。

当初这个年轻师叔祖一步入天象。

今天却是咫尺一步，直接夺去了道门剑魁齐仙侠手中的拂尘。

武当山上，迎来了久违的骤至风雷。

北凉王徐骁带着文武百官行走在中轴线上，贯穿广场的御道尽头，仰头可见那座高耸于三层台基上的巍峨大殿——保和殿，这里是王朝的中枢，是万龙朝拜的中心。

于整个天下而言，这座保和殿不过是咫尺方寸地，所站之人不过百余人。

但王朝的兴衰荣辱都将取决于这里的人和这里的政令，这里任何一次细微呼吸，都将决定着庞大王朝是否健康。

三楼雄伟台基，白玉石雕栏杆，赤红粗大木柱，青碧绿檐梁，金黄琉璃屋顶。

极尽威严华美。

前些年皇宫后廷一场大火焚毁宫殿无数，许多都需要重建，京城郊区几百里内的木材石料早已被砍伐挖掘一空，北凉便从当地运往这里无数巨石古木。其中仅一块做后檐石阶的云龙雕石就重达三百吨，可见其劳民伤财的程度，当时怨声载道，谏官更是像打了鸡血一般兴奋，无非是弹劾徐骁是大奸佞臣，说这位北凉王逢迎献媚，横征暴敛，更有人直言徐骁不死国难不止。可自诩两袖清风的谏官还是那两袖清风的谏官，徐骁也还是那个要风得风要雨得雨的北凉王，雷打不动的高位权贵。

走在这条帝国中轴线上，到了尽头，不需低头，只要走近，便映入眼帘一幅巨大的嵌地九龙壁，九条金龙栩栩如生，像是下一瞬便要腾空而去。九龙壁左右两侧通往大殿的石阶，左走文臣，右走武将，绝不可偏差。离阳王朝数百年来，还不曾听说有哪个糊涂蛋走错过。老一辈官员都知道徐瘸子每次第一脚踏上九龙壁右侧石阶都会稍作停留，喃喃自语，也从未有谁听清楚过，徐骁武夫出身，故而每次上朝，都走右侧，与第一次入京一致无二。朝廷给他一个大柱国的头衔，现在看来，委实有点儿戏，难怪当初朝堂上乱作一团，哭的哭，跪的跪，怒的怒，一殿气象百态横生。

这会儿徐骁身后的文武百官，绝大多数都不曾与这位异姓王同殿议政，所以许多人都有意留心徐骁走上台阶后的动作，果然，徐骁回望了一眼正南皇门，只是人屠徐瘸子心中所想，无人得知。

徐骁想到了走过那扇大门，可就是真正身不由己了。

寻常百姓靠近皇门都要问罪，能够走入皇宫上朝的，得手的荣华富贵是不小，可到底付出了多少，就是家家有本难念的经了。即便是高坐于大殿内龙椅上的那位，也难念啊。离阳王朝创建以来，从不消停，初期的复辟夺门惊变；桓灵皇帝被宦官谋刺的甲寅宫变；再到嘉安六年的东宫梃击案；接下来是顺和太子的草人案与仁泰皇帝服药暴毙的红丸案；以及五十年前的移宫风波与三官庙之争；再到最近的那场白衣案……

白衣。

徐骁默念了两句，再走向保和殿，眼神便有些冷厉。

在下马嵬驿馆，他已得知不光是徐凤年在春神湖上挑衅青州水师被一些家伙问责，连远嫁江南的长女徐脂虎只是过个小日子都要不得安宁，身后这帮浑蛋真当自己佩剑上殿是做装饰的？

这一日，保和殿上风雷大动。

世人只听说北凉王徐骁散朝后，还没出宫门，就拿剑鞘硬生生把一位三品大官给打残了。

那晚撞见了白衣观音与万鬼夜行，这使得一行人即便进城后一时半会儿找不着客栈都显得无所谓，逛荡了一个时辰，其间几批巡城校卫都主动远远避让。最后舒羞好不容易寻了一处临湖的歇脚地，一路行去，与印象中酆都鬼城的阴气森森并不相符，襄樊内里颇为锦绣繁荣，远非北凉城池可以媲美，靖安王赵衡二十年用心经营，腹中经纬韬略可见一斑。

客栈挨着天下名湖之一的瘦羊湖，此湖有十景，客栈真正做到了近水楼

台，要世子殿下掏出大把银子做敲门砖也在情理之中。徐凤年入住后并没有马上休息，而是坐在二楼临窗位置，要青鸟煮了一壶酒，禄球儿调教出来的青白鸾落到窗口，青鸟拆下密信递来，徐凤年看完后双指捏着放在烛火上烧成灰烬，轻轻吹去，哑然失笑道：“好热闹啊。”

青鸟并未插话，只是安静地望着身旁坐着的年轻男子，这一看，就是整整十几年时光，她也从女孩看到少女再看成了女子。作为王府丫鬟，似乎谈不上任劳任怨，再者府上女婢们都挺乐意给世子殿下做牛做马，至于青鸟，不爱说话，便是笑，也含蓄，因此给人感觉总像是一团雪，却坚硬如铁，没有同样是梧桐苑大丫鬟的红薯那般讨喜。

徐凤年与青鸟相处，早已习惯这种自说自话，很自然地继续说笑道：“信上说徐骁终于出手了，在保和殿外把一位大农丞给打得半死，这家伙也忒没眼力见儿了，在殿上不光拿我跟青州水师的玩闹说事，还哪壶不开提哪壶地说我大姐品行不端，要换作是我在大殿里，估计都没耐心忍到走出那座金銮殿。我们要快点去江南道那边，先见过我大姐，再立马折去见二姐和黄蛮儿。大姐总说江南水土好，养育出满大街的可口闺女，跟一箩筐一箩筐青菜萝卜似的，也不知道真假。”

青鸟笑容略显无奈，其实凳子就在眼前，她却站着，很知足。

徐凤年喝了口酒，笑眯眯道：“信上还说现在江湖上很热闹，文武评、胭脂评等等榜评都出来了。新鲜出炉的武评十大高手，还是王仙芝独占鳌头，武当老掌教腾出来的位置交给了一个以前半点名声都欠奉的家伙，是北莽那边的刀客。我很好奇这份榜评的根据是如何得来的，该是多耳目灵通的家伙才敢放出这些榜单，我们身边那位李老头儿才从听潮亭出来，就重新上榜了，不过才排第八，比那刀客还差一个名次。吓人，老剑神独臂归独臂，可几次出手都声势不小，真不敢想象排在他前头的神仙怪物们该是如何惊骇。有些时候瞧着绣冬、春雷，真有点气馁，自认练刀已经很不偷懒了，怎就总觉得跟这些家伙差了十万八千里？都说一入侯门深似海，我看要改成入了江湖才对，没进榜的想着进榜，进了榜的惦念着做天下前三甲，青鸟，你说我会不会哪天也疯了要去做什么第一？当初二姐不愿我练刀，是不是顾忌这个，怕我某天入魔疯了便啥都不管不顾了？”

青鸟犹豫了一下，不太愿意明言是非，只是绕了个小弯说道：“练武总是好的。”

徐凤年很少去深思青鸟的身世，一来从小便相识，二来青鸟也不是个复杂的女子，别看青鸟在梧桐苑瞧着不如红薯可亲，可徐凤年相信私下论交心程度，院子里的丫鬟更愿意与青鸟掏心窝说闺房话。当然这类闺房密语不是寻常人家的情爱缠绵，而是军国大事。北凉王府，剑戟森森的地方，连带着下人仆役们都沾上了许多仿若身居庙堂的倨傲做派，徐骁既然能被唤作二皇帝，那么北凉军俨然是小朝廷倒也算贴切，如此一来，王府与小皇宫何异？只不过这些敏感事实，徐骁嘴上从不承认而已。

徐凤年抚摸着绣冬、春雷一对刀鞘，突然嘿嘿笑起来，青鸟眉目含笑，徐凤年如同被捉奸在床般讪讪然缩回手指，别看世子殿下有俩亲姐，说到心有灵犀，却是青鸟当仁不让，跟他肚里蛔虫一般。方才摸刀，是想起了桌上双刀是白狐儿脸佩带多年的心爱贴身物，抚摸它们，总感觉像在间接抚摸白狐儿脸，这实在让徐凤年感觉奇怪，自己可无断袖癖好，委实是白狐儿脸太美了。这一期胭脂评的魁首是谁？可不就是男人身的南宫仆射？！神神秘秘的云山胭脂斋评点美人，多会对上榜女子姿容进行百余字的下笔润色，唯独对南宫仆射语焉不详，甚至连性别都没提及。徐凤年起初得到结果大为捧腹，心想如果天下人得知这家伙竟是个男人，不说别人，光是那排在白狐儿脸身后的女子，会不会活活气死？这会儿徐凤年爱屋及乌，对榜上一个被简单四字评为“不输南宫”的女子很好奇，想着这趟出行怎么都要见上一面，白狐儿脸是男人，总不能当弟媳妇了，再者他就在听潮亭中闭关，都不需要掳抢，倒是那个评为不输白狐儿脸的陈渔，刚好抢回北凉送与弟弟黄蛮儿。

早年说要给龙象找媳妇，可不是戏言。

徐凤年起身道：“游湖去。”

门外吕杨舒三名扈从轮流守夜，此时是大剑吕钱塘当值，默默跟在主仆身后。瘦羊湖享誉天下，仅就风景而言，屈居名湖探花，一山二堤三塔四湖五井的瘦羊湖堪称冠绝南北，光是在史册上喊得出名字的大小景点就有百余个，当年筛选瘦湖十景引发了文人士子一番大论战，各有推崇，争得面红耳赤，最后由那一代的上阴学宫大祭酒出面才一锤定音。徐凤年带着青鸟走在走马堤上，此堤取名来自成语“走马观花”，两侧花团锦簇，每逢春夏，可谓灿烂无双。无所事事的徐凤年提起绣冬刀一路撩拨过去，折花无数。

月下漫步的徐凤年百无聊赖，随口挑了个话头，轻声道："襄樊肯定全城都已经知道我入城了。"

青鸟皱眉问道："是靖安王赵衡散播出去的消息？想要借刀杀人？"

徐凤年点头笑道："不过要我死在城内还是城外，就有得赵衡赵珣父子头痛了，在辖下城内死了藩王子孙，可比死于青州水师乱箭要不好擦屁股，可不在城内推波助澜，到了城外，又吃不准江湖人士能否做掉我，怎么看都要好好斟酌斟酌。不管如何，按理说靖安王不会跟我正面接触了，青鸟，你说我要是明天去靖安王府，会不会太打赵衡的脸了？这位藩王，好歹也是当朝曾经离龙椅最近的男人，这些年龙游浅滩，你说会不会憋出病来了？要不然能教出赵珣这样的儿子？"

徐凤年絮絮叨叨一些心中所想，并无丝毫顾忌，青鸟是自家人，吕钱塘是做了家臣的亡国奴，江湖武夫，对这些逆言也不至于跟官员一般上心，果不其然，徐凤年冷不丁瞥了一眼，吕钱塘只是警戒四周动静，脸上神情一丝不苟。

临近一座凉亭，鼾声雷动，有个穿着贫寒的年轻汉子躺在那儿以天为被以地为枕，抱着一柄木剑，剑是普通佩剑样式，却挂了只葫芦酒壶。徐凤年本想直接走过，就不叨扰那家伙一枕黄粱美梦了，可无意间瞅见了半张脸，徐凤年顿时错愕。青鸟极少见到世子殿下这般神情，一时间如临大敌，她一紧张，不放过一丝风吹草动的吕钱塘立即抽出大剑，以为是遇见了大有来历的刺客，不承想世子殿下只是轻声说道："你们先离远点。"

等青鸟与吕钱塘站远了，徐凤年这才走上前，一脚轻轻踹去，把那家伙踹到地上。被惊醒的抱剑汉子先是睡眼惺忪，继而破口大骂，再就是跟徐凤年见着他的表情如出一辙，一脸不敢相信，擦掉嘴边的哈喇子，揉了揉眼睛，惊喜道："姓徐的？！"

说过多少次了，这王八蛋还是不乐意喊徐凤年的名字，总说这名字太他娘文酸了，文绉绉的搞得真是世家子一般。接下来一幕看得吕钱塘目瞪口呆，那佩滑稽木剑的年轻汉子确认了世子殿下的身份后，一拳砸在殿下胸膛，而世子殿下不怒反笑，回了一拳，约莫是那厮觉得徐凤年这一拳比他出手要重，他这辈子最是斤斤计较，觉得吃了大亏，马上再赏给徐凤年一拳，这一来二去，吕钱塘就看到凉亭中世子殿下在跟一个走近了都能嗅出穷酸味道的江湖莽夫扭打在一起。这显然已经超出吕钱塘的想象极限，在这名二品高手看来，北凉王世子徐凤年可不是好说话的主，且不说在王府上敢对大柱国追着打，捏褚禄山的肥脸，便是出了北凉，先有马踏青羊宫，后有掀起春神湖水战，一桩桩一件件，何曾见世子殿下被人这般打过？而且还不还手？！剑士吕钱塘二品的卓绝眼力，自然瞧得出世子殿下每次出手都留力太多，力争与常人无异。

吕钱塘以往想都不敢想世上还有谁值得这位世子如此慎重对待，偶尔闲暇时会拿殿下与京城几位皇子对比，可总觉得真要对上，多半还是徐凤年更为跋扈得势。

亭中那位可不是为了诗情画意才睡湖上的年轻剑士与徐凤年对比鲜明，一柄木剑不去说，菜园子里摘下葫芦晒干装酒也不去说，从头到脚一身行头，当真值不了十几文钱，龙虎山上齐仙侠穿着麻履那是风度，再者小天师脚上那双麻履也不至于需要缝补。而且徐凤年比谁都确定眼前男子是真穷，穷到裤兜里都不会有叮当响的那种一穷二白，家徒四壁。那好歹有个家，这小子离家游历后，就只能够四海为家了，有上顿没下顿的，游侠儿做到他这份上，已经是不能再惨一点了！

那家伙本就饿着肚子好几天，打闹得彻底没精气神了，躺回去，打量着徐凤年一身华贵装束，一脸匪夷所思，有气无力地问道："你小子是偷了哪家公子哥的衣服？咦，还挂了两把好刀，值很多银子吧？行啊，老子得赶紧去城头看看画像，十有八九你就在上头，明儿去官府举报。"

徐凤年坐在一边靠着柱子笑道："温华啊温华，你咋还是没点出息，我还等着你小子扬名立万好跟你占点便宜，怎么还是这副死样子，跟前两年一个邋遢德行，几顿没馒头吃了？"

不出意外是一辈子都混不出头的年轻剑士白眼笑骂道："少废话，姓徐的，要是还有点良心，就扒下这套碍眼衣服去换点好酒好肉，这才算兄弟。"

徐凤年笑道："行啊，酒肉管饱。"

温华愣了一下，感慨道："徐小子，虽说换了行头，倒是还没换良心。"

徐凤年拿手指故意弹了弹衣衫，道："早就说我是北凉那边数一数二的富家子弟，现在信了吧？”

温华没好气道：“让你装，明天让你请老子去趟相国巷砸钱，你就得露馅。”

徐凤年问道：“相国巷？”

温华嘿嘿道：“馒头白啊白。”

这是温华的口头禅，徐凤年顺嘴接过道：“白不过姑娘胸脯。哦，是上好的窑子？”

温华咂巴咂巴嘴，一脸向往道：“那是襄樊城最好的地儿了，前些天远远见着一个相国巷的头牌姑娘，刚才做梦正和她云雨，结果他娘的就被你小子踹醒了，不行，你得赔我！”

徐凤年斜眼道：“装什么好汉，你不是说没有衣锦还乡之前都不破身的吗？”

温华无奈泄气道：“就不许我过过嘴瘾啊。”

徐凤年问道：“找个地方搞些牛肉？”

温华咽下口水摇头道：“襄樊城的夜禁太可怕了，我吃不准你小子是不是真被通缉，还是天明儿再出去犒劳咱的五脏庙。对了，老黄呢，怎么，上回是陪你吃苦，这趟就没陪你享福啦？你小子不地道。”

徐凤年平静道：“死了。”

温华于小事上锱铢必较，敢少他一枚铜钱，他就敢像乡野泼妇般跟你满地打滚，但在大事上反而颇为豁达，听闻消息，只是心中震惊惋惜了一下，叹息道：“死了就死了，下辈子投胎好点便是，葬在哪儿？若是不太远，我下次清明去烧香上酒，老黄是个好人哪，别人死活不管，老黄的坟，我还是要去的。”

徐凤年轻声道：“死在东海武帝城那边，没坟。”

温华纳闷道：“跑去武帝城作甚，没记错的话老黄是西蜀人啊？那一口西蜀腔，起先碰到你们的时候，差点听得老子连寻死的心都有了，这两年没老黄在耳边唠叨，反而有些寂寞了。对，是挺寂寞的。”

徐凤年望向湖心月，喃喃道：“是挺寂寞的。”

躺在亭中的温华望向几年没见的故友，当初一起结伴游历，他一直很嫉妒徐小子的俊逸皮囊，每逢途经乡野村舍，若是让徐小子去讨要一些粮水，多半不会空手而归，要是对方是些见识鄙陋的村妇，出手就更阔绰了，只是她们施舍时免不了要捏一捏徐小子的手，胆大的妇人趁着丈夫不在更会笑着去捏徐小子的脸蛋，道一声好俊俏的后生。每次见着这个场面，温华总不太得劲，他娘的风头全给这小子抢光了，不过久而久之，温华也就习以为常，开玩笑唆使着徐凤年干脆去找个城中闺秀当小白脸得了，徐小子十有八九都要跳脚骂人，说老子是凉州顶天大的世家子，丢不起这人！温华忍不住就想笑，顶天大是多大？大得过北凉王的儿子吗？这会儿再度相逢，再看徐凤年，温华似乎觉得有点陌生，约莫是换了一身不知从哪个旁门左道拐来的锦衣，太人模狗样，温华瞧着有些不真实，徐小子莫不当真就是北凉那边的三流权贵子孙？是的话，这狐朋狗友还能做得成？温华下意识挠了挠裤裆，这个做了十几年的习惯动作难登大雅之堂，不过温华本就是乡野出身，便是想改也改不过来。徐凤年当年便总拿这个嘲笑他，说以后练剑练出个大名堂了，万众瞩目下与高手对战，冷不丁去挠裤裆里的鸟，像话吗？还是高手吗？会有姑娘爱慕你这般没个正形的侠士？温华很一本正经地考虑过这个难题，可至今也没想去改，好像生怕改了自己就跟那帮游历时撞见的故作风雅的纨绔子弟一般无二了。

徐凤年被温华看得毛骨悚然，问道："怎么来襄樊了？"

温华一脸惆怅道："遇见个心仪的小娘，一路追来的。"

徐凤年笑道："你啊你，狗改不了吃屎，当初哪次不是见到个只要有胸脯有屁股的，都要心仪，你也不挑嘴，可有谁搭理过你？"

温华坐直身体，一脸坏笑，双手在胸口做了个滚圆姿势，啧啧道："这次不一样，是真喜欢上了，人美，心更好，我觉得这辈子以后就只喜欢她了。"

徐凤年撇嘴不屑道："扯鸟吧你，是个姑娘在你面前，你都喜欢得死去活来。"

温华靠着柱子，摇头道："不会了。"

徐凤年见温华不似玩笑，纳闷道："你真死心塌地了？是哪家倒霉的姑娘？报上名号，我去瞅瞅。"

温华骂道："倒霉个屁！丑话说前头，你别想去挖墙脚，否则兄弟没的做！"

徐凤年怒道："老子摸过的娘儿们比你见过的还多，会瞧得上眼？！"

温华哼哼道："你什么德行我会不知道？也就嘴皮子最厉害，坑蒙拐骗倒是熟稔，以后万一有姑娘瞎了眼看上你，我一定去拦着。"

徐凤年靠着另一根柱子，相对而坐，笑眯眯道："那你有的忙了。"

温华没那个气力去跟徐凤年拌嘴，少说一句就少饿一分，抱着那柄木剑闭目养神。徐凤年转头遥望瘦羊湖十景中的抱孤塔。瘦羊湖仅就湖而言并不大，但历史悠久，未修水利时，每逢大雨，湖水便泛滥成灾，若是久旱则干涸见底，实在称不上美景。后来前朝两位大文人担任青州刺史，对瘦羊湖格外青睐，采用开阴窨的手法凿出五井，拓建石涵，这才有了今天的瘦羊湖，相国巷便因五井中的相国井得名，春秋国战中文人误国，可此湖却是雅士治国的一个不起眼佐证。徐凤年听到温华肚子饿得咕咕叫，笑着收回视线，问道："要不我弄点酒肉过来？"

温华怀疑道："上哪弄去？"

徐凤年朝青鸟做了个倒酒的手势，没多久她便从客栈端来餐盒，酒香肉香扑鼻，温华看了看青鸟，再看了看盒中酒肉，震惊道："你小子真是发达了，连漂亮媳妇都讨上了？！"

青鸟涨红了脸，徐凤年率先撕下一块牛肉，就着烈酒下肚，笑道："吃你的。"

温华狼吞虎咽，时不时抬头看向青鸟，忍不住轻声道："弟媳妇，我多嘴一句，真想过安稳日子，跟徐小子在一起你可就得管着点，他这人不坏，就是心眼大，不安分。"

徐凤年丢过去一块牛肉骂道："没你这么拆台的！"

温华慌忙接住牛肉，塞进嘴里，瞪眼道："没你这么糟蹋好东西的！"

青鸟柔声道："公子，我只是个丫鬟。"

温华啊了一声，摆手道："丫鬟？不信不信，姑娘你要是丫鬟，就太没天理了。"

徐凤年笑道："她可不就是小姐身子丫鬟命，我都替她委屈。"

温华怒道："姓徐的，留点嘴德！什么丫鬟命！小心我跟你急！"

徐凤年翻了个白眼。

温华满嘴油水地抬头看向青鸟，尽量露出一个生平最有风度的笑脸，腼腆道："这位姑娘，就冲你喊我一声公子，以后徐小子如果敢欺负你，我第一个拾掇他！就他那三脚猫的功夫，我都不用剑，就能干趴下！"

徐凤年哈哈大笑，调侃道："温公子，来来来，喝酒！"

温华心情大好，被人喊公子，破天荒第一回啊！浑身舒坦，他顿时只觉得世间女子除了那位心中爱慕的她，便是眼前的这位第二可爱了！这般知书达理的贤淑女子是个丫鬟？鬼才相信！

这两三年中少有的酒足饭饱，温华打了个饱嗝，余下酒水都被他小心翼翼倒入葫芦酒壶。温华丢给徐凤年一个眼色，徐凤年摇了摇头，温华使劲点头，看得青鸟莫名其妙，竟是徐凤年拗不过温华，只得尴尬地让青鸟先将餐盒端回客栈。两人一溜烟跑出凉亭，寻了个临水的草丛，间隔着脱裤子蹲下，两个光溜屁股在月色下格外荒诞，两个爷们竟然如此煞风景，在瘦羊湖拉起屎来了，不过若是知道当年的风餐露宿，就不会奇怪这对活宝此刻庸俗下作的行径了。对温华这个穷疯了的无名小卒而言，世上最他娘幸福的事，不是吃喝睡，而是一个"拉"字，因为唯有吃饱了才有本钱去拉，很粗浅的道理。

蹲在湖畔的温华长呼一口气，优哉游哉道："保不准以前就有哪位诗人雅士在咱们这儿吟诗作对过，一想到这个，爽哉！"

徐凤年没吭声。

相信靖安王赵衡打破脑袋都想不到北凉王世子会在瘦羊湖边上跟人一起撒尿拉屎。

温华见徐凤年没动静，有些无趣，突然一惊一乍道："姓徐的，老子拉屎的地方后头就有块石碑！"

徐凤年终于忍不住骂道："那是前朝刺史李密立下的《瘦羊湖闸记》，你个王八蛋真会挑地方！"

温华一时无言，默念道："罪过罪过。"

徐凤年犹豫了一下，轻声问道："温华，有没有想法继续跟我厮混一趟？就像当年一样，一起走走看看？你要再碰上比武招亲，我管扶你就是。"

温华笑道："别，你当我真傻啊，你小子如今了不得了，我也不管你是谁，反正还当你是兄弟，可兄弟归兄弟，虽说蹭吃蹭喝是天理，可你舍得银

子，老子还怕就没了志气。所以啊，你走你的阳关道，我走我的独木桥，有缘再会便是。嘿，我温华别的不说，练剑总要练出个一二三才行，若是跟着你享福，就怕再没心思去吃苦了，徐小子，好意心领了。明天我就要出城，想去北莽边境那边瞧瞧，就当开开眼界。”

徐凤年轻声道：“边境要乱，你悠着点。”

温华咦了一声，打趣道：“要乱？你真是北凉的世家子啊？”

徐凤年笑道：“可不是？”

温华叹气道：“早前说要请你吃顿上好的酒肉，不承想这回遇上反倒是又欠了你一顿。”

徐凤年道：“欠着吧，你小子别死就行，否则总有还上的机会。”

温华呵呵笑道：“要按老黄的说法，我这时候得说一句是这个理。”

徐凤年恍惚出神道：“是这个理。”

温华突然嚷道：“我这边草叶都他娘小得不像话，不好擦屁股，貌似你那边要宽些，赶紧丢些过来！”

徐凤年骂骂咧咧丢过去一团草叶。

两人回到亭子，温华问道：“你不回客栈？”

徐凤年摇头道：“聊聊，说说看你那位姑娘。”

两人聊到天明，温华看了眼鱼肚白天色，起身道：“得了，我要出城去了，欠你的酒肉，你帮忙记着。对了，再就是帮我跟那位好姑娘道声谢，咱这辈子可没被谁喊过公子。”

徐凤年犹豫了一下，问道：“我身边有个用剑的老前辈，你要不要见一见？”

温华握紧了木剑，笑着摇头道：“不了，那终究是别人的剑，便是前辈肯教，我也学不来的。”

徐凤年调侃道：“你以前不总想着被高人收徒？”

温华正色道：“也就是想想而已，记得老黄说过练剑要心诚，跟香客求神拜佛一般，心诚则灵。可我这两年闲着没事也琢磨出了个不是道理的道理，剑是自己的，以我的资质，若走别人的路，一辈子都练不出个出息，我没欠人的习惯，总不能真欠你几顿酒肉欠到头发白。走了！别跟娘儿们一样婆妈喽。”

温华笑容盎然，“馒头白啊白，白不过姑娘胸脯。”

徐凤年笑意醉人，“荷尖翘啊翘，翘不过小娘屁股。”

杨柳烟水长堤上，木剑温华与双刀徐凤年一次击掌，擦肩而过。

徐凤年走出几步，转身目送一人一壶一木剑走过长堤。青鸟婉约而立，吕钱塘神情肃穆，却是一肚子狐疑，终究是猜不透那穷酸青年的身份，以长堤上徐凤年只输当今天子的雄厚家底，可谓往来皆勋贵，吕钱塘见识过北凉王府正月里的热闹，那帮在北凉王大树下乘凉的官员，可谓个个是封疆大吏，遇上世子殿下，脸上也都得殷勤赔笑，恨不得笑出几朵花来的小心架势。吕钱塘心底依稀觉得木剑男子出身卑微，只是不太敢相信罢了，或者说不愿相信，对这位北凉奴才来说，宁可徐凤年是个胸无城府、败絮其中的主子，伺候起来也轻松些。一个北凉王就够他不敢喘气的了，徐凤年若再是个野心勃勃、雄才大略的家伙，伴君如伴虎，今天惹了靖安王，明天是不是就轮到广陵王了？后天？对剑道仍有莫大追求的吕钱塘还能活着练几年剑？

与青鸟一同走回客栈，徐凤年自问自答道：“温华没肯见李淳罡，可我要是报上老剑神的名号，你说那小子是不是要悔青肠子？我看悔归悔，哪怕恨不得满地打滚，也一样说走就走了。这便是我不如温华的地方，他总是知其不可为而为之，当年每次碰上比武招亲，他都屁颠屁颠上去打擂台，别家侠士都是一跃而上，说不尽的潇洒，他就得老老实实从楼梯上走上去，假装脸皮厚，心里其实比谁都在意那些白眼，但不管被揍下擂台多少次，一有机会他还是要上去打肿脸充胖子，只为了能跟别人切磋过招，可到头来也没见他学了什么回来，何苦来哉？”

自言自语时，姜泥与老剑神刚好出门游赏瘦羊湖，徐凤年好心丢了个笑脸过去结果无人理睬。回到客栈徐凤年吃过早饭，就躲在房中对脑中所记武学典籍进行招数拣选，都是《绿水亭甲子习剑录》《杀鲸剑》等上乘秘籍中的精髓。本来这种技术活儿有李淳罡帮衬指点是最好，徐凤年那点眼界远未可以做到指点江山，可用膝盖想都知道敢把《千剑草纲》批得一文不值的老剑神根本不屑动嘴，唉，如果白狐儿脸在身边就好了。不过在船上李淳罡教了一手玄妙弹剑，深入浅出解释了一番剑招与剑罡，已经让徐凤年受益匪浅，原本他就像空有一座宝山的笨蛋，遍地黄金挑花了眼，接下来总算是知

道该做什么了。鱼幼薇抱着武媚娘敲门，青鸟开门后，她说要去观景，徐凤年没拦着，吩咐舒羞、吕钱塘当随从，鱼幼薇见徐凤年没有出门的意思，脸色黯然，减了几分兴致，徐凤年看在眼中，并未改变初衷。姜泥没空读书，徐凤年就让青鸟去书箱挑了几本秘籍回来，其中有一本被专门点名索要的枪术秘典《手臂经》。世人皆传是"催马枪"吴殳所著，徐凤年之所以格外上心，是李淳罡曾有提及，老剑神瞄了几眼便断言这本书是枪仙王绣年轻时的心得秘录，只是成名后嫌其粗鄙，不肯承认，便假托门下亲传弟子吴殳的名号。徐凤年翻书的时候见青鸟神色异常，问道："你认识吴殳？"

徐凤年只是随口一问，没料到青鸟点了点头。

王绣作为与李淳罡齐名的四大宗师之一，那时枪法号称当世第一，他师弟如今是徐骁的亲卫扈从，除了收吴殳为徒，最得意的弟子陈芝豹更是青出于蓝而胜于蓝，传闻最后一战他便死在了小人屠枪下。只是不知为何王绣的兵器刹那枪在这位大宗师死后从未出世，而陈芝豹杀师叛道的手法大概是过于不得人心，或是常年白衫佩剑，似乎从来没人将那个小道传言当真。陈芝豹出师时才二十岁出头，便是王绣不如王仙芝那般老而弥坚，愈老迈愈仙佛，而是日薄西山锐气尽失，但若说陈芝豹杀了上代武道宗师之一的王绣，还是太耸人听闻了。不过陈芝豹的确不愧是出自王绣门下，一如王绣枪术冷冽杀伐，上阵厮杀俱是一往无前，对敌对己都不留退路。可以徐凤年的身份，也从没有见识过陈芝豹的枪法，印象中，这个对二姐徐渭熊似有爱恋的小人屠只会白马白衫摆样子，对谁都极好说话，平时温良和善得像个救苦救难的菩萨。

徐凤年纳闷道："你们交过手？"

青鸟摇了摇头，徐凤年见她有难言之隐，也就不再多问，哪怕心中好奇万分，都忍住了。自打小时候第一眼见到被娘亲牵手领到跟前的她，便只知道她叫青鸟，那以后也从不去探究，习惯成自然，都没心没肺地忘了只要是个人就会有姓有名。例如丫鬟名本是红麝的红薯，徐凤年也知道她本名叫宋小腴，而青鸟是真名还是昵称，徐凤年倒真不知道。游历归来得知梧桐苑远不是一眼见底的小水潭，丫鬟们不都是简单到没半点故事的一只只花瓶，可面对青鸟，徐凤年自私地希望她只是青鸟，是娘亲当年领来与他青梅竹马的女子。

《手臂经》，寓意手中一杆枪便是第三条手臂。书上记载的枪术精湛奥妙，徐凤年粗略挑选了其中三招，掐指算算，已经被徐凤年在各类秘籍武典里千辛万苦搜刮出了十六式。在青羊宫韬光养晦的赵姑姑说要做到先五十手天下无敌，可不说徐凤年拣选出来的招式能否化入刀中，光看数量，也离五十手差了很远。自从在船上亲眼见识过老剑神以指弹剑后，徐凤年就养成了虚空弹指的独有习气，手指轻弹《手臂经》封面，在脑海中汇总仅有的保命十六招。到襄樊城前，深如江海取之不竭的大黄庭只到二重楼境界，大概一刀可破六甲，被宛如白衣观音的红教法王一眼看出个三重楼，徐凤年掂量过，一刀破九甲不是问题，别看只是增加了三甲力道，算是提升极大。最主要的是再使起春雷刀，便没了起先的凝滞，右手绣冬取巧，左手春雷重力，双刀对敌，手法迥异，这是徐凤年先手五十穷极招数精妙的底气所在。加上骑牛的洪洗象那套拳法与一本妙不可言的《参同契》，徐凤年好歹没有被老剑神几剑给吓得不敢练刀，你高任你高，我自往上走。

中午在客栈楼下进餐，都是高谈阔论，唾沫四溅，姜泥听得津津有味，裹了身熏臭羊皮裘的老剑神则白眼频翻，一条腿搁在长凳上，一边大口嚼肉一边掏耳屎。文武评与胭脂评出世，本就是士林与江湖最轰动的大事，大概是文无第一的缘故，历代文评都不太讨喜，市井间讨论最多的还是武评与胭脂评。这一代武评不负众望地评出一品高手十八人，最受瞩目的十大高手，意料之中继续以武帝城城主王仙芝占据魁首，继续当他的天下第二；接下来是那被江湖人士调侃要做百年老二的新剑神邓太阿；榜上探花依旧是张老面孔，被誉作“尽得天下士子八斗风流”的曹官子。与之而来的是一个天大消息，占据榜上第四位置的王茂竟说耻于排在曹官子之后，却羞于列在第七的北莽洪敬岩之前，那本就是头回上榜的洪敬岩一时间被推上风口浪尖，与重出江湖的老一辈剑神李淳罡并列成为当下最炙热的话题。而不只视武功高下更看大道天赋的武评副评中，有了个极为有趣的说法，大抵归纳为西观音、东剑冠、南吕祖、北真武，四人中徐凤年已经见过三位，骑牛的与吴家剑冢吴六鼎，以及白衣观自在的女法王，只剩下龙虎山上的小吕祖齐仙侠，不过后者其实早在城楼钓鱼台上便见过徐凤年了。

除了正副武评，胭脂评同样惹来热闹非凡，南宫仆射与陈渔占去一二，只不过与其余早早惊艳于天下的女子不同，这两位一直名声不显，更使得两位分外撩人。但徐凤年最得意的，还是二姐不仅在文评中榜上有名，更把胭脂评副评的头名桂冠收入囊中，除了这个，带他乘坐大鼋的王东厢也同时入选文评与胭脂副评，虽说不算名列前茅，可对于一个家世相对平平的少女而言，已是天下罕见的荣誉。徐凤年此时想通了城内那对阴沉父子为何没了动静，瞥了瞥对面那位很能勾来无数白眼的老剑神，江湖尽知有这位昔年号称“两袖青蛇一剑平天下”的神仙坐镇身侧，襄樊城内蠢蠢欲动憋着劲想要为民除害的侠客们，借他们十个熊心豹子胆好了，谁敢出手？

姜泥听到楼内一些老剑神好不容易出山却是给北凉王府为虎作伥的说法，众口一词说老剑神老糊涂了，当真是晚节不保，以李老剑神这般作态，多半是争不过邓太阿世间第一剑的名头啦，十分气愤，尤其是看到老头儿只顾着吃肉喝酒，更是愤愤不平道：“喂，你都没听到吗？都在说你坏话呢！”

李老头儿乐呵呵道：“听到啦，老夫耳朵没聋。”

姜泥约莫是怒其不争，放下筷子伸出小手，赌气道：“神符还我！”

老剑神故作讶异啊了一声，问道：“啥？”

姜泥沉声重复了一遍，老头儿还是装傻地问啥，小泥人儿番瞪眼，终于泄气，彻底不搭理这个分明可以一剑劈江两百丈却由着别人说坏话的糟老头。徐凤年被她孩子气的行径逗乐，笑出声，姜泥听着格外刺耳，怒目相向道：“你笑什么笑！今天不读书了！”

徐凤年笑眯眯道：“不笑就不笑，跟你讲讲道理好了，李老剑神什么样的身份，至于跟这些鼠目寸光之辈一般见识吗？你总不能让堂堂天下第八的高手去跟这些人打架吧？”

姜泥冷哼道：“才第八！”

徐凤年拿筷子作势要敲打姜泥，终归是没真动手。

李老头儿揉了揉下巴，道：“确实，才第八，哪个龟儿子做的榜，得理论理论，老夫怎么说都是做过天下第一的，如此一来，比起那个天下第十一的高手还惨，得理论理论。”

徐凤年惋惜道：“我家黄蛮儿竟然没上武榜副评，这也得理论理论。”

老剑神笑道：“虽然没亲眼见过那痴儿的体格，可听你们府上的碎言碎语，老夫估摸着这天生金刚境的小子不需几年，怎么的也是指玄境下无敌手的怪胎。龙虎山赵希抟，老夫见过几次，这邋遢老道本事不高，眼光却不差，下一届武评，徐龙象不出意外可以稳居前三甲，若是这二十年江湖再出不了王仙芝那般人物，争魁都有可能。当然，有武当洪洗象这种修天道的人物，也不好说什么天下第一的，老夫当年自称无敌，其实也有心虚，毕竟没跟齐玄帧动手打过。咦？奇了怪了，徐骁生了四个子女，徐渭熊与徐龙象都是天赋异禀的角色，你小子怎就稀松平常打不出个屁了？”

徐凤年厚颜嘿嘿笑道：“天底下的好事总不能让我们一家全给占了吧，得给别人留点念想。”

这时候楼外走入一伙年轻士子，脸上愤然，大骂哪个没德的家伙竟然拉屎拉到了《瘦羊湖闸记》碑前，徐凤年瞅见姜泥正盯着自己，问道：“像是我做的吗？”

姜泥冷笑道：“肯定就是你！”

徐凤年竖起大拇指道：“聪明！”

姜泥吃不下饭了。

徐凤年问道：“今天真不读书啦？”

姜泥板着脸。

徐凤年再问：“在姥山你可是花了一两银子出去的，不心疼？不挣钱了？”

姜泥没有作声，可下午，她捧着一本书站在徐凤年房外，半天没敲门。

徐凤年没让她为难下去，走出房，笑道：“今天你不读书我不听书，出门玩去。”

第五章 心安处即是吾乡，无禅道总归有情

『咋了？我本就是没钱给东西买胭脂才想着去成佛的，要不然我吃饱了撑的去把自己烧了求舍利啊？！』

徐凤年好心带着姜泥出门散心，她却使劲惦记着襄樊鬼城的种种听闻，与李老头儿赏湖已经是到了胆量的极限，再不敢出去溜达，哪怕徐凤年难得做回亏本买卖，说只要出门就当她读书一万字，姜泥同样毫不犹豫拒绝，徐凤年只好作罢，总不能绑着她出门，更何况既定行程中有阴气最重的钓鱼台，估计到时候她得跟自己拼命。当年王明阳兵败城破，便挖出双眼，然后自刎于城头，临终遗言说要留下眼珠去看徐骁如何身败名裂，那实在不是个能有心情赏景的好地方。姜泥不去，于乱局有定海神针作用的老剑神自然也不会跟着，除了三名扈从，连大戟宁峨眉都让徐凤年一同捎上，恰好有些行军布阵要与这位将军讨教。

不等徐凤年让青鸟去喊人，宁峨眉便脸色凝重大步而来，确定廊中无人，才低声道："殿下，靖安王赵衡来了！"

徐凤年愕然，眯眼问道："带了多少兵甲？"

宁峨眉摇头沉声道："并未带兵，除了几名亲卫，便只带了赵珣，还有一名女子，似是靖安王妃。"

徐凤年这下子是真被靖安王闹的这一出给震惊得无以复加，莫不是带妻领子登门负荆请罪来了？否则怎么都不至于让靖安王妃抛头露面，没有甲胄矛戟拥簇已经足显诚意！例如徐骁，从不去做礼贤下士的客套，你来府上，给你开个正门已是给足了面子。靖安王再不济，不去说当年如何风光无限，如今也是堂堂六大藩王之一，若不是遵循着紧箍咒般的《宗藩法例》，不敢兴师动众，可哪里需要亲自赶来？

这像话吗？

徐凤年紧皱眉头心思急转，一时间没注意大戟宁峨眉正在打量自己，房外姜泥捧着书一副天塌下来有世子殿下顶着的无所谓姿态，倒是心思纤细喜怒不露形的青鸟看到宁峨眉眼色，立即泛起一些说不清道不明的阴沉杀机，宁峨眉似乎有所察觉，斜了斜视线，对青鸟坦然一笑。徐凤年正思量着如何应对，忽略了青鸟和宁峨眉的交锋，略作停顿，轻笑道："走，宁将军，一起看看去，听说靖安王妃是个极具丰韵的美人，没记错的话这次胭脂评里就有她，年近四十尚能上榜，得是多尤物的女子才行，这等稀罕美景，众乐乐才对。"

宁峨眉微微一笑，带路前行。

约见在客栈角落一间僻静厢房，不知不觉徐凤年身后凑齐了吕杨舒三人，等到徐凤年进门前，更是连李淳罡都沉默站在了拐角处。门口站着两名正值壮年的靖安王府侍卫，气机绵长不绝，一人用刀，一人空手，身上有股徐凤年并不陌生的沙场味道，透着简单而浓烈的果决，像雪，却是渗满了血的雪。

军中老卒总会说从成百上千死人堆里爬出来的人，鬼都怕，因为身上沾染了至阳的煞气，都是在死人那边抢夺过来的。故而北凉士卒一旦提及北凉王和襄樊城，总带着傲意说几十万孤魂野鬼算啥，只要大将军孤身入城一趟，定要那些污秽阴物连鬼都做不成，摆个孬的三万六千周天大醮哦。

两名从战场走下的侍卫并未阻拦徐凤年，想必以靖安王赵衡出了名的厚重城府，既然愿意折损颜面亲赴客栈，就不会再在细枝末节上误了大事，佩有双刀的徐凤年没有敲门，径直推门。

襄樊最大的公子哥，靖安王世子赵珣低头站着。

一名中年儒雅男子坐在椅上捻动手中一百零八颗天台菩提子串成的佛珠，持诵三宝名号，面容异常虔诚。他即使已经到了不惑之年，可风度卓绝，一眼便知年轻时是面如冠玉的美男子。有野史秘闻记载靖安王之所以最受太后宠溺，赐以乳名檀郎，便是缘于赵衡自小俊美，加之纯孝温顺，得以在皇子中独享太后慈爱。及冠后更是长得风流倜傥兼备虎体猿臂，正史记载六皇子“美容仪，善骑射，手执长枪，坐骑骏马，阵中飞出无人能挡”，足见赵衡当年风采无双。

可徐凤年入门后没有去看赵珣以及那位当年只是功亏一篑的藩王，不是徐凤年故作自大，而是房中那个女子太惹眼了。

她侧身而坐，身段婀娜，一览无余，女子正在看一本书，翻页时一手撩起鬓角青丝。美则绝美，风姿尤胜一筹，古典雍容，一如画卷上的仙家仕女。听闻推门声，她转头，婉约一笑。

佳人一笑可倾城。

徐凤年眼神恍惚了下，世子赵珣低头瞥见这一幕，眼中恶毒更甚，迅速垂首，咬牙不语。靖安王赵衡两鬓斑白，兴许是这辈子用去的心机太多，终究是老态了，所幸男子气度不以年岁而损，但相比靖安王妃的美人不迟暮，光彩照人依旧，多少有些不搭了，本就相差十岁，如今更显老夫少妻。世人只知王妃出自春秋高门豪阀，父亲是西蜀当世通儒裴楷，号称裴黄老，弱冠知名，尤精《老》《易》，超拔世俗，是当之无愧的经学大家。裴家门庭凋零于春秋不义战，裴楷殉国，只余孤女一人，亡国遗孤嫁入侯门，美人配王侯，是当时一桩名动天下的美谈，这些年成了王妃的裴家孤女身居高墙内，几乎没有消息传出墙外。

徐凤年只顾着望向裴王妃，落在旁人眼中，自然是浪荡登徒子，无礼至极。

一名王府侍卫要关门，吕钱塘当即作势抽剑。

徐凤年背对房门冷声道："放肆！不得无礼。"

任由房门缓缓关上。

靖安王赵衡没有起身相迎，念经完毕，挂好念珠，拴在保养极好的双手上，抬头语气和煦地说道："凤年，这里没有外人，你我叔侄相称便是。"

徐凤年难得敛去倨傲张狂，投桃报李温言道："小侄见过靖安王叔。"

大概是没料到恶名昭彰的北凉王世子如此好说话，赵衡眼中掠过一抹晦暗不明的神色，食指拇指轻轻捏住一颗菩提子佛珠，面容欣慰道："徐老兄虎父无犬子，当年我比不得他马上的盖世功勋，无奈样样输他，心里难免不服气，想着总要在什么地方扳回一城。膝下赵珣不是学武的料，便逼着他苦读诗书，就怕连儿子都要比不得徐老兄的，今日看来依旧是拍马不及，输了一大截啊。对了，凤年，这趟王叔冒昧而来，便是带着这读书读傻了的小子来给你道一声歉，赵珣面子薄，便是知错了，也不敢来，只得请他娘出面，押着过来，让你见笑了。"

裴王妃再笑倾国。

赵衡淡笑望向儿子赵珣，后者哪怕在黄龙楼船上被徐凤年拿绣冬拍脸也面不改色，跳水更被徐凤年调侃好大的修养，跳得如此潇洒从容，可今日只是被父王轻轻一瞥，就像被毒物刺了一下，立即抬头肃容，朝徐凤年深深作揖，算是当面向这个前几日还不共戴天的仇家郑重告罪，只差没有一笑泯恩仇。

徐凤年不客气地拉过一把椅子坐下，盯着靖安王妃那张美艳脸庞看了会儿，然后转头朝靖安王笑道："是小侄鲁莽了，哪里当得珣哥儿一拜。"

嘴上如此说，却没有任何要跟赵珣套近乎的意思，心安理得地受了靖安

王世子的道歉。

赵衡对此洒然一笑，端坐在一张由沉星紫檀拼凑而成的太师椅上，客栈装饰再华贵，也拿不出用犀角檀或者鸡血老檀做椅的大手笔。沉星檀木位居紫檀末尾，质地相对疏松，光泽纹理远逊前两者，但紫檀素来生长缓慢，且无大料，寻常达官显贵有张檀木椅都得笑得合不拢嘴，文人骚客对一柄小小檀扇都爱不释手，相信这张低档紫檀椅子已是客栈的镇宅之宝。靖安王乳名檀郎，痴爱紫檀程度，只输给小姜泥那位造了一座檀宫的西楚皇叔，赵衡号称非檀不坐、非檀不卧，看来并无夸张。

徐凤年望向赵衡手中的一百零八摩尼珠，啧啧赞道："王叔果然虔诚信佛，天台菩提子摘下时是金黄硬色，一般高僧握珠几十年，也不过由金黄转淡黄，在王叔手上却已由淡黄变乳白，古语精诚所至金石为开，王叔这般心诚，什么菩萨不愿庇佑施福？"

靖安王哈哈笑道："早就听说凤年与我一样崇佛，果然不假，珣儿便不行，至今还认不得这是天台菩提子。去年大寿，珣儿自作主张送了串核桃念珠给我，虽说每一粒核桃都雕刻有六位罗汉，但不知《佛说校量数珠功德经》记载念珠材质不同，持诵修行时所获功德便大有不同，核子不过两倍，铁五倍、铜十倍、莲子万倍，手中菩提子却是千万倍，凤年，你说要是你，是要那山核桃的拴马索，还是王叔手中的这串？"

徐凤年讶异道："若小侄没记错，金刚子念珠方是千万倍功德，菩提子是最为殊胜的无量数啊。"

赵衡双指扣住一颗久握褪色的天台菩提子，眯眼笑道："王叔毕竟年纪大了，总是记错，不服老不行。"

靖安王妃姿容仪态如同皇后，兴许是被和睦气氛感染，少了几分刻意的端庄，两根如葱纤指捏住一张书页，一手托着腮帮侧望向侄子辈的徐凤年，眉目天然妩媚。似乎对于这个远道而来的北凉王世子殿下颇多好奇，眼前已不能算是孩子的后辈，便是在青州，也有诸多说法，逃不过败家当生徐家凤这类尖酸措辞，何况襄樊本就毁于徐骁与王明阳之手，雄城一度变鬼城，青州士林心知说话说不倒北凉王，便以大肆抨击北凉王世子的纨绔行径为乐。

徐凤年与裴王妃对视，微笑道："婶婶真好看。"

靖安王妃愣了一下，赵衡轻掐以遏妄念的佛珠，顺势玩笑道："你婶婶自然是好看的，凤年，可有相中的青州闺秀，王叔大可以替你抢来。”

徐凤年脸皮厚如襄樊城墙，顺杆子往上爬，觍着脸道：“本来惦记着春神湖上偶遇的一位青州姑娘，叫什么来着，记起来了，陆秀儿，好像她家的老祖宗是京城里的上柱国老尚书，论家世，倒马虎配得上小侄，可今日见过了婶婶，就不去念想了，差了太多。”

赵衡一笑置之，世子赵珣则已经气得嘴唇铁青浑身发抖，幸好他低头站在一旁，在靖安王与王妃身边，格外不起眼。

接下来便是一番更没有烟火气的闲聊，借着文武评、胭脂评的东风，不缺话题，徐凤年嘴皮子功夫早就和北凉花魁打情骂俏给磨砺出高深道行了，比耍刀本事高了十几楼。靖安王说到此次评点独缺了将相评，还替当年曾羞辱过自己的徐骁打抱不平，这次将相评没有现世，理由是春秋以后无名将，春秋以后唯碧眼儿，既然将相评评不出什么了，何须再评？不过明眼人都看得出这个说法极为推崇当今执宰庙堂的张巨鹿，几乎将他推上了一人辅国的高度。

靖安王赵衡终于起身，徐凤年轻轻作揖道别，离房时当然是赵衡先行，本应该是裴王妃随后，再由低了一辈的徐凤年和赵珣殿后，徐凤年有意无意落了几步，裴王妃性子散淡，加上毫无颜面可言的赵珣急着逃离，变成了徐凤年与裴王妃并肩而行。跨过门槛时，这位胭脂评上身在王侯世家的美人，娇躯一震，瞪大了那双沾满江南灵气的秋眸，一脸匪夷所思地望向那口口声声喊她婶婶的年轻男子，他，他怎么敢？！

徐凤年一脸无辜，轻轻道：“婶婶，侄儿挑了一副手珠，稍后便让人送到王府。”

她耳根红透，没有作声。

被锦绣华裳遮住的臀部传来一阵阵酥麻。

他怎敢如此浪荡荒唐？！

靖安王赵衡听闻此言，似乎并没有察觉到裴王妃的异样，转头笑道：“凤年有心了。”

徐凤年笑着应酬道：“应该的，应该的。”

一路送出客栈，三人上了一辆普通马车，看得出车厢相当狭窄，马匹只

是富贵人家都可以承受价格的良驹，除去两名随从侍卫矫健彪悍，一切都相当平常。这距离坐拥京城皇宫只差一步之遥的一家三口，轻轻而来，轻轻而去，表面看着尽是信佛人的佛气，美人的仙气，以及偶遇远亲后生的和气，可其中一步一步的阴煞杀机，外人谁能体会？唯有青鸟看到出房后一直没有留出后背给靖安王赵衡的世子殿下，已是衣襟湿透了整个后背。

北凉王世子望着道路尽头的飞扬尘土，终于安然转身，吩咐青鸟去买一本青荧书斋版的《头场雪》，然后独自走回那间厢房，亲自关上门，坐在还没冷去的椅子上，长呼出一口气。望向那张檀木椅，喃喃道："不过几炷香的时分，赵衡就已经四掐念珠，徐骁果然没有说错，这个道貌岸然的靖安王最是心毒如妇人，赵衡大概不知道我早就获悉他一掐佛珠一杀人的秘密习性。一掐菩提子是惊讶我不如外界传闻那般桀骜不驯，开始疑心我这些年在北凉的荒诞举止是不是在故意装傻扮痴；二掐则是恼恨本世子记性不俗，清晰记得《佛说校量数珠功德经》上的记载，能够一口道破他故意说错的纰漏；三掐是憎恶我对裴王妃毫不掩饰的垂涎；至于最后一掐，则有意思了，竟直接捏碎了一颗坚硬如金石的天台菩提子。嘿，本世子原本以为他要撕破脸皮，没料到赵珣已经算是定力上好，这个当老子的更是老辣隐忍，看来几十年假装修道念佛，还是有些成果的，论演戏的功夫，的确比我要强一些。"

徐凤年言语调侃，语气却是阴沉得可怕。抖了抖穿着不舒服的衣衫，靠着椅子，在脑海中重复一幕接一幕，靖安王的每一个细节动作，裴王妃的每一次含蓄蹙眉舒眉，赵珣的每一次轻微抬头低头。

终于等到青鸟拿着一套《头场雪》进屋，徐凤年接过书，眯眼起身换了个地方，坐在裴王妃坐过的椅子上，一脸泼皮无赖笑容。抬手虚握了握五指，脸上换了一张面具，陶醉道："舒服，荷尖翘啊翘，翘不过小娘屁股。温华这小子说话糙归糙，可都是直接说出了士子们得花大把银子才能买到的大道理。"

青鸟一头雾水，她没有看到房门处的暗流跌宕，估计当今世上只有徐骁敢去深思徐凤年到底做了何等胆大包天的壮举。徐凤年略作思量，抽出其中一本青荧书斋刻印的《头场雪》，翻了几页，如果靖安王与裴王妃在场，一定会震惊于这个北凉侄子的惊人记忆力，记得《佛说校量数珠功德经》中念珠功德加持倍数根本不算什么，因为徐凤年所翻书页与裴王妃几次跳跃读书如出一辙！

想着靖安王妃每次神情上的微妙变化，徐凤年低头看着书页所写内容，笑容古怪道："这位大美人婶婶，可不像是个外柔内刚的女子哪，裴楷这般豪阀出身的刚烈文豪怎就调教出这么个柔弱似水的女儿，搁在最喜欢钩心斗角的青州女子中，可谓一朵奇葩。估计若非这位婶婶实在是好看，恐怕早就坐不稳靖安王府正妃的位置了，先前听闻陆秀儿这小娘有板有眼说裴王妃是害死了赵珣亲娘才得以坐正，我还信以为真了，这小娘皮害人不浅，下次再被我撞见可就不只是摸摸小手小腰的下场了。"

徐凤年问道："青鸟，那只我在姥山上让王林泉购置的檀盒在哪儿，去拿来。"

青鸟悄无声息去而复返，徐凤年打开造型巧夺天工的精致檀盒，里头摆着一串王朝不多见的念珠，材料西域名为婆罗子，中原这边习惯美誉"太子"。这种念珠冬不冷手，夏不渍汗，太子串成一圈，有个极具意境的名称，"满意"，是千金难购的妙物，不管送谁都不掉价，对象若是信佛之人，更是绝佳。徐凤年本意是到了襄樊后狠狠试探一番靖安王，如能相安无事，便赠予这串珍贵念珠，如果反目成仇，便自己留着，以后送给那位自小家住寺里的李姑娘，那才更加顺己心顺她意。只不过方才临出门的电光石火间，正愁被靖安王识破真相的徐凤年，鬼使神差，便有了那一下神来之笔，他可不想落给赵衡一个外表知书达理内里心机深重的印象，啧啧啧，那手感，绝了。

徐凤年合上那本夺魁天下的《东厢头场雪》，道："等下你让宁峨眉将这檀盒送去靖安王府，就说转交给裴王妃，我就不信靖安王这只千年缩头乌龟在家里还能继续忍着！让我不痛快，我就让他家宅失火！"

青鸟轻轻应诺一声。

徐凤年突然问道："青鸟，我要是说赵珣那王八蛋对裴王妃有畸形的遐想，你信吗？"

青鸟平静道："信。"

徐凤年冷笑道："这家子看着一团和气，原来不过是表面文章。赵衡掐珠百万次又如何，手持念珠是可以增定力生智慧，徐骁早已将话说死，聪明反被聪明误，成大事者小伎俩、小聪明要不得，赵衡是个什么都放不下的人，舍得舍得，不舍哪来的得。”

徐凤年笑了笑，自嘲道：“好像我一个被吓出一身冷汗的胆小鬼，没资格对靖安王赵衡这般枭雄说三道四呀。”

青鸟莞尔一笑，摇头道：“赵衡与殿下这一席手谈，他已输了先手。”

徐凤年笑道：“别胡乱吹捧，本世子能侥幸小胜，归功于徐骁替我布下了最霸道的先手定式，可不是我的真本事。哼，本世子到今天还这般不成事，便是青鸟你们几个丫头给捧杀的，去，罚你端茶！”

青鸟笑了笑，记起一事，脸色冷了几分，说道：“宁峨眉对于靖安王登门，存了冷眼旁观殿下如何应对的大不敬心思！”

徐凤年摆摆手，豁达道：“情理之中，大戟宁峨眉，能耍七八十斤重戟的好汉猛将，哪里那么容易为人卖命，话说回来，他如果对本世子见面就倒头便拜，我才要怀疑他是不是有反骨的墙头草，这件小事不须介意，否则会让宁峨眉笑话，心里更看不起本世子。”

徐凤年继而深有感触道：“以前听徐骁唠叨一些经验之谈，总不上心，现在回头再看才有些懂了。马上杀敌无非拼命，拼赢了就是老子，拼输了就是孙子，一清二楚。马下钩心才头疼，怪不得徐骁说书生杀书生最是心狠手辣，还能他娘的手不沾血，赵衡便是这类阴险人中的佼佼者。果然练刀要亲身与人对敌才有裨益，培养城府，还得跟靖安王这些个高手大家过招才长见识，送一串价值千金的‘满意’，本世子不心疼。”

青鸟带着檀盒离开房间，温婉带上房门。徐凤年趁空快读最末的一本《头场雪》，字字珠玑，实在想不通十六岁的丫头能写出这般画皮画骨俱是入木三分的文章，说妙笔生花也不过分。上次大姐回北凉，总听她感叹说恨不得世间再生一雪一厢，当时只觉得大姐过于伤春悲秋，这会儿翻到末尾，看到如大雪铺地白茫茫一片死了干净的凄惨结局，却是既心疼又心安，仿佛不死才是败笔，死了才是真实的人生。以前徐凤年可没有这等心境，身边死了谁，看似漫不经心，其实总要揪心许久，直到三年狼狈游历，历经艰辛，见多了世间百态，才有所转变。

徐凤年柔声道：“老黄，你是想说吾心安处即吾乡吗？”

独坐的徐凤年笑了，“嘿，你哪能说出这般文绉绉的大道理呀。”

客栈一间房中，姜泥趴在桌上盯着十几枚铜钱，姥山上跟抠门吝啬的徐凤年讨要了原本就属于她的一两银子，结果一路走去啥都舍不得买，好不容易狠下心也只是挑了两套最便宜的衣裳和一根廉价的木钗，还剩下些铜板。穷日子过惯了，小泥人好似早就忘了年幼时身处帝王人家的尊贵风范，不管如何恼恨那世子殿下，不管如何被气得吃不下饭，总不会耽误读书挣银子。这些日子，离了处处白眼的北凉王府，看到了外地的风光景象，好看是好看，可并没有姜泥一开始设想的有趣，如果不是有李老头儿做伴，她私下觉得还不如待在武当山上呢。在那儿，她还能有一块菜圃，看着那些小小的青翠，总是有些不敢承认的愉悦，原本偷偷等着能在山上过个冬天，那就可以堆出个等人高的雪人，再不用如王府般束手束脚，大可以当着那可恶家伙的面狠狠去刺雪人，可终归还是下山了。

只是希望落空的姜泥也不过分伤心，这本就是自己的命啊，有什么好抱怨的，反正老天爷也听不见。

李老剑神来到房子坐下，丢着花生米入嘴，嚼得嘎嘣响。

姜泥还是望着那些铜钱怔怔出神，心不在焉地说道："走了？"

李老头儿点头道："无趣，这靖安王也忒不是个爷们了，在自家地盘上都如此窝囊，亏得能每晚抱着那么个丰腴俏娘子滚被窝，一点英雄气概都欠奉，本来老夫横看竖看都看徐小子不上眼，今儿见识了靖安王父子的气派，才觉得徐小子的可爱。"

姜泥抬头横了一眼。

老剑神讪讪一笑，自知这话落在小泥人耳朵里不中听，就不再火上浇油。只是开始恼火，老夫已经放下架子要旁观徐凤年练刀，这小兔崽子倒好，从姥山到襄樊，多少天了，都没个动静，身在福中不知福，能让老夫指点一二，是多少人求之不得的机会？！李淳罡是老到不能再老的老狐狸，其实也猜到了一点端倪，徐凤年是个谨小慎微的性子，说好听点是定性超群，说难听点就是胆小如鼠。为了大黄庭便可以强忍着不近女色，为了保密便不轻易地公然练刀透露斤两，李淳罡偶尔很想拿手指狠狠点着那小子的额头，当面问他如此活着到底痛快不痛快！分明是去哪儿都算条过江龙的主，却与鼠辈苟延残喘何异？！

姜泥叹气一声，说道："城外那个观音姐姐好漂亮，今天那位也很好看哩。"

老剑神哈哈笑道："姜丫头可不比她们差，再过两年，就要更好看了，女子只要年轻就好，老夫敢肯定她们心里都在嫉妒你。"

姜泥眼眸一亮，问道："真的？"

老头儿白眼道："老夫骗你作甚？"

姜泥顿时眯眼笑了，两颊小酒窝，看得连李老剑神都想着去喝酒了。

老头儿有些无奈。

姜泥如守财奴般小心收起铜钱，小跑去书箱拣起一本秘籍，得，又乖乖去读书挣钱了。

于是老剑神更无奈了。

靖安王府的那架马车看似简陋，其实里面别有洞天，内壁尽是上等檀木贴就，放了一只羊脂美玉底座的镏金檀香炉，裴王妃上车后，放好那本《头场雪》，双腿弯曲叠放，饱满圆臀枕在腿上，娴熟伸手焚起袅袅檀香，默不作声。靖安王赵衡与世子赵珣相对而坐，赵衡闭目转动只剩下一百零七颗菩提子的念珠，无论多大的事情，靖安王定要诵经完毕才睁眼。即使知道父王如老僧入定，赵珣仍旧只敢用眼角余光去瞥他名义上的娘亲，复杂一瞥便收回，不敢再看。靖安王念经百声千千声，等到睁眼，已经临近王府，平声静气地说道："珣儿，知道错了吗？"

正襟危坐的赵珣愧疚道："知错。"

赵衡没有追究也没有点破，掀起帘子望了一眼车外，淡然道："倒是看不透那孩子了，都因本王画蛇添足，错走了一着昏手。"

说到这里，靖安王脸色阴沉，斜瞥了一眼低眉顺目的裴王妃，见她似牵线木偶一般毫无反应，越发恼火，握紧挂珠，深呼吸一口，转头对赵珣说道："在春神湖上你想趁乱一击毙命，嫁祸给那帮青党子孙，心思有了，可审时度势的火候还是差了些，徐凤年是谁，徐瘸子这辈子都指望他来扛起北凉大旗了，真以为几名豢养奴才，加上宁峨眉和一百铁骑就够了？那未免太小觑了这座江湖，没有那姓李的老武夫，徐凤年不知死了多少回了。"

赵珣低头道："父王教训得是。"

赵衡皱了皱眉头，按捺住心中那股如何念经也摧不破的烦躁，伸手挥散了一些闻着过犹不及的檀香，语调缓慢低声道：“京城那边很热闹，徐瘸子多半是要遂了心愿，给儿子争到手一个世袭罔替，不过大柱国的头衔十有八九是要保不住了。不仅如此，顾剑棠北行两辽，本就是皇宫里头那位逼迫徐瘸子表态，北凉三十万铁骑在两辽的根基，徐瘸子得老老实实自己拔去。北凉看似还是固若金汤，张碧眼可能会见好就收，但亡国遗老这一派估计要有痛打落水狗的动作，就是不知这一出狗咬狗的好戏，能咬掉徐瘸子几斤几两肉，这帮沽名钓誉功夫天下第一的老狗，也就这点出息和用处了。”

赵珣听到父王刻薄评价殿上的亡国老臣是一群老狗，自然而然轻蔑一笑，这时他才恢复了一方藩王世子殿下该有的气度。王朝原有十三州百姓，如今虽说与春秋八国的十七州子民融合共处，但心底会没有一种天生的优越感？百姓尚且如此，更别提赵珣这一小撮天经地义地认作普天下都是自家私物的顶尖皇室宗亲了，再者赵衡在内的六大藩王除去最不成器的淮南王，其余几位都参与到春秋国战中，军功各有大小，裂土封疆，国战落幕，哪个藩王府没瓜分得几位亡国皇帝的妃子公主做侍妾做奴婢？广陵王更是占有一名皇后两名贵妃，既然如此，八国遗老们在他们眼中有何地位可言？饶是你腹有经略，曾经战功彪炳，可谁真会傻到去当作菩萨供奉起来？同席而坐，都嫌脏了眼睛。

下了马车回到府上，在客栈与徐凤年平易近人的靖安王无视不计其数见面即跪的仆役，穿堂过廊，临近一座佛堂，赵珣默然转身离去。赵衡进了敬奉有一尊紫檀地藏王菩萨的晦暗大殿，裴王妃犹豫了一下正要转身，靖安王赵衡手中本就缺了一颗菩提子的念珠砰然断裂，珠子砸落在寂静殿堂的白玉地板上，刺耳阴森。亲手毁去这一串拴马索的赵衡再无半点遮掩，一脸狰狞死死盯住王妃，咬牙切齿道：“站住！不要脸的东西，是不是再与那徐瘸子的杂种多说几句，你就要连魂都丢了？！”

裴王妃没有反驳，任由靖安王羞辱。此时的她，仿佛是那尊菩萨雕像，没了半点人气。外人都道她这个孤苦伶仃的裴家遗孤能够嫁入靖安王府，是天大的福气，而她自身肌肤白皙如凝脂，坊间流言抱得美人归的靖安王有个雅趣，藏有一尊三尺高的玉人，夜拥美人玩玉人，人比玉人媚，真是羡煞旁人，光是听着就能让天下所有浪荡子流口水。

靖安王并没有罢休，走上前扯住王妃的一把青丝，拖拽进殿，将她狠狠摔在地上，嘶吼骂道："裴南苇，本王到底哪点配不上你这个出身卑微的贱货？！这十几年你何曾有一次当本王是你的夫君？！本王是谁？你知不知道？！本王离龙椅只差了一步，一步！天底下还有谁比本王更有资格穿上龙袍！"

一头青丝散乱于地，如一朵青莲绽放的裴王妃终于抬头，平淡反问道："我既然是贱货，你如何配得上？"

靖安王赵衡神情一滞，眼中再无阴鸷，蹲下身，伸手试图抚摸王妃的脸蛋，柔声道："苇儿，本王弄疼你了没？"

裴王妃撇过头，轻轻道："不疼。"

赵衡被她这个躲避动作彻底激怒，一巴掌挥去，将贵为王妃的她扇得整个人扑在阴凉地板上，猛然起身怒斥道："姓裴的，你比死人还死人，既然你有这般骨气，怎么不去死？！当初为何不陪着你那个爹一起殉国？投井？王府有大小六十四口井！悬梁？本王这些年赏赐了你多少锦缎绸绫！撞栏？王府何处没有！放心，你死后，本王一定替你风光厚葬！"

裴王妃不看如狼似虎的靖安王，只是凄然望向那尊民间传颂一件袈裟铺大山的地藏王菩萨，冷漠道："我怕死，所以才嫁给你。"

靖安王生出无限厌恶，背对着这名看了十几年都不曾看清的女子，生硬道："滚！"

裴王妃站起身，理了理青丝与衣裳，欠身施礼后走出佛堂，跨过门槛时，问道："北凉王世子送的手珠，我收还是不收？"

赵衡冷笑道："本王这点肚量还是有的，你尽管拿着，本王知你画工出神入化，只是莫要绘了那杂种的画像再拿着念珠做淫秽事即可。你作践自己，本王反正眼不见心不烦，可污了念珠，惹恼菩萨，那本王这些年念经百万为你祈的福可就白费了。"

裴王妃不冷不热哦了一声。

她一走，靖安王赵衡瞬间变换了一个人，心无旁骛，好像刚才那本家中难念至极的经书一翻而过，他坐在一个香草结成的蒲团上，冷哼一声，阴森森道："徐瘸子，你真以为本王不敢动你的儿子？！世袭罔替？本王让你二十年苦心经营变成一个天大的笑话！"

姜泥要读书，徐凤年勉强捺着性子听她读了两千字，就去找鱼幼薇出门，准备带她一起去襄樊钓鱼台观景。钓鱼台里有几位天师府老道，徐凤年看能不能亲口问到一些黄蛮儿在龙虎山那边的消息，仅是听从赵希抟那个牛鼻子老道的代笔书信，总不太放心。鱼幼薇穿了件姥山青蚨绸缎庄购得的华美绣裘，是典型的西楚样式，堪称“堆红织锦愁媚嗤素”，可惜在徐凤年眼中略加严实了点。他不乐意鱼幼薇去酥胸微露，却也不想不流半点韵味，鱼幼薇本就是体态风流的尤物，尤其是那胸口两堆傲人肥雪，徐凤年是见识并且品尝过诱人滋味的浑蛋。鱼幼薇如此包裹严实，连那点浮想联翩的机会都被扼杀了，好在她捧着宠爱白猫，将胸脯挤出了几分本色，徐凤年笑着自言自语道：“没白养你啊，武媚娘。”

出门后徐凤年善解人意地问道：“瘦羊湖赏过没？”

鱼幼薇摇了摇头。

徐凤年于是先带着她稍稍绕路走过了一条白蛇堤，似乎与仙人沾边的景点都以剑仙居多，从未听说跟刀有关的。例如白蛇堤是传说几百年前有一位陆地神仙见不惯白蛇在湖中兴风作浪，一剑怒斩，白蛇死后硕大的身躯便成了一条长堤，白蛇堤如此，春神湖也一样。耍刀的？没前途啊。满肚子自嘲的徐凤年带着鱼幼薇一路行去，很是引人注目，一些个游湖的骚客士子都鼓足了劲头或吟诗或高歌，希冀着能博来那位抱猫娘子的青眼相加，可惜鱼幼薇根本视而不见。

徐凤年调笑道：“你没能上胭脂正副两评，怨不怨我？”

鱼幼薇只是摇头。

徐凤年笑了笑，问道：“按理说你父亲是上阴学宫的稷下学士，你该喜欢士族子弟才对，可以前在北凉，也没听说你与哪位士子有诗歌相和啊？”

鱼幼薇轻声道：“因为我知道那些口口声声‘不事王侯不种田，君王下诏我独眠’的文人，都是君王下诏便癫狂的人。那些自称要‘一剑当空惊老龙’的酸秀才，则是杀鸡都不敢的人。我能与他们谈什么诗赋？”

徐凤年点头道：“也对，还不如我这种正大光明花钱买文的粗鄙家伙。要不咋说男儿只说三分话，留下七分打天下？”

鱼幼薇低头不语。

慢行出了瘦羊湖，徐凤年骑上吕钱塘牵来的骏马，总共只有五匹马，干脆利落，就没给鱼幼薇独自乘马的机会，上马后世子殿下抱美人，美人抱白猫，成了街上一道养眼的旖旎风景。

骑马到城门，上了城楼，才知龙虎山几名看守钓鱼台的老道士已经离开襄樊，原来那张天符已经自行烧毁，难怪襄樊城内百姓一派喜庆。徐凤年登上钓鱼台，城门校卫无人敢拦，入了巍峨城楼，徐凤年打量城内规格，鱼幼薇则望向浩淼的春神湖。徐凤年向宁峨眉请教了一些若是攻破襄樊城门后该如何进行巷战的问题，宁峨眉是鲜明的马战将领，进入北凉军旅后多在边境上以北莽蛮子的头颅积攒军功，双方交战，多是平原上的对垒角力。对于世子殿下询问的攻城战，宁峨眉只能说些从老卒那里听来的皮毛，所幸徐凤年依然听得入神，偶尔点下头，碰到不解处，总要刨根问底，半吊子巷战的宁峨眉难免要跟世子殿下大眼瞪小眼。

一身便装的宁峨眉终于得了个空闲，见世子殿下驻足远眺，小心问道："殿下，你问这些事情做什么？北凉边境那边可没有攻城战的机会。"

徐凤年似笑非笑道："书籍秘籍，只要是书上有的东西，我想要，就应有尽有，唾手可得。但那些书上没有的，兴许只是琐碎小事，对我来说才是无价宝。再说了，这会儿不攻城，就不许我们三十万铁骑以后踏平北莽了？"

壮如熊罴的大戟宁峨眉身体一震。

徐凤年转头问道："宁将军，靖安王府收下我让你送去的檀盒了？"

宁峨眉点头道："已经收下。"

徐凤年望向城中遥远的靖安王府，喃喃道："被你看破也无妨，世上与京城那位最不共戴天的，不正是你吗？"

有一座寺建寺千年以来，便正门永闭，不管是帝王将相前来，还是凡夫俗子烧香，都不曾开启过。

这座山寺走出了无数位得道高僧，最近一位最出名的，俗名杨太岁，是当今两朝帝师，将来极有可能是三朝。各朝各代记载在册的圆寂于寺中的高僧有三千余人，其中两百多人被封国师。起始从小乘禅法到止观禅，再到北魏朝三十六位肉身菩萨同时在山上开辟译场，佛光普照，再到八百年前证得无上佛果的禅宗祖师一叶渡海而来，传授大乘壁观，终成佛教祖庭。

近数百年来佛道相争，每十年与道门论辩高下，释门都由这座寺庙里的僧人去龙虎山坐而论道。但与道教祖庭的等级森严不同，这里没有太多规矩讲究，谁都可以上山，山上各处都去得。这里山高寺高碑高塔高佛法高，山高，却如寺庙名叫两禅一般马虎糊涂，始终没个名字。

这便是天下第一名刹两禅寺。

有人说这座寺庙之所以叫作两禅，是修自禅与他禅，即禅己和禅人。但一千多年的漫长岁月，好像都没有一个统一的官方说法，两禅寺也从未出言解释过。

山背面有一座塔林，为两禅寺历代高僧葬地，共计千余座，墓塔大小不一，各有雕刻题记，一眼望去如茂林。两禅寺本意并未将这当作禁地，只是信徒虔诚，不敢踏足，久而久之，就少有人来这里观摩。塔林边缘有一座千佛殿，墙面上绘有长达数百米的彩绘拳谱，殿内地面有一百零八个坑洼，据传是罗汉踩踏出的脚印，千人来看便有千种拳，故有“天下拳法出两禅”的美誉。

万佛殿东侧有一座小茅屋，常年住着个没名没分的白衣僧人，若不是那光头身披袈裟，怎么看都不像个僧人，这白衣中年僧人不仅喝酒吃肉，最过分的是他还娶了个媳妇！更有一个自小便在寺中长大的闺女！

怎么看都是劣迹斑斑的中年酒僧，除却生活不够检点，幸好并不与人交恶，只收了一个与他好脾气如出一辙的小徒弟，女儿生性活泼，喜欢在山里爬上爬下。寺里那个据说年岁最长的住持十分喜爱这娃娃，白衣僧人几次无意间闯祸，被戒律院里的古板高僧追着责罚，便让自家闺女去方丈室讨要几串糖葫芦解馋，老住持只要看着小闺女，也就立马消气了，百试不爽。这个看守塔林的中年和尚带出来的徒弟可不简单，小小年纪便当上了寺中讲僧，得以身披偏袒左肩的浅红袈裟，小和尚法号“一禅”，十分古怪，不过比起他师父的法号，就不显得奇特了。

风和日丽的好时分，可怜小和尚坐在茅屋前搓洗着一大盆师父师娘的衣物，唉声叹气。元宵节那天去山下看灯会，结果不小心就被东西拉去龙虎山，在天师府还与白莲先生说道了几句，幸好没被关门痛打一顿。可一回到寺里就遭殃，师娘确是懒散了些，这么多脏衣服都不清洗，堆在屋中也不嫌臭，非要等到自己回寺才罢休。而且溜出去玩分明是东西的主意，师父师娘

见到东西还是那般慈祥，转头看我便换了面孔，吃饭时连碗里米饭都少了许多。唉，这会儿东西该是和师娘下山去买胭脂水粉了，师父其实也挺可怜的，藏在床底储钱的托钵，猴年马月才能放满铜板哦。

茅屋中走出一个醉醺醺的白衣僧人，个子极高，一屁股坐在小和尚身边，同样是板着一张苦瓜脸。

小和尚都不乐意去瞅一眼。

其实师父也不容易啊。

小和尚搓洗衣服搓得腰酸背疼，百般无聊，只好随口问道：“师父，上山的时候听说寺里来了个南边的名僧，正跟慧能方丈抢地盘呢，你说谁能赢？”

白衣僧人打了个哈欠，没好气道：“外来的和尚好念经，再说你慧能师叔打架本事跟你差不多，多半是抢不过人家的。”

小和尚撇了撇嘴，愤愤道：“你不肯教我高深武术，我能有啥法子，千佛殿三面墙壁上的拳谱，看了这么多年，我实在是看不出厉害啊。”

这师父没半点责任心敷衍道：“所以东西说你是笨蛋嘛。”

笨南北老气横秋叹气道：“师父，你说我这辈子能折腾出舍利子吗？要是不能，我觉得还是去练武好了，东西总是喜欢往山下跑，我怕她被人欺负，我打不过啊。”

白衣僧人想了想，说道：“这样啊，那你先拿寺里那些八九岁刚练拳的小沙弥当沙包打嘛，打着打着你就变成高手了。”

小和尚满腔愤懑道：“这话你早说过了，去年我听你的去揍一个小沙弥，结果人家师父跑来骂人，你倒好，直接溜了，害得师娘差点把我耳朵都给揪下来！”

中年僧人故作讶异啊了一声，装糊涂说道：“有这事？”

认命的小和尚低头，狠狠搓着脏衣。

半晌没动静，小和尚转头看了一眼，发现师父在抬头看着万里无云的天空发呆，忍不住问道：“师父，看啥呢？”

白衣僧人伸出一根手指，点了点。

小和尚本能先去看师父的手指，很快就被师父敲了一个板栗，教训道：“说你笨还不服气，我已经替你指点，你在看什么？这般鲁钝悟性，还想死后烧出舍利子？”

笨南北沾水的手先擦了擦裤管，这才揉了揉小光头，准备打破砂锅问到底，否则就白挨打了，“师父，你还没说到底看啥呢。”

师父一本正经道：“看月亮呢。”

小和尚白眼道：“大白天师父你看得到？”

怪不得师父法号“没禅”。

白衣僧人抬着头，轻声道：“唉，当初第一次见到你师娘，就是在花前月下。笨南北，为师又想念你师娘了。”

小和尚怒道：“你想就想，跟我说做什么！”

师父问道：“你就不想东西？”

笨南北立即傻笑了，洗衣服也勤快了几分，憨憨说道：“想哪，怎么不想？”

师父又是一板栗下去，然后语重心长道：“你想东西，跟师父说作甚？明知东西是我闺女，说了还要被我打，你这个笨蛋，为师白教你那么多艰深佛法了。”

小和尚怒道：“你再打，小心打出一个顿悟啊，到时候我立地成佛，就能烧出舍利子了，看东西还理睬不理睬你！”

师父不屑道：“顿悟一说，是师父我教你的，至于舍利子，为师更是看不上眼。在我面前充什么好汉，有本事去东西和你师娘那里大嗓门。”

小和尚心中悲愤，默不作声。

身边这个师父，笨南北也是下山以后才知道师父要比自己想象中佛法高深一点。山下有个说法，同样是在山上长大的师父在甘露六年遍览天下经书，感到宗派林立，诸家说法繁杂不一，莫有匠决，师父说要誓志捐身，要去万里之外求一个“大本”。于是西行求法，一走便是十五年，西域烂陀山够远了吧？师父却要走得更远，求取了《瑜伽师地论》来统一诸家异说，在极西之地的一座寺庙钻研十年，精通了五十部经论。甘露三十一年归来，到太安城时，据说连皇帝陛下都亲自出宫相迎，夹道围观者有数十万，争相目睹白衣僧人的风采。因此寺中才有了一座立雪亭，先皇御笔亲题“白雪印心珠”五字。

如果只是到这里，小和尚笨南北肯定会觉得是在听故事呢。后来师父

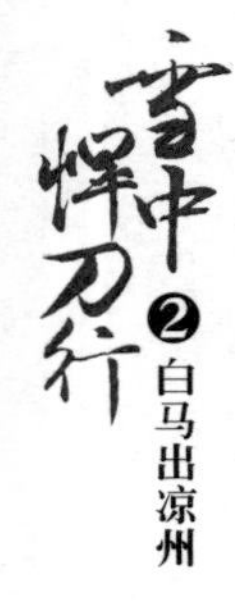

在寺里提出了“立地成佛”一说，这与禅宗正统有悖，结果师父十五年远行成了闹剧，差点被赶出两禅寺。师父所谓的“举手下足，皆在道场，是心是情，同归性海”也只是在近几年才略微被认可，不管如何，京城数十万人一同跪地拜佛的光景是不再了。好在师父有一点很让小和尚佩服，山下人如何看待、如何反驳，都远不如师娘或者东西一句话顶用，东西有些时候仅仅是一句话说重了，师父都要伤心好久。

白衣僧人微笑道：“笨南北，师父已经没那个心思去跟人争了，顿悟一说，以后就靠你发扬光大了。”

小和尚紧张万分道：“师父，别啊，你有师娘，我可不就有东西吗？多半顾不上你的禅的。”

白衣僧人神情有些懊恼，摸了摸自己那颗大光头，呵呵笑道：“真是羡慕你这笨蛋啊，师父已经无禅可参了啊。”

小和尚跟着叹起气来。

师父轻声说道：“要下雨了。”

“大太阳的，不会吧？”

“总会下的。”

“师父。”

“嗯？”

“你总说些废话哪？”

“经书上的佛法不都如此吗？”

“你小声点，要是被住持方丈听到，又得扣我们铜钱了。”

“俗气，就这样你还想烧出舍利子？”

“咋了？我本就是没钱给东西买胭脂才想着去成佛的，要不然我吃饱了撑的去把自己烧了求舍利啊？！”

“哦，不错不错，有悟性，有根骨，不愧是我徒弟。”

“师父，既然如此，那帮忙洗一些衣服？”

“找打！”

江南道湖亭郡最出名的不是肥美的贡品莲台牡丹，而是一个作风放浪的寡妇，姓徐，从北凉那边远嫁而来，接连克死了两任丈夫，俱是当地数一数二的士族公子。一位曾科举高中榜眼，大登科后小登科，本是天大的喜事，却死于非命；另一位也不差，是探花郎，一样在迎娶徐姓寡妇后暴毙，故而江南道都戏言笑问下一位该是状元遭殃了？

不过这个寡妇最近跟隔壁江心郡的一个文人勾搭上了，那男子是江南道颇有雅名的官宦子弟，父辈皆是文豪，此人姓刘名黎廷，别号诚斋先生，十四岁即可作华美骈文，精通声律，尤其浸淫弹琴，更以擅制美食闻名，在江南道士林中别具一格。原配妻子亦是大族出身，德才兼备，奈何刘黎廷遇上那寡妇后便入了魔障，丧心病狂地要休妻。本来只是两家之事，顶多在江南道上被取笑一番，可刘黎廷的妻子不知如何与京城大内一位贵妃有着千丝万缕的关系，那位娘娘可就了不得了，天下女子都得去读的《女诫》便出自她手。

江南道这等丑闻传入耳中，自然是勃然大怒，这位娘娘在皇宫内极为得宠，更被赵皇后视同姐妹，所以她这一皱眉，比较天子一怒也差不太远。于是江南道上的官老爷们再不敢心存看热闹的想法，硬着头皮口诛笔伐。刘黎廷虽写得一手让人拍案叫绝的道德文章，似乎男子气概并不算多，一见连宫里娘娘都发火了，立即如醍醐灌顶般清醒过来。先是写了一首绝交诗送去寡妇门上，再去跟妻子痛哭流涕，更与平日里交好的一批雅人高士痛心疾首诉说那狐媚子寡妇是如何勾引自己。一时间可怜的徐姓外乡女子四面楚歌，若非她娘家身世过硬，早就被唾沫淹死了。刘黎廷的妻子更是专门去了趟报国寺烧香，打了她一耳光，骂之荡妇，那狐媚寡妇竟是不恼不怒，只是浅浅笑着，分不清是苦笑还是讥笑。

当时在场凑热闹的士子们无不动容。

报国寺的牡丹冠绝江南，根据地理大家考证湖亭郡的地脉最宜牡丹，这才能培育出那番世间称奇的姹紫嫣红，当初湖亭郡独有姚黄魏紫两种牡丹当作贡品送入京城，花开花落二十日，京师满城皆若狂。郡中报国寺牡丹不下百种，除去并称牡丹王后的姚黄魏紫，还有诸多例如青龙卧湖、赵粉、肉芙蓉等千金珍品。报国寺最大的香客当数那个时下正被千夫所指的徐寡妇，每月初一、十五都要前来烧香祭拜，风雨无阻。她独爱牡丹“赵粉”，寺庙后院中有一株其大如斗的赵粉，枝叶离披，淋漓簇沓，错出檐甃，声势绝艳。湖亭郡迫于她的煊赫家世以及古怪作风，这株奇艳牡丹几乎成了她的观赏禁

脔，今日是月中十五，初一便是她被刘妻扇耳光的日子，她带着一名贴身丫鬟走入后院。离家出嫁时，带了许多娘家仆役婢女，可她都不亲近，唯独身边这个才豆蔻年华穷苦出身的小丫头，倒是没来由喜欢得很。她治家苛刻严酷，府上少有不心怀惧意的奴仆，唯独这个被她取名唤作二乔的丫鬟，知恩图报，处处敬着、护着主子。今天下马入寺一路走来，暗中无数指指点点，小丫鬟气不过，这会儿四下无人，苦着小脸打抱不平道："小姐，这些香客委实可恨，烧香便烧香好了，见到小姐偷笑什么！"

不到三十岁的寡妇捏了捏丫鬟脸蛋，妩媚笑道："还是你这妮子有良心。"

小丫头愤愤不平道："小姐，那刘黎廷太过分了！那些日子都是他跟狗皮膏药一般死缠着小姐，到头来还恶人先告状，那帮饱读诗书的士子都是睁眼瞎吗，怎的都帮着他说话？！"

俏寡妇忍俊不禁，弯腰望着一朵绚烂牡丹，手指捻下一小片指甲大小的花瓣，嗅了嗅，眯眼笑道："世间男子不大多是这个德行吗？有甚好气恼的，气坏了自己才不值当。"

小丫头怯生生道："小姐，说个事儿呗。"

寡妇被逗乐，说道："哟，思春了？瞧上眼哪位书生了？"

小丫头拼命摇头，咬着嘴唇，抬头一脸坚毅道："小姐，刘黎廷家里那悍妇太可恨了，听说她经常去清山观祭拜，奴婢想去扇她两耳光，到时候求小姐别替二乔求情，奴婢就是被打死，也要替小姐出一口恶气！奴婢知道小姐今儿不顺，就不要再为奴婢烦心了。"

她愣了一下，双指轻柔捻碎花瓣，哑然失笑道："没白心疼你，不过你一个小妮子掺和什么，被打一个耳光就被打了呗。"

小妮子急哭了，满脸泪水，抽泣道："不行，奴婢只要想着小姐平白无故受欺负，就想跟那悍妇拼命。奴婢若不是小姐搭救，早就被恶人糟蹋了，奴婢是没读过书不认识字，但爹娘活着的时候总说要记别人的好，奴婢最记小姐的好！"

寡妇替小丫鬟抹去泪水，柔声道："好啦好啦，本来不想说的，看你这样子，就说给你听，好让你这傻丫头放心。我呢，是故意留着那个耳光的，你也知道小姐我有个无法无天的弟弟，他这趟出行忙得很，我原先吃不准这弟弟是先去看望他二姐，还是来湖亭郡探望我这个大姐，他要是听说了这个耳光，可不就妥妥地赶来我这儿了吗？他二姐呢，心怀天下，不计较这个，我就不行了，总喜欢争上一争。人生哪，难得不遭罪，这便是我为数不多的乐趣了。”

小妮子使劲点头道：“嗯！奴婢知道的，小姐的弟弟是北凉王世子殿下，府里下人们总爱悄悄说些殿下的事情，可每次见到我就噤声了。”

寡妇宠溺地揉了揉小妮子的耳朵，笑道：“有你这双顺风耳，府上哪敢碎嘴，一旦被我知道，还不得被剥皮抽筋？”

小丫头终于破涕为笑。

自家小姐好似每次说到那位殿下，心情便好极了。

寡妇眉头果真舒展了几分，嘴角含笑说道：“我这弟弟呀，从小就长得好看，家里牡丹种植得不多，每次花开，我都会拉着他去赏花，摘下来戴在他头上，比姑娘还俏。可惜过些日子就要下雨，不知他是否来得及赶上这花期。”

小丫头拿袖子擦了擦脸，天真道：“菩萨肯定会保佑小姐不下雨的呀。”

寡妇轻声呢喃道：“小丫头哪里懂无情风雨打散有情风流的苦。”

听不真切的妮子好奇问道：“小姐说了什么？”

寡妇调侃道：“说了你也不懂。”

似乎怕这小丫鬟还会做傻事，寡妇柔声道：“等我这弟弟到了江南道，你便知晓那些个平日里眼高于顶的高门士子、富家子弟是如何不算个玩意儿了。”

山顶是紫黄贵人扎堆的天师府，山脚却只有一对师徒相依为命的破败老道观。

做师父的老道人为了这个闭关弟子能够上进，可谓是磨破了嘴皮子，起初是老道士压箱绝技的“大梦春秋”，这连四大天师都不得法门的道统秘术，那徒儿怎么都不学，听都不愿听。直到老道士某天冷不丁开窍，拿着北凉王世子殿下的书信故意说成是徐凤年在信上说了，希望黄蛮儿学一学这门可一睡五百年的春秋道法，结果事情真误打误撞成了，痴儿徒弟当时就竖起耳朵，真正用心去学“梦春秋”。

背诵这门法门口诀不难，难在如何运转气机，大黄庭求厚，梦春秋却是反其道行之，求薄，练至玄妙巅峰，体内几乎气机全无，只剩“一气”。老道士之所以器重徒弟徐龙象，不远千里低声下气去求北凉王，正是因为徐龙象天生神力，生而便是恐怖的金刚境界，若是学成梦春秋，真正是阴阳互济，如虎添翼，龙虎山老道赵希抟何曾不希望山上出现第二个齐玄帧齐仙人？至于徐龙象是否出自天师府，赵希抟完全不介意，这辈子当面或者背后说他离经叛道的天师府上人还少了？

以前是徐龙象不肯学，让当师父的老道士很头疼，可现在赵老道还是头疼，那小子走火入魔了，一天十二个时辰都在半睡半醒之间，这春秋大梦简直就是祖师爷给徐龙象量身打造的。老道士原本还能陪着徒弟蹲着看蚂蚁或者看溪水，即便说不上话，好歹还算有个听他唠叨的伴儿，如今老道士完全无事可做，太无聊了，只得掐指算着那世子殿下什么时日能来龙虎山。

在龙虎山辈分极高、脾气极怪的老道人蹲在青龙溪畔发呆，发愁怎就看不见乘筏览景的貌美小娘子呢。

那个从不说话的徒弟破天荒走出道观，蹲在一旁。

无比欣慰的老道士嘿嘿笑道：“徒儿啊，终于出来透口气了？”

预料之中的没有回应。

老道人自顾自说道：“我求了一辈子的道，总看不太真切，觉着云遮雾绕，到头来看你，才知这个道不可道啊。”

徐龙象只是双目无神望向溪水。

老道士感慨说道：“他日下山前，为师带你去见一个老前辈，你若能撑下一百招就够了。”

黄蛮儿不知何时摘了一片树叶，递给师父。

老道士接过了树叶，却苦笑道：“你这徒儿，为师可不会吹哨子。黄蛮儿，是想你哥了吧？”

痴傻的徐龙象竟笑着点了点头。

老道心有戚戚然，“山上差不多有山楂的时候，你哥就到了。”

这老道虽说听了北凉王世子的劝告，下山时会好好装扮一番，还特意跟徒子徒孙们借一柄钟馗桃木剑什么的，可在山上还是邋遢得一塌糊涂，脚上草鞋还是自己编织的，身上道袍更是破烂不堪，沾了无数尘土。

这时，黄蛮儿低头，伸出枯黄手臂，拍了拍老道士身上的尘土，轻轻拍去。

这一生为了一个“道”字，无妻无子更无孙的老道士愣在当场。

瞬间老泪纵横。

徐凤年离开钓鱼台，带着鱼幼薇在城中闲逛，看到一条巷子挤满了人，不乏青衫风流的年轻士子，走近一瞧，才发现是在赌棋，蹲着、坐着、站着的都有。徐凤年此时才记起襄樊除了相国巷以“销金窟”著称之外，还有这永子巷一样名声不小，巷中靠壁而坐的都是摆出棋墩棋盒的野棋士，以己身棋力强弱下注不同数额，引诱技痒的游人和棋痴上钩。这等博弈，自然难入棋坛大家法眼，却最能消磨市井百姓与贫寒士子的光阴，加上下注往往无非几枚、十几枚铜板，算是小赌怡情。

徐凤年笑了笑，使劲啃了一口油纸包裹的酱牛肉，当年身无分文饥肠辘辘，有一段时间便是在巷弄赌棋挣饭钱。以他被国士李义山调教以及徐渭熊打熬出来的棋力，赢棋不难，只是往往摆棋的地方有同行要糊口，讲理的还好，井水不犯河水，不讲理的就仗着是本地人去驱赶世子殿下。再就是赢棋也有讲究，不可图着屠大龙爽快，得留有分寸小赢几子，要不然让对面败得丢盔弃甲，便不大乐意继续掏钱下棋了，这都是徐凤年被逼着慢慢悟出来的俚俗微末道理。

世子殿下让吕杨舒三人离远点，只留宁峨眉站在身后，拉着鱼幼薇挑了个空隙见缝插针。下注棋士是个落魄学子模样的青年，衣衫缝补，鞋袜泛白，他面前的空荡棋盘上搁了十颗棋子，意思便是摆棋的输了要给十份钱。寻常赌棋，都是只摆两三颗，五颗都不常见，可见这名野棋士相当自信。徐凤年蹲下后正犹豫是否要掏几文钱出来下注，抬头一瞥，看到对弈棋士是个盲人，这棋如何下？

似乎对这种情形习以为常，目盲棋士温言道：“无妨，听到落子声，我便知落子于何处。”

徐凤年点头道：“我下注十文。”

盲棋士从袖口掏出钱袋，掂量了一下，面有愧色，轻声道：“这位公子，我输了便要欠你十六文钱，若公子不嫌弃，我手边有一本祖传棋谱，应该能值这个数。”

徐凤年笑道：“好。”

棋谱什么的，徐凤年可不上心，听潮亭里能让棋坛名士痴狂的棋谱不计其数，《桃花泉弈谱》《南海玲珑局》《仙人授子谱》等等，世子殿下能给你堆出一座小山，何况如今棋盘纵横十五道变成十九道，往往越是上了年数的棋谱就越发不值钱了。

古今棋士手筋就大体而言，后者终归是越来越强。盘膝靠墙而坐的盲棋士膝下放有一盒黑子，摊手微微一伸，示意徐凤年执白先行。这名野棋士虽然穿着寒酸，气态却不容小觑，举手投足间皆透着股真正世家子的儒雅古风。

正式对局较技前，双方各在对角星位上搁置两子，称为势子，这便是古棋座子，很大程度限制先行优势，而且注定了中盘于中腹的激烈战斗。

徐凤年将手上酱牛肉交给鱼幼薇，率先起手三六，这一挂角被自诩黄三甲的大国手黄龙士评点最佳侵角。年轻盲棋士神情平静，果真可以听音辨位，黑子应手九三，与白棋分势相持。

接下来各九手的黑白落子都没逃出先人路数，从旁观战的鱼幼薇，父亲曾是西楚棋坛赫赫大家，在上阴学宫求学时也只惜败给号称“战力举世无匹”的黄龙士。她自小耳濡目染，颇有父亲棋风，自然是精通弈理，恐怕梧桐苑里的北凉小国手绿蚁都不敢说稳赢鱼幼薇。看到相互十手，鱼幼薇有些失望。

可徐凤年白十一断，却让鱼幼薇眼前一亮。那目盲棋士同样是微微凝滞，不再落子神速，略作思量才提子复落子。

古语棋从断处生，徐凤年接下来几子皆由此一断而生，不可谓不别出心裁。盲棋士一路隐忍，终于黑十八在角部尚未安定的情况下抢先攻击，五六飞攻，鱼幼薇皱眉凝神一番深思，这一型竟有四十四变之多。

鱼幼薇下意识地去看徐凤年，见他仍然不动声色，落子速度始终如一，白四十三时轻轻扳出，棋盘上刹那间杀机四伏，看得鱼幼薇心惊肉跳，这一手实在是太凶烈些了。白五十九飞补与八十三尖，同样是气势汹汹，孰料目盲棋士局面如一叶扁舟泛海，摇摇晃晃，偏偏不倒。至黑一百八十手后便已是稳操胜券，先手收官的大好局面，徐凤年很平静地投子认输。

徐凤年再掏出十枚铜板，说道："还是十文。"

盲棋士执白先行，这一局依旧是徐凤年早早挑起硝烟，盲棋士沉着应对。鱼幼薇依稀瞧出端倪，徐凤年极重攻击，那盲棋士却不与大多世人相同，最重地势凝形，一些个当下看似随手、恶手的落子，总能与中盘甚至收官遥相呼应，灵犀十足。若非徐凤年凭借层出不穷的花样硬生生掀起一波波无理厮杀，两盘都拖不到两百手以后。当下正值女子大才的徐渭熊改十五变十九以及破除座子制的弈林千年未有变局，以鱼幼薇来看，棋力略胜世子殿下一筹的盲棋士注定会一鸣惊人，况且这名棋士是否隐瞒实力还不好说，果然是市井藏龙巷弄卧虎。

"再来。"

连败两局的徐凤年轻声笑道。这次执白以双飞燕开局，这个定式曾经广为流传，只是近五十年来最拔尖的国手们在巅峰擂争酣战中都弃而不用，黄龙士更说起手双飞不无太紧，失了醇味，算是给这个经典布局判了死刑。

徐凤年干脆就坐在地上，结果换了舒服些的姿势，棋盘上兵败如山倒更快，轻松三连败，盲棋士身前已经堆了三十枚铜板。徐凤年抬头，透过永子巷墙檐看了眼天色，已是晚餐的点上，可难得遇上棋力这般高明的野棋士，就招手将舒羞喊到身边，让她去酒肆弄些吃食来。很快舒羞便端了个大食盒，放有四双碗筷，杨青风试过无毒后舒羞才敢放在徐凤年身前，徐凤年笑问道："一时半会儿我是不打算走了，要不你也吃些？"

那目盲棋士不拘小节，笑着点头。鱼幼薇虽是养尊处优的娇气女子，与徐凤年一同坐着吃饭也不觉得失态，大戟宁峨眉则站着几口就将一顿饭食风卷残云下肚。野棋士缓慢进食时甚至主动与徐凤年说了三盘败局的得失，说到徐凤年的妙手、强手，毫不掩饰他的赞叹，提起几招随手、无理手，则也直截了当说出不足，徐凤年频频点头，受益匪浅，相谈尽欢。徐凤年笑问棋士是否师从棋坛名家，那目盲棋士摇头说家世平平，年幼失明以前才刚开始接触围棋，失明以后无所依托，只得与棋做伴，在永子巷赌棋已有小十年，挣到的钱只够温饱，一有闲余就去购买名士棋谱，存不下丁点儿银子。说话间盲棋士拍了一下脑子，从行囊中抽出几本儒家典籍，交给屁股只能跟地板挨着的徐凤年，轻笑道："垫着。"

徐凤年接过书，抽出两本交给双脚早已发麻的鱼幼薇，笑道：“不妥吧？辱没了圣人学说。”

盲棋士微笑摇头道：“礼义廉耻可不在书上。”

徐凤年不再矫情，与眼前赢了他三十文铜板的野棋士一起吃饱喝足，再起十九道上的硝烟，徐凤年屡战屡败不知疲倦，盲棋士兵来将挡水来土掩，落子清脆，神态自若。

永子巷十局，杀得天昏地暗，从正午到暮色再到月色，尘埃落定，徐凤年一鼓作气连着输了十把，付出一百文。永子巷的野棋士们都已撤去，徐凤年盘膝坐在一本儒家经典上，看着棋盘上的败局，重重叹息，说道：“你这等手力，可以跟上阴学宫的徐渭熊一较高下了。”

野棋士摇头道：“寻常人下棋大概算是只弈一面，我勉强能有两面，当今棋坛名家可顾三面，渭熊先生却是与黄三甲双双独弈四面，我哪敢去蚍蜉撼大树。不过此生若能与渭熊先生手谈一局，虽死无憾。”

徐凤年帮着把棋子收入盒中，这才起身玩笑道：“我可没有你这种‘朝闻道夕可死’的境界，输给你不冤枉，这趟愿赌服输。嘿，那上阴学宫有名动四方的当湖十局，咱们也算有永子十局，就此别过。”

目盲野棋士笑道：“这几本书就赠予公子吧。”

徐凤年一点即透，其中两本书籍在鱼幼薇的屁股下垫了许久，想必野棋士早已听声闻味，知道是自己带出来的“家眷”，出于避嫌，再讨要回去就不合适了。徐凤年再掏出十文钱，交给起身后身材清瘦的棋士，打趣说道：“最后这十文钱，就当从你这边再买两斤礼义廉耻好了。”

棋士犹豫了一下，还是收下，温雅笑道：“公子不缺这些。”

徐凤年大笑而去。

盲棋士收拾好行囊，孤身站在寂静无人的巷弄中，面朝巷口深深弯腰，一揖到底。

走出永子巷，策马而返，徐凤年啧啧道：“小小永子巷就有这么厉害的人物。”

鱼幼薇皱眉问道：“他是刺客？”

徐凤年哑然失笑，下巴抵在怀中的鱼幼薇脑袋上，一脸无奈道：“你想多了，我只是感慨那目盲棋士的棋力惊人而已，他自称棋盘上只可弈两面，过谦了，我敢说二姐与他下十局都要输两三把，想必是他从未与顶尖国手手谈过，因此不知道自己的厉害。”

鱼幼薇点头道：“此人弈棋擅长以弃为取，以屈为伸，视野开阔。可不仅只限如此，第九局中被你无理手惹恼了，才展露出他即便是正面角斗，力量更是奇大的一面。他若真是普通家世，失明后自学成才，那毫无疑问这人是棋道的天生巨才。”

徐凤年轻轻说道：“他的双目是被刺瞎的。”

鱼幼薇愕然。

徐凤年感慨道：“家家有本难念的经，这些背后辛酸就不是本世子感兴趣的了。”

鱼幼薇揉了揉武媚娘的脑袋，问道：“没有想过请他到身边做幕僚吗？”

徐凤年摇头道：“下棋下得好，不意味着做官就能做得顺。我已经赌输了一百文，就不再去赌了。”

鱼幼薇笑而不语，这位世子殿下棋力可谓相当不弱，想必连输十局已经是颜面尽失，不好意思再与那目盲棋士过多接触了。

徐凤年没来由说了一句，“就看靖安王赵衡的赌运如何了。”

徐凤年突然苦着脸道：“完蛋，老子今天赌运这般差，此消彼长，赵衡那只老乌龟十有八九要赚翻。”

鱼幼薇疑问道：“怎么了？”

徐凤年呢喃骂娘了几句，没有作声。

永子巷中，年轻盲棋士吃力地背起行囊，不过是棋墩、两盒棋子外加几本棋谱而已，便有些劳累不堪了，棋士默默自嘲百无一用是书生，走了几步，扬起一个温煦笑脸。永子十局，足足挣了一百文钱哩，这两年自己在永子巷中除了故意示弱，就没有真正输过一局，襄樊本地的爱棋人已经不愿意跟自己赌棋，除非是一些来永子巷游玩的外乡客人，才会上钩，所以一日赚百文，是难得的好光景。再则那名公子极为有趣，身世自然是极好的，他眼瞎心不瞎，那般家世优越的公子哥，却下得一手好棋。这些年自己已经很难去费心费神下棋了，年幼学棋时赢棋开心，输棋更欢喜，如今一直赢棋不输棋，下棋的爱好便越发清减，生怕哪天就真的只是为了糊口而去下棋，真有那一日便是棋道止步的一天。念及自己惨淡的身世，盲棋士面容冷淡，似乎忘了去如何悲恸。

这世道，瞎了不去看就好。

若能多遇上几位下棋十局的好心公子，兴许才会后悔当年自刺双目，可家道中落，落魄如丧家犬后为了苟活，下棋十年，遇上了几个？

行到巷口拐角，盲棋士被拦下。

传来一道威严嗓音："我家主子要见你。"

盲棋士平静道："不见。"

不远处停了一辆马车，车中雍容男子手上拿着目盲棋士的身世记载，纸上笔墨还未干涸，分明是才提笔写就的东西。永子巷十局，巷内赌棋的、旁观的陆续不下数百人，即便是身在局中的年轻棋士，都没有多想，只是认为好运遇上了心善的公子哥，却不知首局结束时便有消息传到襄樊城中最权贵的地方；下至第三局时就有棋谱送达那座门口摆有雄狮的府邸；第五局时府中主人已经让下人去彻查目盲棋士的身份；第八局结束，车厢内的男子还在犹豫如何处置；直到第九局，见识到那个年轻瞎子的真实棋力，这才笑着亲自出府，一直耐心等到现在。当手上拿到最后几页目盲棋士十年赌棋生涯的琐碎零散记录，他觉得耐心可以更大一些，所以当贴身侍卫在马车外轻说那人不见，他并不恼怒那小子的有眼不识泰山，再者，那小子本就是个瞎子嘛。

男子烧掉了于己而言无非是几百字的一段蝼蚁身世的几页纸，然后亲自下马，走到那风骨极硬的目盲棋士身前，缓缓说道："陆诩，青州海昌郡人氏，祖父陆游是前代硕儒，父兄皆是不差，一门三杰，主修经史，不承想修撰西楚国史时替读书人说了几句公道话，被小人构陷，差点满门抄斩。你自刺双目，自绝仕途前程，才得以保全性命，这十年来，日间在永子巷赌棋，夜间便去相国巷为勾栏女子抚琴，挣的都是脏银子，可知你的仇家已经成了海昌郡的郡守大人？"

目盲棋士平静道："这银子，不脏。"

中年男子笑问道："且不论银子脏不脏，我问你，想不想一展才华，而不是在两条巷子里钻营求生？"

年轻棋士笑道："虽说此时已是晚上，可陆诩还是不太愿意去做梦。"

男子哈哈笑道："听说你曾经说过一句话，我辈腹有千斤书万斤才，要卖却只卖与帝王家。"

目盲棋士皱眉道："这等读了几天书便不知天高地厚的胡诌狂语，当不得真。"

男子沉声道："我却要当真一回！"

目盲棋士苦笑道："事到如今，还不肯放过陆家吗？"

那手上挂了一串念珠的男子平淡道："我姓赵名衡，帝王家，如何才算帝王家？一个靖安王够了没？！"

靖安王府，满头雾水的世子赵珣找到在书房中抄写佛经的父王，轻声问道："听说父王带了一名扛琴的目盲棋士回府？有何深意？"

靖安王笑道："此子是海昌郡陆家的最后一人，若只观棋，府上无人能胜过他，交由你养着便是，反正花不了几个钱。如果是只能在棋盘上经纬谈兵的货色，就当养了条不会咬人的狗。若是的确有些才华，就收入王府幕僚，雕琢一番，日后你当着他的面收拾一下海昌郡太守俞汉良，他再出谋划策便真正诚心了。士为知己者死，珣儿，这点古人说烂了的道理，你要牢记在心。而且如何与这等士子相处，你要收起与韦玮那帮纨绔交心的那套，别依仗着身份压人，天下读书人都不是傻的，心思最是细腻，兴许读不出大义，但读出分不清是自负还是自卑的性格，总不是难事。珣儿，父王教你一事，对付这些个士族才子，你就把他们当作靖安王世子殿下，你当作他们。"

赵珣笑道："知晓了，父王将心比心，早已是佛心了。"

靖安王赵衡眯眼笑道："不需你溜须拍马。"

赵珣小心退出书房。

赵衡继续以一杆软毫抄写佛经，抄写完毕，冷冷道："陆诩，本王留着你无非是想过几日与你说一段故事，本王这般大手笔，若没个无关大局的知音，太无趣了。"

第六章 狮子楼琴返指落，芦苇荡剑拔弩张

我不去练剑，剑意自然足。双袖虽无剑，青蛇胆气粗。

徐凤年回到客栈无所事事，就去姜泥房中，看到一老一小两人在桌上鬼画符，搁了两口白瓷小碗，一碗盛水，一碗盛酒，两人手指各自蘸了酒水就在桌上龙飞凤舞。此时约莫是小泥人嫌弃老剑神写字越界，侵占了她的地盘，因此她鼓着腮帮瞪眼相向，老剑神只得收敛好不容易酝酿出来的兴致，低头一吸，将桌上酒水都吸入嘴中，姜泥看到徐凤年走入房中，袖口迅速胡乱一抹，将桌上水字都一股脑擦去。徐凤年调侃道："跟老前辈练字？还不如偷偷跟着练剑呢，神符总不能白借出去。老前辈随便教你几手绝技，不就能把我给甩出去十条大街那么远了？要是不小心学成了两袖青蛇，啧啧，江湖上肯定要封你做女剑仙，多威风，什么王仙芝、邓太阿啊，见面都要跟你客套热乎。到时候你千万记得去跟高手们说上一句，'我姜剑仙当年给徐凤年那草包当过丫鬟'，嘿，想想就牛气。"

姜泥怒气冲冲道："练字要你管？！谁给你做丫鬟！谁要练剑给你长脸面？！"

徐凤年一屁股坐下，促狭问道："怕吃不住练剑的苦头？"

姜泥刚要抓水碗去砸，结果就被早有预料的世子殿下拿绣冬刀按住小手和瓷碗，笑道："别动手，今天没工夫跟你闹腾，我是来找老前辈取经的，你要爱听就坐一边凉快着，不爱听就麻烦你走上两步。"

姜泥咬牙道："这是我的房间！"

徐凤年不搭理这只被踩到尾巴的小野猫，将从海量秘籍中攫取出来的十几招招式简明扼要地说与老剑神听。起先李淳罡似乎很不耐烦，掏了掏耳屎，轻轻弹掉，徐凤年说到后来，老头儿虽说还是跷着二郎腿，但已经不去掏耳屎恶心人，端起只剩下半碗酒的瓷碗，一边喝一边听，没点头没摇头，古井无波。徐凤年说完见老剑神一副昏昏欲睡的神情，不甘心地再详细拆解了一遍，将招式根源所在的书籍名称都提了一遍，再将自认为应当如何连绵融会也说了一下，结果老剑神只是眯眼喝酒。徐凤年有些气馁，伸手去拿起姜泥练字用的小碗，将白水一饮而尽，看得小泥人十分懊恼，早前没有投半斤砒霜下去。

说到口干舌燥的徐凤年喝了半碗水，直愣愣地望向半天没动静的老剑神。

反正什么都没听懂的姜泥幸灾乐祸道："三脚猫呀三脚猫，不配啊不配。"

这个不配，自然是来自当初襄樊城外白衣观音的那句不配双修，这些

时日姜泥总拿这个去嘲讽世子殿下，很是解气。老剑神始终在神游万里，总算是收回视线，瞥了一眼徐凤年，终于开口说道：“初听你唠叨，老夫觉得聒噪，你这种投机取巧的行径是武道末流，刚想骂你几句，没来由想起一个故人的一桩往事。王仙芝年岁与老夫和齐玄帧其实差不多，但论成名，却晚了很多年，他当年也是与你一般拾人牙慧，走他山之石攻玉的下乘路数，老夫和当时一些高手每次出手对敌，总能看到这厮远远观战的身影。与老夫当时久久止步于天象神仙两境之间不同，这老小子却能愈战愈勇，现在回想起来，世人都说王仙芝悟性无双，因为观战一次便可对天下武学过目不忘，所以才有后来徒手折断天下剑的绝世修为，并不准确。王仙芝如同一名丹鼎大家炼气士，抓起身边一些丹石，却不止于丹石本身，都被他丢入丹炉，融汇一炉。老夫的两袖青蛇，到了他手中便成了一袖青龙，所以世间高手与王仙芝对敌，都将其视作一块砥砺自身修为的最佳磨石，这是好事，奈何磨砺以后，本事有所提升，却总是追不上王仙芝这鸟人的脚步，才有了无数高手们不约而同有‘既生芝何生我’的娘儿们牢骚。徐小子，你要做王仙芝第二？”

徐凤年讶然无语。

老剑神嗤笑鄙夷道：“既然真心想要习武，连把王仙芝赶下天下第二宝座的那点志气都没有，你小子还练个屁的刀。”

徐凤年无奈道：“王仙芝自称第二，谁不当他是武道第一人。”

老剑神摇头淡笑道：“第一？老夫可不这么认为，王仙芝说自己第二，一半是傲气，还有一半就是这家伙的自知之明了。世上总会蹿出一两个不可以常理而论的怪胎，至于这些怪胎是出自佛门还是道教，或者是江海山林，就只有天晓得以及在武帝城上挑战天下的王仙芝自己晓得了。当时齐玄帧死后，老夫本以为王仙芝总算要扬眉吐气了，不承想至今还是天下第二，想必齐玄帧死后又出现了连王仙芝都忌惮的陆地神仙，否则以王仙芝的脾气，不至于这般做作。老夫觉得这一届武评正评垃圾得很，副评倒是做得不俗气，榜上四人，都有希望在王仙芝老死之前给江湖一个惊喜。尤其是刚刚在武当山上打了一架，差点把真武大帝的铜像都给拆掉的武当新掌教与龙虎山齐仙侠，后者有老夫当年的风范，你嘴里的骑牛的，则像平时一声不吭但一放屁全天下就都得捏鼻子去闻的齐玄帧。至于你小子嘛，倒是挺像王仙芝，可惜王仙芝不管如何大器晚成，在你这个年纪也能随便一抬手杀死几十号徐凤年了。”

姜泥在一旁呵呵笑道："真厉害，跟王仙芝相像呢。岂不是到了王仙芝这个岁数，就可以排到天下第两百号高手了？"

徐凤年被小泥人这个说法逗得捧腹大笑，转头说道："借你吉言，本世子一定长命百岁，怎么都得活到王仙芝那个岁数。"

姜泥懊恼不语。

徐凤年哈哈笑道："以后本世子闯荡江湖碰上不顺眼的高手，第一句话就问他是不是比天下第两百号高手高的高手！"

老剑神挥手道："去去，老夫还要陪姜丫头练字。"

徐凤年就这样被赶出了房间，关门的时候不忘朝姜泥伸出两手，一手竖一根手指，寓意活到一百岁，一手两根手指，意思则是天下第两百号高手，看得姜泥火冒三丈，关门后，赌气道："不练字了！"

遭了无妄之灾的老剑神愕然道："为啥不练字？"

姜泥气鼓鼓道："没心情。"

老头儿一脸鬼祟，轻声怂恿道："姜丫头，试试看想着这桌面便是徐小子那张笑脸。"

姜泥犹豫了一下，眼睛一亮，小跑去火急火燎再倒了一碗水，接下来练字简直就是字字铁画银钩，入木三分。

老剑神此时有些明白为何徐小子那么喜欢逗弄眼前这丫头了。

李淳罡捧碗喝了一大口酒，更坚定了心中要去与徐小子做一笔交易买卖。

再看姜泥练字，轻声呢喃，善意提醒道："剑与字同，最重一气呵成。小泥人，来来来，老夫写字你来念。"

姜泥哦了一声，看着老头儿手指，默念道："朝游东海暮西山，袖中青蛇胆气粗。一遇不平便放杯，拔剑当空气云错。连喝三回急急去，只见空里人头落。世人道我在登阶，早过巍巍十八楼……"

老剑神洒脱写字时，瞥见姜泥不仅在读，而且这丫头情不自知地用手指跟着在桌上书写，与他桌上所写诗句不仅形似更神似。

我不去练剑，剑意自然足。双袖虽无剑，青蛇胆气粗。

老剑神以断臂姿态入世以后，第一次喝酒不多却酣醉。

房间内剑意森然，分不清出自谁手。

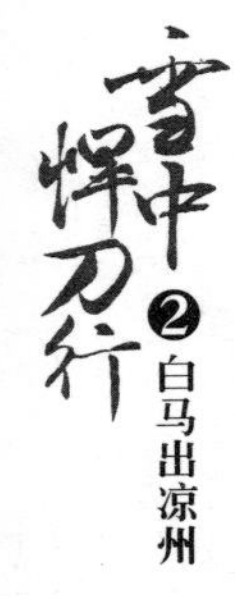

鱼幼薇慵懒地趴在桌上，白猫蹲在她眼前，蜷缩起来，像一团雪。

鱼幼薇伸出一根手指，武媚娘伸出两爪抱住，憨态可掬。

早已不是凉州头号花魁的女子笑道："还是我的媚娘好，除了吃就是睡，无忧无虑，想见你时你在身边，不想见你就不见你，也不怕你记仇。"

她更不是那个曾被唤作鱼玄机的少女了，脸颊贴在微凉桌面上，伸手去摸着宠物的毛茸茸脑袋，自言自语道："你想不想离了我独自生活？"

既然武媚娘注定无法开口说话，她便自问自答道："即便一开始会想，可习惯了就不去想了吧？明知这样不好也不对，但偏偏走不掉也逃不掉，是不是？"

"你呀，就是个花瓶儿，还是不算好看的那种，能活着，有什么不知足的呢？"

"你比不过院里的丫鬟们，比不过那些独自行走江湖的女侠，比不过一个敢拿匕首去恨的孩子，谁都比不过。你连爹娘都忘了，连名字都忘了，你能比得过谁？这样的你，值得谁去多说几句话？"

"你总会老去的。"

……

外头，世子殿下靠着房门默不作声。

"道不可道，禅没的参，人生寂寞如大雪崩。"

"师父，你又伤春悲秋了。"

"笨南北，等哪天你有了媳妇，也会如此的。"

"唉，肯定是师娘又去山下买胭脂了。"

"师父，你这几天总去磨菜刀做什么？"

"磨锋利了，好砍人。"

"啥？师父你别想不开啊，我们已经是出家人了，若再想不开，那些上山烧香的佛门信徒该咋办？虽说师娘和东西总爱乱花钱……"

"跟东西和你师娘没关系。"

"哦，这就好。那是又瞧哪位方丈不顺眼了吗？我觉得慧光方丈就挺欠揍的，可动刀子总不太好。师父，咱们还是照老规矩套麻袋打闷棍吧，比较不伤和气。”

“……”

“啊？不是慧光方丈？”

“是给姓徐的那小子磨的。”

“啊，为啥？徐凤年人挺好的啊。”

“这兔崽子敢跟我抢闺女，不砍他砍谁？”

“师父，徒儿想去念经了。”

“你怕啥，就你这点本事，东西让你抢了这么多年也没见你抢走。再说了，砍了你，谁来洗衣做饭？”

“……”

“南北，东西天天在你耳朵边上说那小子如何如何，你没点意见？”

“没啊。”

“收了你这么个笨蛋徒弟，真是佛祖打瞌睡。你就不怕东西跟别人跑了？到时候别找师父哭。”

“嘿，肯定是师父哭得厉害些。”

“师父，你说我哪天万一真的成佛了，烧出舍利了，东西会不会伤心啊？”

“南北啊，你先去做饭，咱们吃饱了再想这个问题，好不好？”

“哦。”

“师父，为何你与师娘吵架，每次都是你先认错？”

“有些事对了，另外一些事情都错了也没有关系。明白了没？”

“不太明白。”

“比如你喜欢东西这件事是对的，所以……”

“师父你别说了，我都懂了。”

“嗯？这会儿你悟性怎的比师父还厉害了？”

“嘿，这就是徒儿修的禅嘛。”

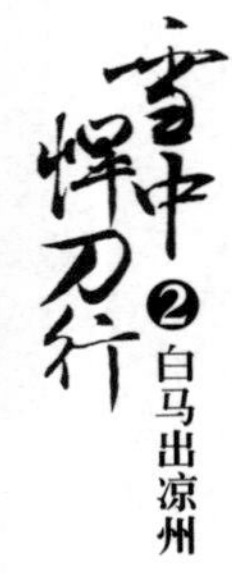

“南北，下山以后就没见到比东西更好看的姑娘？记住了，出家人不打诳语。”

“没有！”

“不错。”

“师父，你提起酒葫芦做啥？”

“如果你回答说有，就知道为啥了。”

“师父，除了东西和师娘，你还怕过谁？”

“咱们寺里活了一百五十多岁的住持，师父就怕，怕他不给铜钱。”

“寺外呢？”

“没了吧？”

“师父，出家人不打诳语！”

“容师父好好想想，哦，还真有一个，当年跟你师娘抢过你师父，吵架吵得半斤八两，幸好师父拳头比他硬一些，想必全天下，那老流氓也就咱们寺里不敢来。”

“老流氓？等等，啥叫跟师娘抢过师父？！”

“过去的事情，就让它随风而逝吧。”

襄樊城都知道青州最狐媚的女子就住在相国巷里，她分明是沦落红尘的妓女，却没有谁敢将她视作勾栏女子，她叫李白狮，本名李小茹。先世是东越三流官宦家族，谈不上国破家亡，只是父辈不善经营，谢世后留下个烂摊子给年幼孩子，李白狮随乳母去广陵西泠湖畔变卖祖产为生，住在松林小楼中，娱乐山水，长成了美艳动人的少女，体态玲珑非凡。每次出行，总有众多翩翩美少年跟随，后来为了躲避广陵王麾下一位猛将的强行掳抢，辗转流落到了千里之外的青州襄樊，先是成了一位道姑，再进了相国巷，凭着精于音律歌舞，擅长察言观色，很快便一跃而成了艳压三州的名妓，尤其擅长家乡西泠腔，被誉作“声甲天下之声，色甲天下之色”。

这次胭脂评，她是唯一一位以妓女身份上榜的女子，对声色双甲的说法更是给予了肯定，简直就是让全部登过青楼的襄樊男子感到大快人心，胭脂评终究要比士林间评什么四大、十大花魁来得更有说服力。

只不过听说近期李白狮的心情不太好，因为襄樊城里的道士仿佛一夜之间都出了城，好似是摆下周天大醮前，道教祖庭龙虎山与佛门立了个赌约，如今看来大概是龙虎山输了，龙虎山有四大神仙一般的大天师坐镇，会输？一时间坊间流言四起，众说纷纭，说是那一晚瞧见了身穿雪白僧袍的女菩萨，领着万鬼出城而去；也有说是龙虎山没有输，只是十数年超度群魔，道士们都要去龙虎山领取功德。不知怎么的说起白衣僧侣，就谈到了风马牛不相及的白衣国师，当年那个让京城数十万人一起跪拜的活菩萨，加上北凉王世子入城的小道消息，这些时日襄樊百姓是有说不尽道不完的谈资了，酒肆茶坊的生意异常红火。

襄樊全城知道白玉狮子李双甲，顺带着也知道她有一名御用琴师，是个年轻瞎子，弹琴时从不露面。

清晨时分，昨日已经搬入靖安王府住下的盲棋士来到相国巷中段的白玉狮子楼，不同于以往在夜幕中背琴而往，这次双手空空。这栋青楼后院管后门的小仆役睡眼惺忪地蹲坐在门口石阶上，见到楼里神仙李花魁的琴师来了，立即跳起身，堆起笑脸，笑脸里更多了几分平时逢迎待客少有的真诚。陆公子在白玉狮子楼弹琴，上上下下几百号人都知道他脾气奇好，风骨极高，雅气极丰，与任何人都能温文尔雅说上话，一些打赏得到的真金白银，总是没出楼便被陆公子送出去，自己只留一些铜板，因此当初狗眼看人低、吐过这瞎子唾沫的管门小杂役，总是自诩与陆公子不打不相识，倍加殷勤，领着今日未携琴的盲琴师进门。

小杂役欢喜道："陆公子，上次求你教我写的名字都记下了。"

陆诩微微一笑。

面容清秀的年轻仆役好心说道："红鱼馆那边的神仙姐姐们可都喜欢晚起，陆公子你到了那边要耐心等上一些时间。"

目盲却认路的陆诩点头道："知晓了，我独自去就行，不麻烦宋小哥了。"

仆役笑着领诺了一声，原路折回。

盲琴师到红鱼馆前，遇上许多晨起做活的女婢丫鬟，莺莺燕燕们都要欢天喜地地喊几声陆公子才罢休，胆子被楼内红牌小姐们养肥些的，还要与陆诩调笑几句，故意向这位公子讨教问些"一树梨花压海棠"或者"华岳山前见掌痕"到底是何解，盲琴师只得讨饶，更惹来娇声笑语不断。这位言谈儒雅、性子温和的陆公子，起先在达官显贵富豪子弟比大白菜还常见的白玉狮子楼中，十分不起眼，若非李双甲李大家青眼器重，谁会正眼瞧上一眼？入楼后第二年的一天弹琴，被他撞见了一名在城内排得上名号的权贵富豪给雏儿伶倌强行破瓜，白玉狮子楼虽说比一般青楼妓馆要多一些规矩，但民不与官斗，一名小清伶而已，犯不着与襄樊地头蛇翻脸。那个祖上几代都是青州军大佬的家伙在廊中强要了那名年幼清伶也就罢了，事后还要抽刀劈死，盲琴师顾不上安危，扛着家传古琴便冲了上去，没打着那恶人，反倒是被侍卫踩在脚下，一场闹剧，直到李白狮亲自出面说情，才压下去，从刀下救了盲琴师的性命。

白玉狮子楼的许多人至今仍记得一身是血的陆诩坐在廊中，怀中抱着毙命的可怜少女，脱下身上寒酸衣衫轻轻覆上那具衣衫不整的尸体。

今日红鱼馆不知如何得知陆诩要来的消息，李双甲的贴身婢女祈福早早站在院门口迎接，见着盲琴师，柔声笑道："陆公子，小姐已经候着了。"

陆诩摇头道："今日来只是想与红鱼馆亲口说一声以后我不来弹琴了，李小姐当年借我的古琴画龙，我想将来每月挣得银两陆续还上一些。祈福姑娘，我就不入馆叨扰李小姐了。"

在白玉狮子楼地位比一些红牌还要高的美艳婢女惋惜轻叹一声，略微欠身，朝盲琴师纳了个万福，这才转身走向院中。

二楼窗口，站着一位国色天香的女子，祈福已经算是襄樊难得的美人，只是与楼上的她一比，就失了所有颜色。

令人匪夷所思的是，天下名妓花魁道姑李双甲身后黄梨木椅上坐着一位正低头给一架二胡调弦的老头。

李双甲等到陆诩身影消失，转身低眉顺眼问道："老祖宗，今日真不需要狮奴去城外芦苇荡会一会那北凉王世子了？"

两鬓斑白的调弦老头只是闭目挑弦听音。

按理说李白狮在胭脂评前就是青楼十大名妓之一，十几年人脉经营，与门阀士林都有了深厚交情，她差一点就要嫁给西林党领袖柳宗徽，这些年遇上众多怀才不遇的贫寒士子，都慷慨解囊，其中数位都已是朝廷清贵，众人拾柴，才有了李白狮双甲江南的名声。如今上了胭脂评，更是成了当之无愧的青楼魁首，从未听说李双甲与谁香温玉软过，甚至说至今仍是雏儿，怎会让一个老头儿留宿房内？莫不是李白狮好这一口？那也太重口味了些，传出去还不得天下震惊？

被李双甲恭敬唤作老祖宗的调弦老头睁开眼，仍是不说话。

已经知道老祖宗不喜自己多说这个话题，李白狮换了个问题，“老祖宗何须那般重视那个挎木剑的穷小子？”

老头儿抬头斜瞥了一眼亭亭玉立于窗前的尤物，只是他双眼却不带任何感情，语气更是冷淡，“老夫下棋，起手知收官，你这种中看不中插的花瓶，废什么话。”

被羞辱至极的胭脂女子李双甲竟然没有任何怒气，越发恭顺了，下意识弯下了纤细蛮腰，如此一来胸脯便鼓起得厉害，几乎撑破了衣裳，她身体娇小玲珑，胸口风光则气势汹汹，传言更有一双白莲玉足，习得道教房中术与密宗欢喜佛，在床上可做出各种玄妙姿势，故有“白玉狮子滚绣球”的旖旎说法。

调弦老头驻颜有术，两鬓霜白如雪，分明是花甲甚至是古稀的年迈岁数，但面容只如中年男子，屈指弹了一根弦，说道：“陆诩的棋是老夫教的，这趟来红鱼馆，老夫便是要看这小子会不会一朝得志便猖狂，所幸没白教他下棋，懂得留白三分，仍是留下了你送给他的古琴，本来以老夫最初见到他时的性子，是不乐意受人恩惠能还不去还的。接下来能否掀起风雨，就看他自己的造化了，一颗棋子最妙处，便是连高明棋手起先都不承想可以成为胜负关键手。”

李双甲低头道：“老祖宗手谈的本领自然是当世第一，全天下都是老祖宗的棋盘哩。”

调弦老头置若罔闻，说道：“北凉那小子今日离城，襄樊也就没你的事儿了，你去京城。”

李白狮毫不犹豫地点头道：“狮奴只听老祖宗的。”

老者悄无声息地离开红鱼馆，他要去一处襄樊城东北角的私宅，里头有个他一手调教出来的木偶女子，与裴王妃裴南苇有六分形似七分神似，如今已是被靖安王世子赵珣金屋藏娇，每次出行宠幸都鬼鬼祟祟，生怕被父王知情。赵珣以为行程安排得天衣无缝，却不知道每次宠爱调教那名被他深情唤作南苇的女子，墙孔后头都站着一个看待两人翻滚锦被只当作行尸走肉的老人。赵珣性格谨慎，早就去让人顺藤摸瓜查到了那小娘的身世背景，一切并无古怪，故而那一座私宅，便是他在世间最大的享乐福地，小美人太像王府上那位每次见面都得喊娘的女子了，一颦一笑，甚至皱眉的神态，都差不离，每次在王府内被父王训斥，或者在花园偶遇王妃后，他都要来私宅狠狠发泄一番，极尽缱绻，直到精疲力尽。

春秋国战落幕以后，便是一盘崭新的棋局，老人已悄然落子十二。

其中大多数还在落子生根，但有一些却要马上要发力了。

去了趟私宅，老人便马上出城，前往襄樊城外赏景最好的芦苇荡。

王妃今天出城赏景，靖安王世子殿下赵珣亲自送到襄樊城门，上了钓鱼台目送王妃远去，这才只带了一名扈从，曲折地绕到了金玉满堂藏佳人的私宅。这栋私宅里除了那只金丝雀，只有一名丫鬟和两名老嬷嬷，再无闲人。赵珣推门而入，顿时觉得心旷神怡，这里虽远不如靖安王府恢宏气派，只是两进的院落，但在赵珣眼中，却是好不容易寻觅到的人间仙境。那座规矩森严的王府，那个供奉地藏王菩萨的佛堂，一花一草，一砖一瓦，都透着股他越是年长越是无法忍受的阴气，让人窒息。那个至亲男人，更是心机深沉到连做儿子的赵珣都不敢揣度，赵珣怨恨那个男人当年为何没有痛下杀手，坐上龙椅穿上龙袍，更畏惧那个男人吃斋念佛转珠时的沉默背影。可最让赵珣揪心的，却是那个男人为何娶了她回来，娶回来又不知疼惜，夫妻相处竟是相敬如宾，有时甚至“相敬如冰”，真是天大的讽刺。

赵珣深呼吸了一口小院独有的清新气息，这里摆满了兰花，这花儿是她的最爱。这个贵为王妃但连相国巷妓女都不如的女人，一年中只有两次出城机会，每次出城都去看那一片芦苇荡，春看嫩芦绿芽拥簇，秋看老芦风起如飞雪。裴南苇裴南苇，只是名字中带了个“苇”字，便喜欢去看那最无趣乏味、最飘零柔弱的芦苇吗?

被世子殿下赵珣小猫小狗一般养在院中的女子自打第一天进来，就被剥去了名字，赵珣当然喜欢她羊脂暖玉一般的身体，抱在怀中便有冬暖夏凉的韵味。但真正打心眼痴迷癫狂的，是她的神态，像此刻赵珣见到她后毕恭毕敬说道：“珣儿请安来了。”她仅是端着架子轻轻冷哼一声，赵珣的骨头立马就轻了几两，太像了。赵珣露出一脸狞笑，骂道：“婊子养的裴南苇，让你跟本世子装清高！”然后二话不说就冲上去撕碎她与那个裴南苇如出一辙的衣裳，抱去内宅大床上，狠狠鞭挞。云雨过后，赵珣恢复常态，躺在床上眯眼享受着伪王妃的揉捏，遗憾道：“皮肤与身段还是差了点，平时说话嗓音已经几可乱真，可一旦到了床上，终归还是美中不足，下次注意些，若下趟临幸，你还是这般露馅……”

坐于床上的女子用鼻音娇腻嗯了一声。赵珣抬头瞥了一眼，一把抓住她的柔顺青丝，将她的头按在胯下，阴鸷暴戾道：“好苇儿，本世子想你的小嘴儿都要想疯了！”

两番欢愉的肢体交缠过后，赵珣披了一件外袍径直躺在房外檐下的檀木地板上，安静地望着一串无风不动的风铃，此时的靖安王世子倒真是像个温良公子，与世无争，与人无害，气质儒雅，伪王妃蹲跪在赵珣身边，陪着这位疯子一起看风铃。其实赵珣安静不语时，是一个相当惹人亲近的年轻男子，她见他怔怔出神，才有机会去打量那张据说与靖安王有九分相似的俊美脸孔。赵珣盯着由一串碎玉片子缀成的雅致风铃，柔声笑道：“好看吗？她这辈子是不会这般看我一眼的，她连我父王都瞧不上眼，更别说我这个连世袭罔替都没有的世子了。”

靖安王世子殿下闭上眼睛呢喃道：“真羡慕那些百姓人家啊。”

赵珣走了，临走前扇了她一耳光，理由是檐下偷看了他那几眼。一边脸颊红肿的伪王妃小心翼翼地躺在世子躺过的地方，并无丝毫记恨，只是与他一样仰头望着风铃，风起铃响，空灵悦耳。她蓦地坐起身，望向一位不知何时坐在栏杆上的老人，眼神里充满了发自肺腑的敬畏。她被靖安王世子惊为天人，初入小院时没少被皮鞭抽打过，稍有不对就被耳光伺候，到了床上更是被百般凌辱，但这些她都不怕，甚至在不少个夜深人静的时候她抱着那位世子殿下听他哽咽，会有一种哀伤。唯独眼前这个从不曾动粗的老者，让她惧怕到了骨子里。

这些年始终神龙见首不见尾的老人轻声问道：“你喜欢上这只生于王侯家的可怜虫了？”

伪王妃匍匐在地上，娇躯颤抖。

老人轻轻淡笑道：“无妨，那赵珣也不是蠢货，你若不付出一点真心，他迟早会玩腻你的。”

跪在地上的她终于能够喘过气来，抬头一脸不解地望向对她而言半仙半魔的老者。说他神仙，是因为他算无遗策，几乎赵珣每一步都在老人预料之中，可越是这样，她便越是觉得恐怖惊惧，她原本明明能学那裴王妃学得更像，老人却不许，只让她每一次表现得更娴熟一点即可。这会儿再想，她终于明白若是一开始便尽善尽美，靖安王世子便不乐意经常往这里来了。老人这份拿捏人心的功夫是不是炉火纯青了？怎样的人物才会如此处心积虑去算计一位藩王？

老人望向那串碎玉风铃，是他要伪王妃去挂的，果然赵珣十分喜欢，超乎想象的喜欢。

老人轻声笑道：“上下左右我中空，不管东西南北风，一律为人说般若，叮叮咚咚叮叮咚。”

伪王妃不敢说话。

老人起身笑道：“你和那可怜痴儿的运气好与不好，就看今日了。可惜你们瞧不见。”

老人负手离去前留下一句谶语般的话，“以后见着雷霆震怒的靖安王，只管拼死替赵珣说好话，兴许可保你一命。”

伪王妃一脸木然。

风再起铃再响。

叮叮咚咚叮叮咚。

没有了出尘意味，只有杀气。

武当山上热闹了，因为来了个王八蛋。

这个混账家伙来自龙虎山也就忍了，竟然还跟众望所归做了掌教的年轻师叔祖大打出手，怎么样，被打了吧？

山上数十座宫观大小道士们都在议论这个，上了年纪的要相对忧心忡忡些，那厮毕竟是武评上的小吕祖，是龙虎三位小天师之一的齐仙侠，一身出尘剑道修为不是吹的。辈分小的那帮道童就忍不住开始跳脚大骂了，恨不得卷起袖管去跟那位暂时住在大莲花峰竹庐中的小吕祖拼命。小道士们终究没见识到齐仙侠拂尘作剑劈紫竹的仙人气魄，其实山上也就骑牛的掌教在一旁看着，本意是搭把手帮个忙尽尽地主之谊，奈何小天师不领情。当时殿外一战，年轻掌教一手夺拂尘，随后齐仙侠的剑气便让一座真武大帝雕像摇晃半天，一株千年老樟都被小吕祖整个儿倒拔而出，若非年轻掌教随手拎了只千斤香炉挡了几下，一身崭新道袍就得废了。几位掌教的师兄都闻风赶来，在门外看得兴致高涨，一点不心疼老樟被拔、香炉被损，只差没有摇旗呐喊，交头接耳只顾着评点交手双方招式高低。

竹庐前，齐仙侠坐在一张青蒲团上呼吸吐纳。

不远处，一个年轻道士手里抓了把牛草在喂牛，有些难为情道："小道那几位师兄的确是不太像话，高手风范不如你们龙虎天师府。师兄们习惯了看我出糗，你见谅个。"

齐仙侠实在懒得理睬这个阴魂不散的家伙。

骑牛长大的年轻道士呵呵笑道："你真打算在武当山住下啊？挂在太虚宫大庚角飞檐下的吕祖古剑，你真想要，拿去就好了，我当没看见，反正我打小就觉得那柄剑太可怜，有人用它是最好。"

齐仙侠睁眼怒目说道："吕祖遗物，岂可儿戏！"

年轻师叔祖无奈道："那你总找我打架也不是个事儿啊。"

齐仙侠冷笑道："总要分出一个胜负我才能下山。"

年轻师叔祖拍了拍大青牛背脊，小声嘀咕道："气量还不如徐凤年。"

齐仙侠身前白尾拂尘猛地一跳。

洪洗象苦着脸说道："怕了你了，你们龙虎山委实不像是修道人，哪来这么多争胜心。"

齐仙侠讥笑道："你们武当若没有争胜心，为何在山下立起'玄武当兴'的牌坊？"

洪洗象笑道："瞧着有气势呗，吕祖的墨宝，多稀罕。"

齐仙侠冷哼一声，与这道士正儿八经说理，实在是对牛弹琴。

洪洗象小声说道："'学道须教彻骨贫，囊中只有五三文'这可是吕祖留下的警世名言，再瞧瞧你们龙虎山，黄三甲当年便笑话你们该是囊中只有千万文才对。"

齐仙侠听到这话反倒是不怒不气了。

江湖上与庙堂间每隔一段时日都会流传出一些有趣的口头禅，往往是文人爆粗口、莽夫文绉绉最为生动。黄龙士这句嘲讽天师府修道不修心的调侃

是一例，这回北凉王徐骁进京面圣，散朝后在殿外痛殴三品大员，就大骂了一句，“你这厮要不是裤裆多了一只鸟，胸口少了两坨肉，就真是个娘儿们了！”上阴学宫这一任大祭酒则有一句传遍天下的名言，是他年轻时候调侃一位江南前辈大儒的，“好吃不过饺子，好玩不过嫂子。”崆峒派曾有一位剑士当初与武林同道一起围剿魔头，临敌前心生惧意，万般无奈就找了个蹩脚借口说：“刚听说媳妇怀孕，我先回了。”令人捧腹。

洪洗象牵着大青牛，临行前说道：“你住下便住下，说不定以后能与我一同下山。有个伴儿，我胆子也大些。”

走出去几步，这位掌教转身厚颜笑道：“喂喂，别那么小气，给我说说湖亭郡的事情。”

齐仙侠伸手要去抓马尾拂尘。

洪洗象骑上牛，跑路了。

不苟言笑的齐仙侠竟然嘴角勾起。

瞬间没了剑拔弩张。

这便是武当山啊。

任你是谁，来了，都会和气。

和气生仙气。

两禅寺。

两位女子登山，一路上和和尚们都打招呼，一些个定力不好的小和尚都要背对着方丈们向一位小姑娘做鬼脸偷笑。

小姑娘则不爱搭理。

光头，光头，漫山遍野的，都是光头！谁爱看！

“娘，你就让我下山吧。在山上总对着爹和笨南北两颗大光头，多无聊。”

“闺女，光头多好啊，晚上都不用点灯。”

“娘，不许逗我笑，都不淑女了！”

“哪里是说笑，娘在苦口婆心跟你说大道理呢，要不以娘的花容月貌，会看得上你爹？”

“娘，山下女子可比你好看多了，真不知道爹为什么要跟你过日子。”

“死丫头，没娘能有你？还有，你摸一摸自己胸脯说良心话，你娘会不好看？！”

“……”

“唉，闺女，等你大些，就会明白只要在一个男人心中好看，你就是天下最好看的姑娘了。”

“啊？可徐凤年说我长得一般哪，完了！”

“闺女真是长大了，娘很欣慰呢。闺女，娘真不好看？不行，再下山一趟，还得买些胭脂水粉，多扑一些在脸上就好看了。”

“娘，你又乱花钱，爹肯定要跟笨南北蹲墙角唠叨去了，他们一起叨叨，可烦了。”

“让他们叨叨去。哪天不叨了才不好。”

这娘俩，似乎挺俗气。

亏得各自身后爱慕着她们两个的光头，是那般佛气。

襄樊城外三十里，那一片广阔无垠生机勃勃的芦苇荡，不知为何今日没了生气。

中央地带，一名富贵公子哥坐在了芦苇荡中“天波开镜”的牌坊上，脚下是四尊符将红甲。

东北，站着一位其貌不扬庄稼汉般的壮年男子，腰间缠绕了一捆金黄色软剑。

据说天下有个连续两届武评第十一的高手，刀剑枪矛十八般武艺，样样精通，儒释道三教九流，门门涉猎。他太聪明驳杂了，以至于不知选择何种趁手的兵器，最后便只好弄了一柄软剑，真气灌注后，可刀可枪可剑。

西南，一名青衫客双手扛着一支竹竿，缓缓行来。

骤然间，马蹄声响起。

芦苇荡中万千飞鸟掠起。

一手调教出伪王妃与李双甲的老人与芦苇荡边缘的捕鱼人家要了一壶粗劣米酒，眯眼听着牵砻舂米声，喝了口酒，自言自语道：“真是个死人的好地方啊。”

芦苇择水而居，大簇大片，很容易成滩成塘，襄樊城外这一个芦苇荡本来见不着秋芦飞雪的美景，自从靖安王妃钟情以后，原本一到秋季就来砍折芦苇当柴烧或者做纸浆的襄樊百姓便自动没了踪影，所幸那位裴王妃菩萨心肠，每年都要补贴附近村民一些银两，加上有她大驾光临，使得城中好事的士子文人给芦苇荡评点出诸如“阡陌苇香”和“绿湖问渔”的景点。“天波开镜”的牌坊便是前两年由一位书法大家挥毫写下，一来二去，趁着给富人们摇橹赏景的机会，赚了一笔数目可观的银子。

不过裴王妃一般只是踏春过后踏秋观芦雪，今年显然要来得略早了一些。她出城排场一直极小，除了两名贴身女婢，便只有一小队轻装卸甲的王府侍卫。靖安王赵衡这些年治理襄樊卓有成效，爱民如子，口碑极好，加上远近闻名这位藩王一心虔诚信奉佛道，因此王妃出城从来不曾听说有碰到过烦心事。

由坦畅官道岔入一条小道，便是繁茂成林的芦苇荡，王妃以往几年赏景，千篇一律下车后就让侍卫远远跟着，后者也不敢打扰王妃情致雅趣，加上芦苇比人高，起码能做到让王妃眼不见心不烦。这一次却奇怪了，不仅来早了，王妃到了岔路口时仍是没有下车。

车厢内，在府内事事亲力亲为的裴王妃亲自点燃一尊檀香小炉，跪姿而坐，臀部垫在双腿上，无形中挤压出一个饱满弧线，车内两名婢女哪怕同为女子，瞧见了这幅景象都会心动。尤其是王妃那一头柔美异常的三千青丝，贴身婢女们梳理时轻轻握在手中，皆忍不住由衷赞美几句，而性子温和的王妃都会望向青铜镜中的自己柔柔笑着。婢女偶尔为读书读疲乏了的王妃清洗那双白莲玉足时，更会心动，感慨王妃实在是太美了。

裴王妃手上拿着一封信，是出府前靖安王赵衡交给她的，说最好在芦苇荡边上亲手转交给那名北凉王世子，若非如此，她不会这么早来这片芦苇荡。裴王妃拎着那封口都未用心封上的信封，似乎在犹豫着是否抽出信件。对于靖安王赵衡，世上没有谁比她更懂了，他什么话都不说透，什么事都不做绝，留下来给人去猜，对谁都是如此。世子殿下赵珣的乖僻性格，便是被这位父王硬生生逼出来的。至于赵珣那些有违人伦的隐蔽眼神，出于女性直觉，早已不是懵懂少女的裴王妃岂会不知？那孩子多半是恨她多一些，虽说当年进入靖安王府，并没有争强斗胜的心思，但当时的正王妃即赵珣的生母不知为何就病死了。这笔账，不管裴南苇如何心安理得，都得记在她头上，故而这些年面对赵珣不合规矩礼仪的复杂眼神，都不曾说破，也从未出声训斥，更没有在靖安王面前有任何搬弄唇舌。赵衡极重养生，等到靖安王死后由赵珣世袭爵位，怎么都是二十来年后的事情，想必那时按律降爵为靖安侯的赵珣也不至于对人老珠黄的自己心生想法。

裴南苇除了手上密信，腿边还摆有一只装有念珠的檀盒，她极喜欢檀盒上的雕饰，盒子没有打开过，因为她知道越是自己在意的东西，赵衡便越憎恶，何况这檀盒还是赵衡眼中钉送的。她怕一旦打开，被他得知，那念珠与檀盒就都没了。

裴王妃柔声道："你们下去看看北凉王世子殿下是否近了。"

这两位连王妃一日三餐吃了什么都要与靖安王书信如实禀报的婢女告退一声，便姗姗提裙下车。

裴王妃双指拈出密信，是靖安王的亲笔：送侄千里。

裴王妃皱了皱眉头，喃喃道："寓意送君千里终须一别，就不亲自相送了？"

裴王妃摇了摇头，似乎自觉对这五字不得要领。赵衡当年宫闱夺权失败后，虽然在如今王朝内最顶尖的一拨庙堂权贵中评价不高，甚至被异姓王徐骁和几大得势藩王大加嘲讽，但她却知道他仍是一个极有野心的男子，无一日不恨当年所受羞辱，无一日不想重返那座城那座宫。这样一个野心勃勃的藩王，世子赵珣被打，却亲自登门请罪，已是天大的忍耐，真是要破罐子破摔，再度自贬身份给一个后辈抒发一番离别情谊？裴南苇没来由想起出府时他站在台阶顶上，居高临下捻珠微笑说的那句话，"夫妻缘分一场，已替你祈福百万句，本王问心无愧。"

裴南苇将密信放回信封内，低头看了一眼檀盒，拨开帘子看到婢女们还在道路上翘首以待那名世子，下意识伸手去抚摸檀盒，刚刚触及便像被火烫了一般猛然缩回，这位王妃心生懊恼，赌气般狠狠抓起檀盒砸在车厢内壁上。檀盒坠地，滚落出一串古朴念珠，裴南苇不信佛法，更不信黄老学说，只是出身名门士族，这些年在靖安王府，自然见多识广，对这串中原美誉"太子"的婆罗子联结而成的"满意"一见钟情。女子善变啊，才丢了檀盒，这会儿便满目怜惜地拾起念珠，靠着车壁，握住一颗象牙白色的圆润

“太子”，裴南苇仰首痴痴望着。在世人看来，她贵为王妃，青州是她的，襄樊是她的，窗外芦苇荡是她的，都说是她的，可实情如何，就如市井百姓一辈子都不会知道庙堂宫闱里的钩心斗角，这些，其实都不是她的。

裴南苇想起了年幼时的无忧无虑，想起了初入王府的风光煊赫，想起了当年正王妃那张森冷的脸孔，想起了赵珣从赵衡那里学来的阴沉，想起了瘦羊湖湖畔客栈出门时的那一下荒诞。当她听到马蹄轰鸣，终于想起了密信，记起了靖安王那临别如同一副挽联的赠言，裴南苇悚然一惊，失手丢掉了念珠，脸色像是一片秋季凄凉的雪白芦苇。

哪里是送君千里，分明是一送到黄泉！

一个年轻人躺卧在“天波开镜”的牌坊顶端横栏上，微风起，轻轻吹拂着他鬓角发丝，真是闲情逸致。

他自认是一个很乐观的年轻人，从不怨天尤人。幼年与娘亲孤苦相依，受尽白眼，她病逝枯瘦如女鬼时，他才九岁。娘亲临死前说了许多他当时听不懂的话，大意是生下他并不后悔，更不记恨那个他从未见过面的父亲。后来他亲手挖坟下葬了死不瞑目的娘亲，他虽小却也懂得，她是希冀着能最后见那人一眼，哪怕一眼也好，可惜没有。

当他在枯冢坟茔上想着怎么才能不饿死的时候，出现了一名说话尖声细气的魁梧男子，嗓音与身形截然相反，穿了一身他从未见过的富贵衣衫，瞧着好看至极，可总让人觉得是披了一件华贵的人皮。

小小年纪的他就觉得是见着吃人的恶鬼了，可那名男子只是牵起他的手，说要带他回家。

家？

娘都没了，家在哪里？

然后他被带进了一座墙很高的城，透过车帘子，看傻眼了。下了马车后一路上都没有与他说话的家伙牵着他仿佛走过了无数道城门，终于走到了一座湖，湖边上，站着一个怎么看自己都与他很像的男子，一身金黄，爬满了蛇。

后来，他终于知道那不是蛇，是龙。而那名见面后没说任何话、没露出任何表情的男子身上穿着的，叫龙袍。再以后，他有了两个便宜师父，除了带着他“回家”的家伙，另外一个是不太爱笑的老和尚，前者脾气极好。在湖边初看到那穿着一身爬满狰狞黄蛇的男人，当场便吓哭了。这个日后成为自己大师父的家伙领着他回去时就蹲下去轻声说：“别怕。”长大以后，记忆中姓韩的大师父不管自己如何调皮捣蛋，都只对着自己笑着，好似除了笑他便不会做什么事似的，可那个大到没有边际的家里，所有人见到大师父都会怕得要死。十二岁那年中秋，自己偷偷去爬武英殿赏月，被抓了去差点砍头，是大师父跪在那个男子眼前求情，他才知道大师父不止会笑，天天被人跪拜的他也会给人下跪。那以后，就再没人拦着他去爬大殿了，武英殿、保和殿、文华殿，随便爬。

二师父脾气就要差了许多，总有数不完的鸡毛掸子，与他说佛法，说输了要被打，明明说赢了也挨揍。倒是有一次趁二师父发呆，摸了他的光头，二师父却没有生气。其实早在及冠之前，真相便已水落石出，只不过他不愿意去争这争那，何况争也未必争得来，生父是那人又如何？在那个人人皆是貌合神离的家里实在是待腻歪了，加上与隋珠那个顽皮丫头实在不对眼，三天两头打架对骂，干脆就跑到上阴学宫去逍遥快活。世间女子，他只喜欢长得一般却十分耐看的，他的娘亲便是如此啊，即使病入膏肓不那么好看了，可那眼神依然让他觉得最亲昵。终于有机会去亲眼见一见那名声很大、脾气很差的姑娘了，翻墙入了小楼，果真就一剑刺过来，后来不得已约定当湖十局，输了便输了，谁规定男子一定要胜过女子的？他就很乐意这辈子专门服侍自个儿的娘子，把她服侍得舒舒服服的，一生一世幸福安稳没半点波澜才好。

可惜每次偷偷去她那儿给鸡鸭喂食，都逃不过一顿剑气凌人的驱撵，他也不计较，自家媳妇儿嘛，与相公耍点小心眼、小脾气可不就是天经地义的讨喜事情？

这个乐天向上的年轻人脚下站着四尊符将红甲。

水甲已经被一位重出江湖的老剑神破去，心疼归心疼，可念在老剑神是在给小舅子卖命，他就忍了，甚至不介意留下一具水甲符将。

既然已仁至义尽，就得开始办正事了。

这趟偷跑出学宫，最主要是给靖安王赵衡送去一句口信，约莫意思就是世袭罔替本来是没你赵衡啥事的，但只要你肯出力，北凉那份儿就给你了。

靖安王是个大大的聪明人啊，以前魄力不够，这回学聪明了，一出手就

是大手笔。

年轻人坐起身，双脚挂在牌坊上，眺望过去，看见了官道上扬起的尘土，笑道："小舅子，可别怪你未来姐夫不仗义啊，要知道这块地儿，风水是极好的。"

一名青衫客由西南而来，肩上扛着一根瘦竹竿，扛了一会儿，便拿下竹竿去拨芦苇，嘴上念叨着一支乡土气息颇浓的小曲儿，"我替大王巡山来，见着姑娘一同压寨去"，反复哼唱了几遍，其间还蹦跳了两下，没望见想见的景象，百无聊赖，重新扛回竹竿，头也不转问道："江上李淳罡那一剑，你说我硬挡，挡得住吗？"

没有回音，他也不气馁，继续自顾自说道："当时以为老剑神破而后立，一举踏足陆地神仙境界，出了武评才知道那只是天时地利人和的凑巧，也没什么了不得的。我与你出剑冢时，我一剑加上你一剑，也都各自摸到了剑仙的门槛，这番与老前辈交战，你说胜算有几分？"

没有佩剑只有竹竿的青衫游侠儿身后依然寂静无声，或者说只有漫无边际的风吹芦苇呜咽声，声声入耳。正是这名清瘦青衫客在鬼门关口一竿挑翻了大船，脚下一叶小舟潇洒而来潇洒而去，在消息灵通的武林中已被津津乐道许久，老剑神才刚复出，吴家新剑冠便翩然前往挑战，怎么看都噱头十足，近期已经挣了江湖人士无数斤的口水唾沫。底层江湖侠士与绿林好汉只是在震撼这名新剑冠一路南行的所向披靡，有心人却已在打探到底是何方神圣才有资格做吴六鼎的剑侍，奈何吴家剑冢是个消息滴水不漏的古怪地方，一直得不出个所以然来，只依稀得知这一辈剑冠吴六鼎的近身剑侍比起上一辈还要出类拔萃。成为剑冢剑侍，对剑主忠心耿耿不需多说，注定要一生不事二主，所有剑侍都是自幼便被老辈枯剑士按照天分高低拣选给吴家嫡系后辈，剑主和剑侍一同成长，一起练剑、悟剑、挑剑，剑冢每一代都有几十对剑主剑侍，唯有成为剑冠的剑侍，才可以代表吴家剑冢行走江湖。新剑冠的实力毋庸置疑，笼罩着一股悲情意味的剑侍的实力更是惹人好奇，加上这座不知埋葬了多少剑道天才的坟地向来有剑侍实力超过剑主的传统，天晓得吴六鼎身边的神秘剑侍是修习何种霸道剑术？因此那些不待见剑冢，自视一家独大唯我独尊的潜在势力，不是在确保万无一失的前提下，都要好好掂量掂量，不敢轻易去撄其锋芒。

剑主修王道剑，剑侍习霸道剑，是剑冢祖宗刻在剑碑上的成文规矩。论杀人剑术，天底下可没有比得上吴家剑侍的了。

青衫吴六鼎感慨道："咱俩真是绝配，我小时候死活不肯与我爷爷去学外王内圣，总觉得以老祖宗的天赋，也只是得了'素王'称号，无法在我家剑道上称王，那我学什么王道剑，还不如与姑姑一样练入世的霸道剑来得威风。你呢，误打误撞，倒是打小被授予王道剑，连爷爷那柄'素王'都被你从剑山上替我取了回来。我入世练入世剑，你出世剑却得陪着我入世，委屈你了。靖安王说姑姑的大凉龙雀在那人手上，我可以不去管那些庙堂捭阖的阴谋，但那把剑，不管如何我都要替你拿来。"

吴六鼎身后终于出现一道修长身影，背负着一柄不出鞘已是剑气凛然的长剑。她与吴六鼎一般身穿文士青衫，容貌平平，棱角格外分明，眉宇间有一股杀伐英气。

古剑"素王"，天下名剑第二，力压剑冢历代所葬十六万剑。

应该并非目盲的背剑女子却始终闭目而行，清风拂面，吹得她一头只以红绳粗略系了个马尾的发丝肆意飘散。

扛着竹竿的吴六鼎转身嬉皮笑脸道："翠花，为何明知你长得不算好看，可我就是喜欢你呢？"

负剑闭目缓行的年轻女子一本正经回答道："大概是你喜欢吃我做的酸菜，怕没有酸菜吃，才喜欢我。"

她打小在吴家剑冢里便是出了名的不善言辞，除了练剑还是练剑，除此唯一的兴趣就是做酸菜。吴六鼎年幼时便很嘴馋这个，一馋就馋了这么多年。她出身贫寒，被带入吴家剑冢前是村野人家里的闺女，大概由于从前的记忆仅剩酸菜味道了，入了天下学剑人心目中的圣地，便尝试着去做酸菜，至于味道好不好，没有对比，自然便没有答案，反正青梅竹马长大，准确说是青梅竹剑长大的吴六鼎一直吃也没有吃烦。她一脸刻板的回答兴许在外人耳中听着荒诞不经，吴六鼎却听得很用心，并且很正儿八经去深思这个问题。翠花的酸菜啊，天底下还有比这更美味的玩意儿吗？况且翠花不提剑而是很认真去做酸菜时，不大好看的她总显得好看一些。

"翠花，今日我若死在李淳罡手中，以后每年清明就别祭酒了，我不太

爱喝，搞一大盆酸菜就行。”

“好。”剑侍侍奉剑主，临敌破敌时不准出手帮忙，更没有为剑主报仇的规矩，只有葬剑守坟的习俗。吴家老祖宗当年立下这条铁律，怕的就是后辈有所依仗而耽误了孤身求道的精纯剑心。

“翠花，酸菜就只能用白菜吗？”

“我只会白菜腌渍。”

“换换口味呗，咱们都到了南方了。”吴六鼎流着口水一脸期待。

“你难道不应该想着如何破解李淳罡的两袖青蛇吗？”剑冢这一辈剑侍魁首皱眉轻声问道。

确实有些不像话了，且不说是大战将启的紧要关头，便是寻常时分，一位吴家剑冠与剑侍似乎也不应该聊些酸白菜的话题啊，好歹聊些玄妙灵犀的剑道感悟，说些让天下剑士一听就拜服崇敬的言语。

“想着活下来才能吃到酸菜，就比较有斗志，也不用去想我使素王剑会不会心生愧疚。李淳罡的两袖青蛇也好，邓太阿的桃花枝也罢，不管剑术剑意，终归都在剑道范畴。天底下，真没有比吴家更懂剑的地方了。”吴六鼎轻声笑道，双手搭在竹竿上，眯眼望向芦苇小道尽头。

腰间缠绕一捆金黄软剑的庄稼汉子与吴六鼎恰好对角，由东北往中而走。这名皮肤黝黑如乡野农夫的汉子神情木讷，略微低头，怀中有一处凸起，似有一个木盒形状的物件。

正是这样东西让他来到襄樊城。

当年襄樊十年鏖战，对一心学武的他来说，并无对错，哪怕是王明阳死在了钓鱼台，他也不会去与人屠徐骁计较什么。他不是没有试图劝说王明阳离开襄樊，甚至对其说过便是你守城胜了，东南半壁大厦将倾，一己之力能如何？可那人不听，最终只是以襄樊二十万血肉之躯成全了一人的名节。这等惨绝人寰的暴戾行径，与那敌对的人屠何异？是更有道德一些？听闻最后惨烈结局的他当时正在北莽，并未奔赴北凉寻仇，只是说了一句不许徐家人再入襄樊。

他说到做到。

何况靖安王赵衡还交付给他那只装有王明阳眼珠的盒子。他只是一名武夫，两大藩王的恩怨，不想去掺和，但既然北凉王的儿子敢来襄樊，他就要履行当年诺言。

因为王明阳是他的兄长。

两名女婢踮了半天脚跟终于瞧见了那个恶名如雷贯耳的北凉王世子，他并没有舒舒服服待在车厢内，只是与一名仙风道骨的老道人乘马而来，她们纳闷这位世子殿下就不怕吃灰尘吗？纵使马术再好，终归是颠簸难耐，哪里有坐在车里惬意。她们小跑回王妃所在的马车，说那世子到了。裴王妃缓缓下马，一手攥紧那封只有寥寥数字的密信，一手握着“满意”念珠，脸色如常。她依然是那个在钟鸣鼎食王侯高墙内都难掩出彩气质的大富贵女子，亭亭玉立地站在车旁，望着那个不知是可恨还是可笑或是可怜的后辈登徒子缓缓接近，不知为何，她手心渗出了汗水。

徐凤年早看见了芦苇荡口子上的车队，离着还有一段距离的时候肃容轻声问道：“魏爷爷，桃木剑都用上了？够不够用？”

这两日不见踪影的九斗米老道魏叔阳抚须微笑道：“桃木三十六，剑阵已经准备妥当。”

徐凤年点了点头，阴沉道：“禄球儿信上说襄樊王明阳的弟弟也来了，我就不明白当年襄樊整整十年攻守战，他不曾帮手，为何今日却来凑热闹？良心发现了？”

魏叔阳神情凝重起来，叹息一声，摇头道：“老道这就不敢妄言了，只知此人的武道修为极为深厚，否则也不至于接连两次登上武评，连续二十年做了那天下第十一号高手。外行看热闹，觉得这名号可笑，老道真是半点都笑不出来。”

徐凤年不握马缰，双手按住绣冬、春雷，眯眼望着被靖安王府侍卫护着的两名俏丽女婢，若说那姓王的第十一来城外“待客”，属于情理之外的意料之中，那在路上便已听闻出城消息的裴王妃，就有些莫名其妙了。靖安王赵衡这老乌龟疯了不成，要把身为王妃的她放在这几乎可以称作必死之地的芦苇荡？要引君入瓮可以理解，可需要付出这般惨重的代价吗？好歹也是一位比玉人还娇媚的正王妃，或者说赵衡已经为了世袭罔替到了丧心病狂的地步？

徐凤年喃喃道："暂时已知的有第十一和四具符将红甲，赵衡还有哪些后手？既然连裴南苇都肯等同于一颗弃子，那必定就不止是这般'客气'了。怎的，事后就说本世子对出城赏景的靖安王妃图谋不轨，故意一路尾随，玷污了王妃，接着靖安王冲冠一怒为红颜，这个说法会不会太儿戏了？再者，赵衡真有把握在这里将我一击毙命，还是说这位藩王觉得斗不过徐骁，斗一斗我是胜券在握的事情？"

徐凤年对魏叔阳轻声说道："让宁峨眉与凤字营快马跟上来，不需要拉开半里路距离，与他说明白，准备死战。"

老道魏叔阳立即策马折回。

徐凤年已经清晰可见靖安王府两名女婢的姣好容颜，放缓速度，与马车并驾齐驱，伸手叩了叩车壁，姜泥掀开帘子，一脸狐疑。

徐凤年说道："你与老前辈说一声，天下第十一的王明寅来了，符将红甲也来了，说不定暗中还有不弱的高手。"

姜泥面无表情哦了一声。

"你小心些，别下车，今天不太适合你看笑话。"说完这句，徐凤年这才夹了夹马腹，在吕钱塘、杨青风、舒羞三名扈从的贴身护送下快马前行，鱼幼薇出城时就被安排与姜泥、李淳罡同乘一车。

徐凤年看到好似孤苦伶仃站在芦苇荡前的裴王妃后，没有急于下马客套，双手按刀，只是高坐于骏马上，无言俯视。

两名女婢虽说惊讶于这名北凉王世子的英俊潇洒，但见他竟然倨傲地坐在马上一言不发，其中一名跟在王妃身边声势不输王府寻常管家的女婢怒目斥责道："北凉王世子，见到王妃，为何不下马！"

徐凤年一笑置之，只是盯着那名胭脂评排名比襄樊李双甲还要高的大美人，他没有见过那位白玉狮子滚绣球的名妓，但确定世间任何一个男人，在王妃裴南苇和声色双甲的李白狮中选择，哪怕后者在容颜上更胜一筹，都是会选择与裴南苇共度春宵。离阳王朝六大藩王的正王妃，可不是那些亡国嫔妃可以媲美的，恐怕唯有亡国皇帝的皇后在诱惑程度上可以与之一较高下。徐凤年希望从她眼中看出一些什么，可惜没有看出任何蛛丝马迹，甚至瞧不出她是否知道自己身陷危局，而这般狠辣布局的恰好就是她身后那位靖安王。徐凤年越发好奇了，没有耐心和心情与眼前女子打机锋说谜语，直接开门见山问道："你不跑？"

马下抬头的靖安王妃平静反问道："能跑到哪里去？"

徐凤年讥讽笑道："躲一躲也好。"

裴王妃淡然笑道："靖安王要交给你一封信，世子大可放心，信上没淬毒，因为我已看过。"

徐凤年只是伸出绣冬，王妃也不气恼他的猖狂无礼，将那封信放在刀身上。

徐凤年抽出信后看了一眼内容，笑道："靖安王叔这是要送我到黄泉路上的意思啊。"

裴南苇笑道："世子好重的心机，这么多年果真是在装糊涂给糊涂人看的。早知如此，何必当初。"

徐凤年松开绣冬，伸出那只右手，笑眯眯道："舒服不舒服？"

一直气态雍容华贵的裴王妃涨红了脸，咬着嘴唇一字一字沉声道："徐凤年，你果然该死！"

徐凤年坐在马上不去看这位怒极的靖安王妃，只是望向芦苇荡，平静地说道："王妃请放心，本世子死之前不会忘拉上你，到了黄泉路上，好好教你这张小嘴儿如何吹箫，赵珣想做但不敢做、不能做的事情，本世子可以。"

听闻徐凤年羞辱在青州只在一人之下的靖安王妃，两名女婢与王府侍卫勃然大怒，裴南苇虽说与靖安王相处方式古怪，可在外人眼中的的确确是相敬如宾，是帝王侯门里罕见的恩爱夫妻。府中下人听了众多有关北凉王世子的说法，可大多都是些上不了台面的荒诞举止与纨绔行径，众人感到滑稽可笑多过忌惮畏惧。再者靖安王在这青州襄樊，可不是地头蛇，而是一条名正言顺的黄袍地头龙。当下侍卫便抽刀示威，一名性子泼辣的女婢护主与邀功心切，更是怒斥出声，直呼徐凤年名字。

孰料徐凤年只是低头望着那寥寥数字的密信，眼角瞥了一下裴王妃手上的"满意"念珠。这正主没动静，不代表身后几名北凉鹰犬扈从是瞎子聋子，东越吕钱塘满脸狞笑，驱马上前，巨剑劈头砍下，不等虚张声势的靖安王府侍卫反应过来，一剑便将那名不知天高地厚的女婢斜劈掉头颅，那脑袋坠在地上，打了好几个滚儿，鲜血与尘土混杂一起。

尤其是那女婢俏丽脸庞上犹自保持着鲜活的震惊神情，在旁人眼中，触目惊心，不仅靖安王府护卫愣了一愣，便是裴南苇都给吓了一跳，手上价值连城的念珠烫手一般，掉在地上，再不敢去捡起来。吕钱塘当着靖安王妃的面杀人后，趁势前冲，杨青风与舒羞不甘落后，一瞬间就将裴南苇除外的所有人给一通砍瓜切菜般的砍杀了，其中一名侍卫更是被吕钱塘连人带剑劈成了两半。

裴南苇转过头，蹲在地上干呕起来，徐凤年看到几名靖安王府侍卫如此不堪一击，皱眉问道："这几个护卫怎么这般不济事，靖安王赵衡生怕你死不掉？"

裴南苇却只顾着呕吐，实在无法想象高高在上的王妃也会有这一不雅画面，真不知道赵珣若是看见，还会那么深陷其中不可自拔吗？徐凤年按刀下马，走到裴南苇身边，蹲下去温柔拍着靖安王妃的后背，轻声问道："可知道赵衡的后续安排？"

身体颤抖的裴南苇背对着徐凤年，拿袖口抹了抹嘴，冷笑道："便是知道，为何要说与你听？靖安王赵衡如何待我，那是家事，徐凤年，你算是什么东西！别以为三言两语就能让我对你言听计从，赵衡再冷血，总好过你这等混账！"

徐凤年轻抚着裴王妃曼妙不可言的后背弧线，看似在占便宜，但实则面无表情，心如止水，语气倒是柔和，带着笑意说道："你难道不想活着回去做靖安王妃吗？裴南苇，你要知道，我真要死，也肯定要拉上你陪葬，否则岂不是便宜了那对上梁不正下梁歪的父子？不妨告诉你，这趟万一真被赵衡算计成功，赵珣就能世袭罔替了。即便你能从我刀下苟活，回去不是更要提心吊胆？裴王妃，你真愿意被赵珣这种男人玩弄于股掌间？"

裴王妃缓缓站起身，踉跄了一下，徐凤年想要去搀扶，结果被她憎恶地狠狠甩开手，徐凤年也不生气，只是弯腰捡起那串遗落的"满意"手珠，以他的泼皮无赖性格，连那一方被姜泥丢入湖底的红泥火砚都能重新捡回来，那么重新捡回一串"满意"就在情理之中了。

徐凤年抬头望向绿意繁茂的芦苇荡，开始在心中盘算。靖安王赵衡这头老狐狸，那边四具符将红甲人不管是否属于赵衡实力范畴，肯定是敌非友，唯一区别在于是否会与王明寅配合出击。不出意外，赵衡马上就会动用藩王虎符，调动八百以上的铁骑兵甲从襄樊东郊大营直奔芦苇荡而来，好在两虎相斗得出结果以前，这支兵马还不至于插手，毕竟多达八百人，靖安王赵衡也不敢保证会不会有眼线，现在已是螳螂捕蝉的大好局面，如果再被人暗中黄雀在后，就真得不偿失了，相信以赵衡的心性，自信能够在芦苇荡中绞杀自己。

徐凤年神情有些凝重，且不去说魏叔阳在内的四位扈从，身后还有大戟宁峨眉率领的一百北凉骁骑，更有老剑神李淳罡坐镇。双方明面上的棋子博弈角力，按常理推测，天下第八的李淳罡对阵第十一的王明寅，魏叔阳等人与宁峨眉一百轻骑对阵四具符将红甲，怎么计算都是赢面居多。当然，赵衡肯定还有后手，可自己身边还有青鸟与一批隐蔽于暗处的北凉死士，赵衡何来的信心要在此地送自己到黄泉？

不知何时，裴王妃脱下了鞋子提在手中，白袜踩在地面上，痴痴望着绿苇掩映的那条泥泞小径。每逢冷秋季节，她都会驱散侍卫，不顾身份地走进这泥路，路上会有密匝匝的褐色的小尖锥，那是倒入路面碾入泥土的芦苇尖头儿，脱了鞋走在路上，刺痛脚心，她全身肌肤胜雪，每一次一个来回，脚底板都会鲜血淋漓，可裴南苇偏偏喜欢这种自残肌肤的行径，她更喜欢独自躺在小舟中，任由漫天秋芦飞雪铺盖在身上。

要不要干脆一刀捅死这娘儿们算了？

徐凤年目露杀机，管你是谁，靖安王妃又如何？便是宫里头的娘娘挡在路上，该杀人时，徐凤年也会毫不犹豫一刀将其毙命。这世道命有贵贱之分，可天底下有谁的命，比自个儿的命值钱？正当徐凤年寻思着给裴南苇一个痛快、顺便给赵衡一个大不痛快时，小径上走来了一男一女，都很年轻，在这种时刻显得格外意气风发。年轻男子肩上扛着一根竹竿，身后十步距离跟着一个负剑的清秀女子，双眼紧闭，冷冷清清的气态。

率先出现的竟然不是第十一？

这名手无佩剑的年轻人不看徐凤年，笑眯眯望向马车，朗声道：“李老剑神，吴家小辈吴六鼎，今日携素王剑而来，只求一战！”

话音刚落，剑冠两侧芦苇无风而狂舞，衬托得这名未来剑道扛鼎人物神仙出尘。

无形剑气瞬间弥漫天地间。

裴南苇身形不稳，徐凤年一手抽出绣冬扶住她，另一只手抬起，将俯冲而下的一只神俊非凡的青白矛隼架在臂上，转身对魏叔阳等人说道："你们随矛隼入芦苇荡，拖住符将红甲。"

徐凤年轻抬振臂，矛隼再度冲入云霄，看到徐凤年投过来的眼神，九斗米老道魏叔阳悄悄点头，率先掠入芦苇荡。天下道门除去内外丹两大派，更有许多各有神通的支系，其中以驱鬼请神的符箓派方士为首，还有精通奇门遁甲的布阵术士，此阵非军旅布阵，而是以人力借助天时地利，堪称化腐朽为神奇，传言顶尖术士可以撒豆成兵。皇宫大内钦天监里的道士则大多擅长观象望气探究地脉，被誉作是在经纬上做学问的相士。

魏叔阳武道修为不算出众，否则当初听潮亭外也不至于被白发老魁一刀击落，但老道却是一名精于布阵的术士，那符将红甲再刚猛无敌，终归还是隶属于道门神兵一类，魏叔阳的三十六天罡桃木剑阵便有奇效。何况徐凤年这些日子耗费心神去钻研水甲上的符箓云纹，颇有心得，那些蕴含道门斩魔威力的桃木剑自然能够有的放矢。再者，道教先贤祖师爷更明言芦苇制成的苇索可做辟邪灵器，九斗米道中自古便有悬苇索以御凶鬼的法术，而且别忘了舒羞本就是南疆巫宗出身，杨青风当日雨中小道一战后，更被世子殿下要求早做准备。

赵衡你既然能请来剑冠吴六鼎来打头阵，本世子便用占了先天优势的魏爷爷四人去破解五行缺水的符将红甲。

徐凤年拿绣冬拍了拍裴王妃纤腰，轻声道："王妃，不想死的话，便随我后撤。"

裴南苇默不作声，不忍去看地上的残肢断臂，跟着徐凤年远离那对悍然叫阵的男女。她自然知晓这心狠手辣的浪荡子身边有一位名动天下的老剑神护驾，既然来者胆敢以剑比剑，想必无论如何不会是无名小卒。当她看到徐凤年后撤时，始终是面对着那对男女，不肯将后背交出，心中泛起冷笑，这家伙真是人屠徐骁的儿子？这般胆小怕事！此时徐凤年缓行后退，恰好与裴王妃面面相觑，看见她一脸讥笑厌恶表情，猜出她不加掩饰的心思，笑道："怎么，觉得我怕死？王妃，你若真的视死如归，又如何愿意跟着我后撤？你大可以留在原处嘛，任由剑气将你大卸八块。嘿，这死相实在是丑了些，有些配不上王妃的高贵身份。"

马车上传来一阵惫懒嗓音，“徐小子，老夫今日可要再度借剑才行。”

徐凤年没好气喊道：“借吧借吧，本世子恨不得借你一百剑一千剑。”

裴南苇一脸错愕，这混账好歹也是北凉王世子，实在是太没有英雄气概了，连做个镇定样子假装大将风度都不会吗？

徐凤年顾不上裴王妃这娘儿们，遥望了一眼吴六鼎身后的负剑女子。素王剑？乖乖，那可是天下名剑排在第二的绝世神兵。据姑姑赵玉台说，“素王”乃是这代剑冢家主的称号与佩剑的名字，怎么跑到那娘儿们手中了？吴六鼎胜了吴家剑主？不太应该，要知道隐居在听潮亭顶楼的师父李义山曾是上代文武评与将相评的评点者之一，也说起过一些秘闻。文武评有个不成文规矩，对龙虎山、两禅寺以及吴家剑冢等几个地方的世外高人一律不考虑入榜，一半是出于敬意，一半是出于顾虑，这些分不清是老神仙还是老怪物的家伙脾气难测，像当年那道法剑术皆是当之无愧世间第一的齐玄帧，一剑伏尽天下魔，便明言不可评他上榜，谁敢拂逆？

可吴六鼎既然以剑冠身份出了吴家剑冢，若是赢了素王才出山，应该可以排入十大高手才对，难不成胜了素王的不是吴六鼎，而是那名女子剑侍？

徐凤年望向那女子。

不料她仿佛有所感应，睁眼望来。

徐凤年心神一震，仍然笑了笑。

那女子却重新闭上眼睛，似乎是看清了徐凤年本事斤两，不屑一顾。

徐凤年不以为意，对拿了一柄好剑的青鸟抛了个眼神，示意借剑给老剑神。

青鸟手中这柄剑虽说也可吹毛断发，但比起吕钱塘手中赤霞要略逊一筹，更别提紫檀剑匣中的大凉龙雀。原本徐凤年还有些担忧，但当青鸟将剑抛入空中，李老头儿身形冲出车厢，大笑着握住剑把，朝吴六鼎当空飞去，徐凤年立即静下心来，老剑神位列天下第八，第八这个排名真的很低吗？天底下提剑的剑士号称百万众，巍巍然立于百万人之上的，不就只有这羊皮裘老头儿与那邓太阿两人？谁又敢说李淳罡重返巅峰后，会止步于第八？

老剑神才凌空如蛟龙而去，一名庄稼汉子便从芦苇荡中穿梭而出，说道：“世子，借头颅一用。”

第七章 两袖蛇酣战素王，一剑九呵成大道

北凉对敌，唯有死战。

第十一终于来了。

不管是精心布局还是无心插柳，这个高手中最悲情的角色都踩在了最正确的时间、最恰当的地点上，几乎一下子掐住了徐凤年的死穴。李淳罡要与携带素王剑的吴六鼎一战，各自代表着江湖上新老剑道魁首，断然不会三招两式便能脱身。魏叔阳、吕钱塘四人已经悉数前往芦苇荡中，更是一场胜负难料的血战，便是拼死殆尽都有可能。此时徐凤年身边便只剩下死士青鸟，以及宁峨眉和其身后的一百轻骑。徐凤年转头看向跃跃欲试的大戟宁峨眉，不需问话，手持卜字铁戟的北凉猛将便点了点头，一手抬起，三十轻骑呈扇形铺开，三十把劲弩直指那位在江湖上久负盛名的高手，无疑又是一场铁血军人与武林人士的宿怨较量。有大戟宁峨眉抵挡，徐凤年暂时不去看第十一，只是目不转睛盯着一掠而去的老剑神。不是他托大小觑了王明寅，而是高手间的巅峰生死战，注定招式穷极机巧，李淳罡也好，吴六鼎也罢，都是剑道雄魁，说不定任何一次出手，都比他从秘籍中采撷出来的招式要来得精妙，多看一眼记住个轮廓都是好。徐凤年低声呢喃道："真是剑拔弩张了。"

李淳罡提剑而去，吴六鼎直面这位成名一甲子的剑道前辈，非但不惧，反而爽朗洒脱一笑，单手一拧，竹竿旋转离肩向前飞去，一袭青衫踏步而冲，握住竹竿一端，竟是和江上如出一辙，再以竹作剑，竹竿另一端猛然插入道路，轻喝一声，"起！"

那次他曾一竿翻江掀船，这回则是硬生生从泥路上撬起一大片厚重泥土，砸向李淳罡。弯竹掀起遮天蔽日的尘土后，竹竿再旋回肩上，一脚轰然踏地，踩出一个大坑，脚下顿时溅起尘烟无数。本该当场脆裂的竹竿更被他双手曲压出一个动人心魄的弧度，双手再按一拧子诀，大竿如满月弓，弹向空中，弹中那片尘土，为其注入一道凌厉剑气。

身形掠空的李淳罡嗤笑一声，照旧一剑斩去，劈碎了障眼的尘土，同时将里头蕴含的剑气给砸得粉碎！

漫天尘土，激射在四周，夹杂着充沛剑气的泥土落地后刺出无数坑洼，两人相距两百步的空旷官道上，剑气缭乱纷飞，出现了数十道横竖交错的沟壑，看得靖安王妃目瞪口呆。她如果留在那里，可不就是如徐凤年所言真要被大卸八块，落得个死无全尸的下场？轻轻一剑之威，破空裂土，竟是如此恐怖？裴王妃原先对江湖武道并无印象，今日亲眼所见，才知可怕。她侧头偷偷看向徐凤年，并未从他眼中瞧出端倪，分不清他是胸有成竹还是失魂落魄。

李淳罡一剑如长虹贯日，白光刺眼，于尘土中疾坠向吴六鼎身前，这一剑被竹竿剑气与尘土阻挡，好似并未势弱半分，竹竿重回手中的吴六鼎脚尖一点，急急后撤，差之毫厘间，老剑神一剑凌厉而下，裹挟着无与伦比的剑意，将吴家剑冠的落脚点给刺出深达足足一丈的大坑，青衫吴六鼎轻声笑道："好一个一剑仙人跪。"神态悠闲，说话间，竹竿却是丝毫不曾凝滞，带出一个浑然大圆，扫向老剑神头颅，呼啸成风，猎猎作响。老剑神一脸冷笑，竖子后生岂敢在老夫面前以竹竿论剑道？手上长剑气焰暴涨，便是俗子肉眼都可见剑尖青芒缭绕。所谓剑气的高明境界，便是让剑生出一股与天地相通的浩然气概，世人只道是大丈夫当提三尺青锋杀人破敌，当真以为只是三尺铜铁剑身吗？

独臂李淳罡仍是轻描淡写的一剑。

吴六鼎这次不再避其锋芒，竹竿不改轨迹，横扫千军。

两人剑招，无非一横一竖。

李淳罡手上青锋与吴六鼎竹竿硬碰硬相击，发出不符常理的铿锵金石声，刺破耳膜。可怜裴王妃捂住耳朵，尖叫出声，却是徒劳，几乎要吐血。徐凤年微微皱眉，走在她身前，无形中替她挡下这一记碰撞带来的气息波纹。

李淳罡手中剑与竹竿接触后，并非被弹开，而是如船头传授徐凤年剑招剑罡一般，瞬间再弹竹竿十六下，次次骇人。利剑剑尖本来才长达一寸的青芒爆绽到三寸，旁人只看到老剑神手上碧青剑气狂舞，再就是吴六鼎竹竿一弯再弯，终于承受不住老剑神仿若没有尽头的剑气侵虐，砰然作响，竹竿终归只是寻常竹竿，当中断折。取得先机的李淳罡面无异样，趁势劈向吴六鼎胸口，竹竿一断为二，后者双手各持半截，一退再退，飘出二十步。李淳罡便欺身二十步，剑锋始终不离吴六鼎这厮的胸膛，剑尖离了半丈，剑气如一条吐芯子青蛇，却只差一尺！

吴六鼎终于不再托大，单手竹竿变双手剑，吴家剑冢以剑招举世无双著称，他能以剑冠身份出冢行走，无疑在剑术上有着登峰造极的惊艳造诣。

竹竿不生一丝剑气，只以招数神鬼莫测见长，便是对上李淳罡这等一脚踏在剑仙门槛上的剑道宗师，仍是剑势走霸道路数，一往无前。李淳罡皱眉再松开，微微一笑，不知为何敛去剑上青芒，剑罡不再，只是以剑招对剑招，闲庭信步，见招拆招，两人贴身而斗，眼花缭乱，眨眼间不知挥了百剑还是千剑。

这边乱斗酣畅，天下第十一那边同样让人大开眼界。离阳王朝共计有弩八种，除去以脚力踏张发射的四弩，其余四种，以北凉铁骑手中的枢机弩最为杀伤力巨大，能够不输黄镫踏弩，故而这种北凉制式弓弩被美其名曰“开山”，与北凉刀齐名。既然敢称“开山”，力道可谓惊人，三十弩齐射，嗡嗡破空，可那第十一王明寅只是怡然不惧向前而行，伸出一只手，对着身前空中指点，将第一拨箭雨都给点落在地。一拨箭雨过后，连珠而来，第二拨箭雨骤至，神情古板的王明寅不再单手指点江山，双手握拳，衣衫鼓起，竟是摆出要硬抗弓弩的蛮横姿态，数拨箭雨皆是被他游荡于体外的气机剧烈弹开，纷纷斜插入地面，一时间王明寅身后布满箭矢，毫发无伤地径直走向三十位马上轻骑。

弩，其势怒，方能称弩。

可这庄稼汉子却不动声色便挡下了接连不断当头泼墨般的弩势。

他说要借世子殿下项上头颅一用。

便会说到做到。

凤字营校尉袁猛瞳孔收缩，死死盯着这名不知姓名的江湖人士，一勒马缰，策马提刀杀去。北凉轻骑配合熟稔，袁猛两旁身侧扇形二十人再度张弩造势，身后剩余十人尾随校尉抽刀而冲。北凉军重视马政第一，不说重甲铁骑如何雄壮，便是轻骑所配马匹都远不是北凉以外骑兵可以媲美，何况凤字营是北凉军嫡系亲卫，所乘骏马皆属重型品种，高七尺，重两千斤以上，冲势之下，骑兵不论是佩刀还是提枪，都如山洪冲泻，马上战力惊人。裴南苇对于春秋国战并无太多了解，只是道听途说北凉骑兵所向披靡，今日一看十骑冲势，便有些目眩神摇，十人十马便已如此，北凉王麾下三十万铁骑，当年马踏六国，该是何等彪悍气势！

可接下来一幕却让裴王妃瞪大眼眸，农夫模样的壮汉面朝十骑冲刺，双手拨开扇面两侧射来的箭雨，大踏步跑起来，对着一马当先的校尉袁猛的高头大马生硬撞在一起。靖安王妃意料之中村野农夫血溅三尺的残忍画面并未出现，而是那木讷汉子一记撞山撞折了战马脖颈，将袁猛连人带马一起撞飞出去，袁猛甚至来不及劈刀砍下。汉子继而加快步伐，双脚踩踏地面如轰鸣，不输马蹄声，双手摊开，撑在两匹马身上，骤然发力，把跟随袁猛身后的两骑四蹄悬空给横向摔了出去！

生于文豪世族再被靖安王养在金玉笼中的裴南苇微微张大嘴巴，一脸匪夷所思，天底下竟有这般膂力如神的武夫？

被这庄稼汉子一气甩开了三匹战马，身侧两柄北凉刀终于趁机砍来，力拔山河的汉子面沉如水，双手握住天下间锋芒最盛的制式北凉刀，只是一拧，就被他卷曲起来。

“下来。”

只听他平静说出两字，两名悍勇北凉骑卒便被他给扯下马丢出去。

这汉子当头一匹战马急停，马蹄高高扬起，重重踩下！

他蒲团大的双手闪电缩回，高过头顶，握住力沉千钧的马蹄，冷哼一声，将这匹骏马给生撕了！

把一匹冲势惯性下的战马给活生生撕成两片，这得需要多大的气力？

没了坐骑的凤字营骑卒身形下坠，恰好被庄稼汉子一拳砸在胸口，甲胄与胸口一同炸开，当场毙命，血肉模糊。

接下几骑皆被这勇武汉子轻松摔出。

裴南苇不忍再看，下意识瞥向站在身前的北凉王世子，他背影依然挺立。她挪了挪身子，总算可以看见他的侧脸棱角，却没能看到预期的惊慌失措，这让裴南苇十分失望。那汉子势不可当，并且放话说要借头颅一用，这徐凤年当真是丝毫不怕吗？裴南苇再望向战场，才一个照面，世子殿下的亲卫骑卒便折损数位，可更让裴王妃震惊的是这等残酷局面下，其余凤字营轻骑依然如世子殿下一样腰板挺拔，对血腥场面视而不见。尤其是那手持大戟的魁梧武将，笼罩于一身沉重黑甲中，连人带甲加上铁戟，怎么说都有四百多斤，面对失利局面，只是骑于马上，岿然不动，好可怕的铁石心肠！裴王妃心有戚戚焉，北凉士卒都这般无情吗？

大戟宁峨眉提臂握戟，戟尖指向第十一王明寅，二十骑中十骑依然沉默抬弩，十骑则继续发起冲刺。

这汉子身后最先十骑中没有阵亡的骑卒，轻伤者重新上马列阵，重伤者则坐于地上，捡起弓弩。

隐隐形成夹击之势。

北凉对敌，唯有死战。

靖安王妃望着那十骑不惜性命地策马前奔，以往听靖安王赵衡说起，总不理解他言语中的彻骨阴寒，现在她终于有些明白这句话的含义了。

她颤声问道："你的轻骑挡得住吗？"

徐凤年没有作声，凝神注视着那边李淳罡与吴六鼎的当今剑道顶尖一战，额头已经渗出汗滴，他现在能做的便是去死记硬背，记下所有能被自己看穿的剑术，这可比背诵围棋定式要耗神千万倍。老剑神弃剑罡不用，与吴六鼎纯粹以剑术对剑术，双方剑招炉火纯青，妙至巅峰，老头儿未尝没有让他观战裨益的念头，不能浪费了这份好意！吴家剑冢走了一条羊肠小道，摒弃缥缈剑意，独求一剑挥出无人能解的招数。传言冢内剑士人人枯槁如鬼，其中不乏挑战失败后落得被吴家禁锢的高明剑术大家，终生只能给吴家后辈喂剑养剑，久而久之，剑冢不仅葬剑藏剑十数万，更详细记载了天下剑招十之八九。道路上吴六鼎虽然两截竹剑越战越短，招数却越来越霸道生猛，正所谓一寸短一寸险，吴六鼎即便在局势上越发处于劣势，但他能以竹剑对敌名中有剑罡的老剑神百招而不败，足以自傲。

徐凤年缓缓吐出一口浊气，自言自语了一句让身后裴王妃一头雾水的话，"技术活儿，当赏！"

当裴王妃看到第二拨轻骑被那一路踏来的汉子摧破，那不动如山岳的大戟武将终于要开始冲锋厮杀，她忍不住忧心忡忡地问道："如果连这将军都挡不住的话，你该怎么办？"

可惜徐凤年仍是没有理睬。

靖安王妃一气之下抬手就要捶打这北凉王世子殿下的后背，这本是下意识的动作，只是不等她出手，就被绣冬刀鞘狠狠击中腹部，她顿时脸色苍白蹲在地上，身体蜷缩，异常绞痛，眼眶中已是布满泪水，几乎以为自己就要死了。

出手一点都不怜香惜玉的徐凤年眯眼遥望芦苇荡，对于大戟宁峨眉亲自出阵，仍是不加理睬。

青鸟柔声道：“若是宁峨眉败了，奴婢求一件兵器。”

徐凤年好奇地问道：“何物？”

青鸟神情复杂，低头道：“刹那枪。”

徐凤年愣了一下，转头说道：“我哪来这一根当年枪仙王绣的成名兵器？”

青鸟望向马车，平静道：“它一直藏于车轴。”

徐凤年讶然道：“青鸟，你说实话，你与王绣是什么关系？”

青鸟轻声道：“他是我父亲，杀了我娘亲。”

徐凤年心中叹息，犹豫了一下，说道：“宁峨眉败了便败了，我本就不觉得他与一百轻骑能够完全累死王明寅，到时候等这天下第十一力竭，你再出手。”

蹲在地上双手捧腹的裴王妃抬头咬牙切齿，“徐凤年，你就不怕这一百人死绝？！”

徐凤年转头看了眼再难以保持雍容气态的靖安王妃，平静说道：“你懂什么？”

只有仰头才能与徐凤年对话的裴南苇神经质笑道：“我懂什么？你这北凉王世子与靖安王世子赵珣有何两样？不是一样临阵退缩，只懂让你们眼中命贱不如蝼蚁的人去白白送死？我今日就要看着你到时候如何向那江湖莽夫跪地求饶！”

“那你等着好了。”

徐凤年转头继续望向青衫吴六鼎与羊皮裘老剑神的对战，不出意外，李淳罡的好脾气要用光了，接下来才是一番真正酣畅淋漓的大战。

青鸟盯着裴南苇。

一位是卑微不堪言的奴婢，一位却是荣华富贵至极的王妃。

当下竟是青鸟居高临下看着裴南苇，后者则噤若寒蝉。

裴王妃看着这名眼神凌厉的婢女走向马车，弯腰抽出一根车轴，车轴在她手上碎裂，露出一根通体猩红的长枪。

枪名“刹那”。

芦苇荡首尾两头是截然不同的世界，那边大战正酣，各方势力犬牙交错，这厢则是云淡风轻，老者小酌着从农家那里求来的自酿米酒，不远处一些个稚童扎堆窃窃私语，不时对着老人投来好奇眼神。对生长于芦苇荡的孩子们来说，这老人长得挺像平日里襄樊大城里出来赏景的老儒生，可那些与家眷们来这边游玩的老书生可不太瞧得上酒酿，都是自带佳肴好酒。

老人和蔼地笑了笑，对一名茅舍主人家的髫年女童招招手，小女孩儿怯生生走上前，老人自顾自掂量了一下灰白老旧的钱囊，似乎囊中羞涩，只倒出十几枚铜钱，一股脑交给女孩，吩咐她去让爹娘煮一尾由家养水老鸦捕捞而得的鲜鱼，看着女孩蹦跳离去，老人笑着呢喃了一句“黄发垂髫，怡然自乐”。

青州自古被称云梦水泽，芦苇荡这一块乡野村民，更是家家养水鸦，顿顿餐黄鱼。老人颇喜这清蒸黄鱼的质朴滋味，那帮襄樊士子豪绅舍近求远，垂涎海鲜，不惜百金求购，便是一路有冰块储藏，早已失去“趣味”，在老人眼中分明是最下等的食客，更称不上老饕。他眼角余光瞥见小女娃在家外乌黑水缸边上怔怔出神，最终还是拣选了缸中一尾最大的黄鱼，去交给娘亲清蒸。老人笑眯眯说道稚子才有菩提心，人老是为贼呢。随后便望向竹桌，桌面上看似漫不经心摆放了数十颗岸边捡来的鹅卵石，石子大小不一，各自距离不等，等农家煮鱼的时分，老人已经从桌面上丢掉一些略小的石子，而几颗个头偏大的鹅卵石则向石子最密集的区域挪近了几分。

等女孩端着盛放有一尾清蒸黄鱼的木盘而来，葱花与老姜的分量很足，还特意加了酒酿与几丝火腿。老人先接过筷子，丝毫不介意农妇是否遵循了虚蒸法去煮鱼，小小一尾黄鱼，人心足了，才有真正滋味。老人将盘子放在石子不多的桌子边角，下筷如飞，小女孩见老人吃得津津有味，格外开心，笑逐颜开，立即不再怕生，轻轻问道：“老爷爷你是襄樊城里人吗？”

老人缓了缓下筷，摇了摇头，笑而不语。需要与爹娘一起劳作而晒得肌肤黝黑的小女娃哦了一声，有些遗憾。村里同龄人总是以去过襄樊城做谈资，总说城里头是如何气派，城内富人是如何阔绰，她从未去过襄樊，自然憧憬羡慕得紧，更听说那里的姐姐们都如仙子一般，她心想自己长大以后如果能有她们一半好看便好了。老人吃完了那一尾清蒸黄鱼，把木盘和筷子递还给小女孩，轻声笑道：“等我走了，你与爹娘说一声，今日就离开芦苇荡去十里外的鲤鱼观音庙烧香，烧过了香，便可与那观音娘娘讨要一些银子，

只需敲碎娘娘手中石头鲤鱼，里头就有。小女娃儿，谨记取了银子后莫要急着回家，最早也要等到天黑以后。别忘了这话儿等我走后再说，离家要早，归来要晚。”

小女孩目瞪口呆，估摸着只当是听天书了。老人不以为意微笑道：“你就当我是这一方水土的土地公公好了。”

童心童趣的她雀跃道：“老爷爷真是神仙？”

老人不置可否，摸了摸女娃的脑袋，伸手指在嘴边轻轻嘘了一声，示意她不要声张。小女孩使劲点头，老人重新低头观看桌面上星罗棋布的石子，似乎陷入类似棋枰上的长考，女娃悄悄离开。老人既然不是襄樊人士，怎做得来庇佑一方水土的土地神？何况老人当然不是什么神怪，只不过稚子心诚，哪里能想到这些门道。他虽非神仙，不过真要计较起来，以世人眼光来看，早与仙鬼无异。春秋九国乱战，各地“天象异变”层出不穷，青龙出水，神碑破土，雌鸡化雄，哪一桩哪一件不出自他手？

不说这些庙堂经纬天下纵横，仅以三尺之局的围棋而言，当初西楚王朝士子好清谈，弈风渐盛，那入圣、通幽、斗力、守拙等九段弈品便出自他手。如今天下棋坛三派名手呈现三足鼎立，朝廷设棋待诏，由王集薪、宋书桐在内的六位拔尖大国手品订棋谱、鉴定棋力，登榜者浩浩荡荡四百余人。这老人竟自称便是这四百棋手聚集一起联合与他手谈，他仍可轻松胜出，这等狂言，整个天下也就唯有他说得出口，偏偏王集薪等人不敢应战，不管是联手还是单挑，都装聋作哑，这位老者棋力之超凡入圣可见一斑。只是后来不知为何，这位老狂徒放话说此生不再与人手谈。

老人盯着桌面，嘿嘿一笑，“前后五百年已无敌手，岂是妄言？徐家渭熊，想要与老夫比肩，还早得很哪。”

要知道老人早年初入上阴学宫，自号三甲，剑走龙蛇，于湖畔大雨后泥泞中一气呵成《砥柱录》，开篇便言要为天地立心，为生民立命，为往圣继绝学，为万世开太平。

这些年行走四方八荒，闲来无事，便教了陆诩落子生根，如何去接地气，教了李白狮声色双甲，教了那伪王妃如何媚人祸国，替一位女子代笔了《女诫》，让广陵王烹杀了次子，误导了钦天监那帮无知后生，只要他愿意，谁不是他手中棋子？接下来他要去教一个挎木剑的温姓小家伙如何用剑。西楚老太师亡国后除了滔天记恨于人屠徐骁，还捶胸顿足大骂老黄獠以三寸之舌杀三百万人，说的便是这老头了。只不过这些风云跌宕江山倾覆，皆成棋盘上的定式，留给后来人来解读。

分辨不清具体年纪的老人捏起一颗位于桌面正中的浑圆鹅卵石，“姓赵的这位，落子在天元，不知天高地厚，行事倒也可爱。”

坐在一只小板凳上的老头眼神转换，落于石子最为密集的当中一颗硕大石子，“第十一王明寅，当先一冲。置死地，能否后生？”

视线再轻轻一转，“王家有女持刹那，是拼死一断还是妙手一镇？”

老人不停神叨叨地喃喃自语，瞅见了那只盘旋的青白鸾，啧啧道：“乱象横生，乱，真乱，乱中有序。”

最终，老者伸出两根手指习惯性摩挲斑白双鬓，皱眉道：“莫非今日素王便要对上大凉龙雀？容老夫算上一算。”

老人不去看桌上纹枰乱局，复而长考一番，本意是掐指算上一算，不承想这一闭眼，就变作了休憩打盹，再不去管那桌上棋局，咂巴咂巴嘴巴，半睡半醒间细声呢喃道：“黄鱼真香。”

这馋嘴又惫懒的老头儿，真是那被上阴学宫大祭酒毁誉参半笑称“超凡入圣，绝无俗气，果真不是个人”的上下五百年棋坛第一人？

这好似寻常老儒的老头儿才刚要酣睡，那一头彻底平地起惊雷。

连绵不绝！

“吴家后生，真心寻死不成？！素王剑做摆设到何时？”

老剑神何谓名中有剑罡？

只见李淳罡手中剑青芒猛然间一涨再涨，哪怕是裴南苇都可清晰看见老剑神三尺冷锋宛如青蛇盘踞，先前只是丝丝缕缕，瞧不真切，当下则是青气粗壮如手臂，完全盖过了利剑本身，一剑撩起，将吴六鼎手中被削得如同短小匕首的竹竿彻底碾作齑粉。这还不止，原本游刃有余的吴六鼎终显狼狈，袖口被凌厉剑气削下一角。李淳罡似乎根本不想给吴六鼎将素王出鞘的机会，大笑一声，得势不饶人。一番剑术较技，洞悉此子分明选了一条霸道剑的冷门路数，你要霸道，就剑士而言，老夫一生对敌无数，谁能比两袖青蛇更霸气？

老夫一剑无非起与落。

东观广陵大潮，踏潮头而过江。北看千万野牛奔腾，踩牛身如履平地。南临汪洋巨浪拍头，一剑炸开江海。西上烂陀山以剑问佛，斩杀罗汉二十三。

李淳罡剑势再涨！

就没有尽头吗？

莫不是要一鼓作气再入陆地剑仙境界？

手中无剑的吴六鼎已经数次在鬼门关徘徊而返。

这条平坦道路满目疮痍，无数道沟壑交错分布。

吴六鼎身后当代剑冢中几乎可算是一骑绝尘的剑侍缓缓睁开眼睛，她背后素王剑轻颤出蝉鸣。

但她深知这柄名剑何时出鞘，何时送交到吴六鼎手中，极有讲究，一个不慎，便不是救人，而是害人。

姜泥听见车厢外炸雷阵阵，终于按捺不住，小心翼翼掀开帘子，等她看到远处李淳罡单手剑气无可匹敌，只是轻轻说道："很好看的字。"

鱼幼薇坐在车厢角落，捧着受到惊吓的白猫武媚娘，因为两头幼夔趴在车里沉闷嘶吼，她听到姜泥的言语，再瞥了一眼脚边的紫檀剑匣，嘴角露出苦笑。

青鸟问道："公子，那吴家剑冠要败亡？"

徐凤年只是心无旁骛地专注观战，没有转身，摇头道："败肯定要败，这吴六鼎过于托大了，若是一开始便拔出那素王剑，断然不是此刻光景。不过会不会死，不好说，吴六鼎作为剑冢这一辈最出彩的天才，怎么都应该有几手压箱绝技傍身，就看机关算尽之前，能否拿到素王剑，我这点眼力还是有的。当初徐骁要我十年不许握刀，那时候我也不懂事，一气之下就什么都放下了，若非如此，我早该想到安排府上高手捉对厮杀，偷尽他们的所藏绝学。这趟出行游历，不管用何种手段，我都得摸到金刚境的门槛才会罢休，要不然实在没脸皮回北凉。"

青鸟柔声笑道："不难的。"

徐凤年心情略微好转，呵呵笑道："借你吉言。"

裴南苇实在不理解这北凉王世子殿下与那称作青鸟女婢的关系，靖安王府上上下下哪里会有这等打心眼里相互亲昵的主仆？

徐凤年突然转头看着裴王妃，问道：“你都听到了？”

靖安王妃下意识点头，随即摇头。她被绣冬刀鞘击中腹部一次后，委实有些怕了。

这一转头，本是想吓唬裴王妃，无意间瞥见青鸟与她手中无枪缨的猩红长枪，有些失神。

那在天下九大神兵中唯一榜上有名的古枪，枪尖非但不锋锐，反而钝朴异常，呈现出一个古怪的弧形。可正是这根钝枪，在大宗师王绣手中浸染了无数高手的鲜血。王绣单枪匹马纵横江湖，巅峰二十年，以杀伐果决著称于世，枪下亡魂无数，不论武学高低，不论家世贵贱，一言不合便拔枪，一怒瞠目便杀人。四大宗师中最是嗜血好战，以死战搏杀去精进修为，尤其以王绣北去敦煌两千里最为血腥，每次杀人定要用长枪洞穿敌人头颅。一次武评说王绣三十而立，枪术虚实奇正，进锐退速，不动如山，动如雷震，血气之盛举世无双！第二次武评上榜，评点为王绣四十不惑，重下本源功夫，返璞归真，既精且极，终为枪法开山立派。第三次上榜，王绣被评作万般枪术烂熟于心，熟能忘手，继而忘枪，已是枪仙。

当见到青鸟手握古枪，徐凤年生平第一次切身感受到青鸟的死士身份。

冷冰如死物。

正当徐凤年看到刹那枪怔怔出神的恍惚时刻，芦苇荡一道身影疾速掠出，喊道：“世子殿下小心脚下土甲！”

几乎那人出声示警的同时，徐凤年脚下泥地炸开，一具庞然大物就要破土而出！

青鸟脸色顿时雪白，手中刹那枪直刺那具偷袭世子殿下的傀儡。

来得及吗？

她眼睛一亮，光彩夺目。

不知为何，本该被一击毙命的徐凤年似有意似无意猛地抽出绣冬刀，做出了羚羊挂角的神来一笔。

一剑仙人跪！

雨中小道上，李淳罡曾以伞作剑，一剑轰破符将红甲中的水甲。

徐凤年偷师苦学不得精髓的那一剑，鬼使神差，于生死关头终于融入绣冬刀。

裴南苇只看到那纨绔世子一身锦绣衣衫鼓荡浑圆，单手刀直刺而下，浑然天成。

那刺客竟被硬生生刺回地下！

那一出京城再出上阴学宫的公子哥始终坐在“天波开镜”牌坊上，嘴里叼着一根纤细芦苇管。姓赵，是天子人家的国姓，名楷，则是他娘取的，是楷体的楷，也是楷书的楷。起先他只是以为娘亲是要他做人如楷书，为人如形体方正，行事如笔画平直，可作楷模。后来入了宫，几次单独与大师父去祭祖，才知道赵家陵墓里有一棵老祖宗亲手植下的楷树，枝干直而不屈曲。此树枝繁叶茂，一如赵氏皇家，不过赵楷每次听到大师父望着那棵树苦口婆心唠叨赵氏的荣辱，都没什么感触，对他而言，这个家总是不如儿时那个茅屋来得舒服安心，因此极其宠溺他的大师父也难免会无奈于自己散淡的性子，赵楷不以为意，若非这等没有野心，想必明面上刺杀他的次数早就翻番了。

那位手握天下权柄的男人生有六子一女，算上他这个名不正言不顺的，皇子共计七人，对他动了杀机并且付诸行动的有两人，其余按兵不动的，大多也不怀好意。赵楷唯独不讨厌那个总喜欢跟自己针锋相对的公主妹妹，她真算是那男人的掌上明珠了，不过性子虽说泼辣蛮横，但都摆在脸面上。每次偶遇，赵楷总要拿她鼻尖上的细碎雀斑说事，总能得逞，被她丢掷摔碎的夜明珠没有十颗也有八颗了，真是个不会过日子的闺女，谁娶回去谁遭殃。

他低头看了眼脚下最后一具符将红甲，犹如道门仙师从天庭请下凡间的神将，身高一丈，双手按在龙阙剑柄上，直插大地，这便是符将红甲中的金甲，五甲中牢固不可摧第一，战力雄浑第一，尤其是手中龙阙巨剑，剑气肆意磅礴，这柄剑从未出世，是大师父被他求着去令一位老铸剑师耗费五年心血铸成，每铸一寸，剑气长三分，铸至半截时，那名铸剑师已经不敢再继续下去，后来赵楷才旁听而来是大师父抓来老铸剑师的家人，一日杀一人，只剩孙子时，铸剑师才继续锻造，龙阙出炉时，恳求大师父放过孙子一命，大师父点头，老铸剑师跃入剑炉自尽，但老人孙子转眼便被大师父扼杀。听到这件事后，赵楷没有说任何话，只是心怀愧疚。

大师父可不是二师父那般释门菩萨，他是被朝廷隐隐称作一人之下的可怕人物，统领十万宦官二十余年，是被骂作人猫的韩貂寺，更是当年把符将红甲活生生剥皮卸甲的宗师级高手。赵楷曾亲眼见到一拨刺客被大师父缠绕三千红丝的左手悉数击杀，皆是一指削去天灵盖，不动声色暴虐杀人，大师父总不忘朝自己笑，赵楷从不觉得大师父气焰阴森，一如当年娘亲病入膏肓，骨瘦如柴，在赵楷眼中仍是世间最好看的女子。

赵楷叼着芦苇秆子，轻声说道："芦苇荡作战，木甲占据地利，可惜我那小舅子来早了。到了秋天，芦苇易燃，火甲威力可加倍，若不是水甲没被老剑神毁去，估计那几名北凉扈从就有来无回了，哪里需要我偷偷摸摸让土甲去行刺，带上金甲正大光明碾压过去便可。小金，你说是不是？"

符将红甲人披覆甲胄前便已是死人，自然没有回应。赵楷脚下这具红甲中的死尸来历尤为敏感，生前是屈指可数的一品金刚境高手，只可惜对上了指玄第一人的韩貂寺，下场凄凉。赵楷曾询问大师父天象境实力如何，这位大貂寺笑着说等以后老奴双手破敌便是了，但以指玄境杀天象高手才有意思。赵楷心想大师父真是厉害啊，轻轻吹掉芦苇秆，伸了个懒腰，眼神清淡望向不远处战事胶着的木甲火甲。既然今日有吴家剑冢与王明寅挑大梁，赵楷就不去抢风头了，反正他与四甲只要露个面，就是一种最实在的牵制与威胁，堂而皇之坐在最醒目的牌坊上，做诱饵也无妨。

吕钱塘抱着必死之心进入芦苇荡。他们四人对四甲，分明是毫无胜算，世子殿下的意思，不难得知，能拖住多久是多久。芦苇荡外李淳罡对阵剑道后辈吴六鼎，有八分把握，大戟宁峨眉与一百轻骑再加上那名深不可测的女婢青鸟，胜负至少五五对开，只要两处临近世子的战场取胜，就是大局已定，芦苇荡中四人战死拼没了又如何？这种情况，早在听潮亭亲眼看到北凉王时就有心理准备，王侯将相门阀世族里出来的公子，有几个不是性情凉薄的枭子？即便没有他们父辈的雄才大略，可心性脾气却都学得十有八九了。

九斗米老道魏叔阳并未直接参战，只是气定神闲地袖手旁观。

苦力活还得由吕杨舒三人来做，没办法，瞎子都看得出这老道人在世子心中分量比他们三个加起来还要重，所幸牌坊下一具符将红甲在护卫坐于牌坊上的姿态浪荡的年轻人，眼前只有两具汇聚佛道神通的傀儡。至于土甲

想必是隐匿于地下寻求关键时刻的致命一击，吕钱塘当仁不让率先仗剑前行，单独对上一具红甲，体态丰腴的舒羞与双手雪白的杨青风联手对付另外一具。大概是吕钱塘心知此战生还机会不大，非但没有败坏气机，反而斗志勃勃。广陵观潮悟出来的剑意，本就隶属于老剑神那一脉，李淳罡江上一剑两百丈，让吕钱塘收获颇丰，一剑出手再无任何挂碍，手中赤霞大剑一往无前，不管身前红甲如何皮糙肉厚，吕钱塘只管以手中剑疏泄四十年种种坎坷不平，红甲每次与大剑碰撞都会擦出一大串火花。

舒羞双掌击在一具符将红甲胸口，骤然发力，只是让其轻轻一晃。身形矫健如鬼魅的杨青风弹腿扫中甲人头颅，对方却纹丝不动，伸臂要去捏断杨青风的小腿，后者却凭借一弹之势早早后撤。舒羞趁机对着红甲一顿连拍，一次比一次势大力沉，这等凌厉攻势与她身段模样实在不太相符，次次声响沉闷，终于让红甲后退，地面上划出一道痕迹。

这位叛逃出南疆巫宗的娇媚女子心中愤懑，娇斥道：“姓杨的，你好意思让一个女人挡在前面，昨天晚上力气都丢在哪个娘儿们的肚皮上了？！”

杨青风落叶般坠地后，只一瞬便又如豹子弓腰再冲，踢中红甲腰部，对舒羞的讥讽谩骂，只是嘴上轻轻说道：“你老母。”

舒羞听见后大怒，却只能发泄在正面红甲身上，美艳脸庞露出一丝狰狞，一掌贴在红甲胸膛，另一掌迅速叠在手背上，喝道：“去死！”

砰一声。

符将红甲终于向后倒去，轰然砸出一个大窟窿。

正是此时此地，舒羞与杨青风一同身形匆忙后掠，舒羞大声喊道：“魏老道！”

术士魏叔阳眯眼一笑，脚下步罡踏斗，行云流水，好似踏在了天上罡星斗宿，一身庄严道袍飘荡开来，最后一手双指朝天，一手搭臂，掐诀道：“不踩天罡兵不动。起！”

当魏叔阳一脚踏下。

倒地刚起的红甲身边一圈有三十六柄桃木剑破土而出，悬空而定。

这自然不是千里飞剑取头颅的剑仙本事，而是一门道家奇术，道门既然以斩妖除魔为己任，自有其玄妙神通。只见那三十六剑随着九斗米老道士手指一翻，跟着剑尖齐齐朝下，斜指地面上的符将红甲，精研术法半辈子的老道人默念咒语，剑阵疾速下坠！说来奇怪，当初小道上那具水甲除了被李淳罡水珠指玄和以伞化龙卷破去，便是马撞与吕钱塘大剑都伤不到丝毫，此时竟然被桃树制成的木剑一剑接一剑洞穿甲胄，足足三十六剑，将这一具符将红甲扎成一只刺猬。魏叔阳手段不止于此，通过世子殿下描绘的水甲上符箓云纹，推测出这些符将红甲的气机如何运转，老道士再屈指，驱使两柄插在腰部的桃木剑深入甲胄几寸，沉声道："杨青风，持这两剑，卸甲！"

杨青风退而复还，双手抓住两把桃木剑重重一划，直接将这具红甲给拦腰斩断！

不死凶魁一般的符将红甲终于没了动静。

魏叔阳如释重负，看到天波开镜牌坊上的陌生公子哥仍然没有任何反应，略作思量，震惊道："不好！杨青风，速去通知殿下小心土甲！"

牌坊上的赵楷皱了皱眉头，自言自语道："察觉到了？"

他低头笑道："小金啊，没料到小木还没发挥作用就被那术士给折腾没了，去，给小木报仇。"

在北凉为将，不敢陷阵冲锋，根本就是个笑话，从北凉王徐骁到小人屠陈芝豹，再到一杆银枪无敌手的白熊袁左宗，谁不是身先士卒的勇夫？面对勇悍无匹的王明寅，宁峨眉拖戟前冲，骏马重甲，大戟猛将。在他命令下身后弓弩射杀不可停，无须理会是否会误伤到他。宁峨眉就是要耗死这名天下顶尖武夫，朝那大踏步而来的王明寅策马而去。宁峨眉卜字铁戟精准刺向这汉子的胸口，北凉边境，不知有多少北莽敌人被他这一戟给挑刺到空中。

王明寅脚步稍稍停顿，探出一臂，一拳砸在铁戟上，大戟震颤，宁峨眉并未脱手，只是戟尖却只得向下刺去，王明寅腾空而起，一脚将宁峨眉踹下马！

宁峨眉不愧是一名虎将，胸口铁甲被王明寅踢出一个巨大印痕，只是他从马上落地后没有倒地，而是用沉重长戟拖地，卸去那名武夫带来的力道，立定时，宁峨眉嘴角分明已经渗出血丝。王明寅似乎没有料到这名北凉武将能够立而不倒，眼中略有异色，没有急于进攻，不去管那些弓弩劲射，箭矢一旦近身，只是轻松伸手拨去，这开山弩的利箭对他而言，仿佛是那不痛不痒的轻柔飘絮，一拂则散。宁峨眉见王明寅静止不动，将大戟猛然插入地

面，双手摘下头盔，丢下摆满短戟的行囊，继而悍然脱下身上甲胄。

王明寅一直面无表情，等到那名勇将重新拔出大戟，这才踏步前行。

一夫当关独自面对这天下第十一的宁峨眉同样默然冲刺起来。

的确，杀人便杀人，哪来那么多听着好似要掏心窝的废话。痛快一战便是，需要相互言语吹捧或者诋毁吗？

宁峨眉马下大戟依然声势惊人，剁刺钩啄，圆转如意，近百斤的大戟在他手中挥得阴阳相济。王明寅始终板着那张贫苦庄稼汉子的生硬脸庞，面对大戟一记凶狠挂搒，抬臂格挡。可以见到坚硬戟身竟然被挤压出一道弧线，压到极限时，大戟以更快速度反弹，宁峨眉借势身体一转，双脚在地上拧出一个圆形坑洼，大戟更是在空中劈出一个大圆，传出一阵刺耳风声，卜字铁戟再度磕向王明寅。始终单手化解的后者左手掌心粘住大戟，右手绕过，双手掌心相向握住，电光石火间猛然发力，卜字戟头被王明寅转了半圈。宁峨眉因为不肯脱手大戟，即便掌心炸出鲜血，哪怕身形魁梧，亦被带出一个大弧圈，脚底鞋子破烂不堪，身畔尘土飞扬。

先前说出要借世子头颅一用的王明寅终于第二次出声："借戟一用。"

只见宁峨眉大戟顿时离手，握戟的那只粗壮手臂无力下垂，鲜血滴滴落下。

王明寅得了大戟却不用，一掷而出！

将远处一名持弩的北凉骑卒整个人从马背上钉入地面。

戟尖朝上，尸体在下，戟身微微颤抖。

宁峨眉根本就不去看那可以预料的惨况，左手抽出北凉刀。

王明寅问道："不退？"

宁峨眉嘴唇微动，听不到声音。

他手中雪亮凉刀，没有任何归鞘的迹象。

王明寅轻轻叹息，朝这名不愧北凉铁骑名声的将军走去，起了必杀之心。虽说如此一来会耽误去取北凉王世子项上头颅的时间，可这些北凉军卒，摆明了要不死不休。

马车前，裴南苇被眼前景象震骇得无以复加。

先是身份不明的杀手要钻出地面行刺徐凤年，再是这挎刀作装饰的世子殿下一刺而下，裴南苇再不识货，也感受得到那一刀绝非花哨架子。如果只是这般，裴南苇更愿意转头去看官道尽头两位剑士的对决，或者去看那庄稼汉子如何势如破竹穿过北凉铁骑摆出的阵势，但是地面下的刺客好像精通奇门遁甲，并非一直隐匿于这地下，而是可以在下面游走，被徐凤年一刀刺中后，马上便在附近再度破土而出，徐凤年绣冬刀当下便横扫而去，直接砍在那符将红甲腰部，激起火星无数。

一气上黄庭。

徐凤年眉心淡紫印记越发明显。

徐凤年一击命中，单手绣冬眨眼变成双手握刀，不退反进，与那符将红甲中的土甲不离五步，杀人何必十步行？

双手绣冬掠出一道璀璨光芒，由红甲头颅下划至腰，又是一长串刺眼火花！

这一刀，是武当山上劈瀑布劈出来的。

土甲一拳砸下，徐凤年却已圆滑收刀，轨迹漂亮至极，出力刚猛却蓄力有余。

蓄力是为下一刀，徐凤年为何在山上拣选秘籍的时候挑了练行剑术而非站剑术？便是钟情于与走剑异曲同工的滚刀那种杀伐冷冽的酣畅淋漓。徐凤年握住绣冬，毫不凝滞，以惊虹贯日之势直刺而去，这分明是紫禁山庄《杀鲸剑》中最决绝霸道的刺鲸！杀鲸剑由刀来使出，一样气概雄壮，绣冬刀尖刺在符将红甲胸口上，徐凤年仿佛丝毫没有感觉到手心的肌肤绽裂，鲜血布满刀柄，一刺而去，绝不回旋！土甲沉重双脚向后倒滑而去，一滑再滑！

刺鲸一刀功成。

双手再变单手。

春雷炸出刀鞘！

徐凤年左手紧握春雷，一出刀便是毫不留情的《绿水亭甲子习剑录》中最精妙剑式，叠雷！

一瞬叠起六声雷。

全部轰砸于土甲腰间。

叠雷过后，再是刺鲸过后的绣冬使出《千剑草纲》中的剑术绝学，春雷同样没有停顿，递出了上一代吴家剑冢剑侍赵玉台的一招“覆甲”。

土甲踉跄而退。

接下来徐凤年共计一十六刀，一气呵成。

每一刀皆是先辈心血精华所在！

当徐凤年终于后撤时，虽说符将红甲并非完全是落败迹象，却再毫无气焰可言。

裴南苇看到手持长短双刀潇洒而立的北凉王世子，只能看到他的侧脸。

在狞笑。

当符将红甲即将破土暗杀世子殿下的那一刻，吴六鼎明显感受到李淳罡有所分神，给予的压力虽说并未减弱，盘绕利剑的青蛇剑罡依然长达一丈，但他知道这就是最佳的接剑时机。与吴六鼎心有灵犀的剑侍毫不犹豫便让名剑素王出鞘，吴六鼎双袖一卷，将身后被连根拔起的两拨芦苇化作数十剑，去挡下老剑神的浑厚青蛇剑气，试图后退接住素王剑。岂料李淳罡冷然一笑，一身破烂羊皮裘一缩一鼓，沛然气机蓦地散开，将那些锋利远胜寻常兵器的芦苇剑雨一气弹开，手中三尺剑连同剑气本已长如枪矛，这一瞬更是银河倒泻般铺天盖地朝吴六鼎汹涌漫去，而素王剑离吴六鼎却尚有一段距离。

李淳罡身经百战，且不说剑术与剑罡何等炉火纯青，临敌时每一次停转早就天衣无缝，这一看似理所当然的失神，其实是故意卖一个破绽给这吴家后生而已。吴六鼎所承家学不可谓不响当当天字号独此一家，可剑冢练枯剑，冢外名动天下、冢内只是吴家剑奴的老剑士喂剑招式再多，终归不如真正对阵时那样没有丝毫套路可言。面临剑主身陷危境，送出素王的女剑侍果真如外界传言无动于衷，冷清眸子望向袖有青蛇胆气粗的老剑神，酣战至此，李淳罡剑气已算骇人，可她确信离那两袖青蛇还有一段距离，显然剑主手中无剑，根本没办法迫使这位让剑冢低头整整三十年的老前辈使出成名绝技。

这一代剑冠才出江湖就要凋零？吴六鼎衣袖无风而响，不知是体内气机运转所致，还是那冰冷刺骨的剑罡压制，他神情平静，双指掐剑诀，轻声道："开匣。"

我以静气驭剑上昆仑。

直飞吴六鼎后背的素王剑仿佛被一物牵引，绕出一个弯月弧线，速度不减反而愈飞愈快，最后甚至已经完全快到肉眼不得见，显然与术士魏叔阳布下的天罡剑阵不同，这才是仙人飞剑取头颅！虽然这只是个雏形，但足以证明吴家剑冢英才辈出，哪怕吴家两百年前九骑九剑入北莽，杀败一万精锐铁骑，只有三人活着归来，但仍是那个“天下剑意有一石，我独占八斗”的吴家！只可惜这一百年中接连出了李淳罡与邓太阿，吴家才不复昔年风采。

当吴六鼎终于握住那柄素王，附近芦苇荡一同往后倒去，层层推进，匪夷所思。

李淳罡眯了眯眼，笑道：“有点意思。小子，凭你今日勉强驭剑几丈的道行，还不配老夫掏出家底，不过既然素王剑都出世了，老夫不介意让你开开眼界，省得你到时候被邓太阿桃花枝抽得找不到北。”

吴六鼎心如止水，握剑抬臂，一夫当关。

做剑冢起剑式。

剑侍翠花闭上眼睛，不去看，能获知更多有益的东西。她十岁时伤了眼睛，那段时间一直是闭目练剑，这之后就习惯了在枯冢练盲剑。十岁以后第一次握剑时睁眼，便是出冢前那一战，故而一剑登顶。

她喃喃道：“终于要来了吗？可闭关这么多年，李淳罡就真的只有两袖青蛇？”

不知为何，这般剑主生死悬一线的紧要关头，女子剑侍再度睁眼，不看各自蓄势的吴六鼎与老剑神，而是略显惊讶望向那边双手刀一气挥出十九招的世子殿下，招式极妙，姿势极好，气势极足，若是连绵十九招能再承转“如意”一些，就当得“灵犀”二字的评语。当年自己练剑，十二岁被吴家老祖宗评作“如意”，十八岁才是“灵犀”，出冢前老祖宗没有说什么，因为她取来了素王剑。不知那世子殿下练刀多少时日了，五年？十年？或是自幼练刀？

她突然歪了歪视线，不是看那具名不副实的符将红甲，而是看向一名强行闯入战场的年轻女子，那人青丝青衣青绣鞋，却握有一杆猩红长枪，她猜这个清清秀秀的女子名字里会不会带一个“青”字？

当剑侍看到那女子一枪把符将红甲摔到路边，再一枪穿入甲胄挑到空中，继而抽枪将尚未坠地的红甲刺出无数窟窿，等红甲总算坠地，一枪劈下，硬生生将庞大红甲彻底轰陷入地下，她越发讶异，缓缓说道：“了不得的枪法。听说枪术分七品，角力、伸长、精熟、守正、出奇、微幽、神化，

近百年来唯有枪仙王绣到了神化境界，可这女子该有微幽了吧。这枪，会是刹那吗？她出枪真的很快啊，与我二十岁时的出剑差不多。可她这般不顾性命逆行气机，损坏血脉，与自杀何异？”

若有人听见她自言自语，联系世子殿下与青鸟的各自出手，大概都会觉得这娘儿们太自负了。

可作为一名有资格拿到素王的剑侍，是自负是自信还真不好说。

“走！”

原本正要见识见识李淳罡缺了一臂后两袖青蛇是否依旧无敌的吴六鼎冷不丁收剑，脚尖一点，一掠百步，拉起剑侍翠花就往芦苇荡中跑路。

剑侍后退时脚步飘逸，好似蜻蜓点水，她只是皱眉，没有说话。

手持素王的吴六鼎苦涩道：“突然想起，那个第十一知道我斗不过李老前辈的两袖青蛇，既然符将红甲没能得逞，如此一来，他若不加紧杀掉北凉王世子，可能就再无法成功，而他一旦不顾那群北凉铁骑，老前辈为了救人，肯定要对我痛下杀手，到时候指不定就不会只有两袖青蛇了，这剑没法比，我还得再回去与你练练剑，今日一战，咱们不吃亏。”

剑侍翠花对这位剑冠的临阵脱逃懦夫行径似乎并无反感，听了吴六鼎的粗略解释后轻轻哦了一声。

不出吴六鼎所料，当天下第十一的王明寅同时见到符将红甲被女婢青鸟摧破，以及李淳罡准备解决掉那名才华横溢的吴家剑冠，硬扛宁峨眉一刀轻伤，直奔世子殿下，看那架势，还有再扛下刹那枪也要杀死徐凤年的决绝。

李淳罡身形一转，弃吴六鼎不顾，手上一条剑罡如百丈青蛇，当空而去！

天地间黯然失色。

随着青蛇翻滚扑杀向王明寅，整条宽阔官道裂出一道巨缝。

吴六鼎嘿嘿道：“瞧见没，这一剑真是吓人。王明寅若是不急着杀北凉王世子的话，那还好，不难挡下这条青蛇，若不计后果，就难说了。”

剑侍嗯了一声。

“对了，翠花，老前辈的剑罡你学会了没？”

“会了。”

“唉，今天可惜了。没事，下次再战，你再把两袖青蛇偷学来。”

“好。”

她与剑主吴六鼎说话，大概就是这么个腔调。

“翠花，想啥呢，心不在焉的。”

“在想那人会不会喜欢吃酸菜。”

吴六鼎纳闷问道：“谁？李淳罡李老前辈？”

剑侍没有说话。

“他娘的不会是那世子殿下吧？”

她还是不作声。

吴六鼎语重心长道：“翠花啊，人家是世子殿下哩，咋会吃你的酸菜，别想了，有我吃就好了。”

重新背上素王剑的翠花平淡道：“可你每次吃完都说酸掉牙。”

吴六鼎愣了愣，很实诚地叹气说道：“真的很酸啊。”

她轻声问道：“我会做酸菜和他会不会吃酸菜，有什么关系？”

吴六鼎讶异道：“你没打算做酸菜给他吃？”

她摇了摇头。

吴六鼎停下脚步，先捧腹大笑，还不过瘾，再仰天大笑。

这对被剑冢誉作三百年来最天资卓绝的剑冠剑侍，为何在一起的时候总说些与高手风范风马牛不相及的话题？

王明寅确实硬扛了一记滚滚青蛇。

腰间金黄软剑已经被他取下，灌注一股真气，斩去大半青蛇剑气，身形摇晃时，被猩红刹那枪挥中胸膛，王明寅的体魄再金刚不败，也无法安然无恙。不去看刹那枪主人那张已是七窍都渗出鲜血的脸庞，被一枪拍回十几步的王明寅怒喝一声，软剑激射而出，羽箭一般刺向那名世子殿下，同时身形却掠至那名碍事的持刹那枪女子身前，一记肩靠撞山而去。以己命去换主人命的年轻女子连人带枪被撞到路边槐树上，王明寅再度踏步前行，速度之快，快到能够离世子殿下十步的时候才握住那柄软剑。

第二条青蛇再至。

王明寅双脚深陷于地面，软剑抬到肩部高度，以长枪姿态去破这条剑气汇聚而成的狰狞青蛇。

他只要扛下这袖青蛇，不管如何重伤，都有把握摘下那徐家小子的

头颅！

事实上，王明寅的确扛下了。

威力举世罕见的青蛇剑气在这名貌不惊人的汉子面前砰然爆绽开来。

百丈青蛇被这个这些年确实在背对老天面朝黄土的庄稼汉子给摧碎，官道百丈路段被青色剑气弥漫笼罩，两排被殃及的槐树更是断折成无数截。

这个武力恐怖的男人，不是像农夫，可他确实就是农夫。世人都笑他“第十一”这个称号，说他是天底下最应该去记恨王仙芝的高手，因为武帝城城主非要自称天下第二，好好的第十号高手硬就被排到了第十一，而王明寅连续上榜又两届武评连续稳居第十一的位置。但其实王明寅根本不在乎这些，他只在乎那山清水秀的地方的一亩三分地，那里有个温婉女子在等他回去，地里的庄稼总需要个男人去打理。她遇见他以来，便从没有见过什么软剑，更不知道什么天下第十一，只知道他是个不善言辞的木讷好男人，可以托付终身，家里穷些没关系。

终于挡下了。

接下来便只有那一颗头颅了。

青鸟颓然躺在路边，挣扎着想要起身去拿起远处的刹那枪，吐出一口乌黑血液，仍是站不起来。她恨那个杀了娘的父亲，所以她恨这杆一直库存在听潮亭里的名枪。原本这杆刹那，只是用来去杀那个明明枪术第一却不再用枪的男人。但出北凉前，大柱国说可能会用得上，将刹那送到了她面前，她毫不犹豫接下了，今天，她又毫不犹豫取出来。她精于暗杀，所以正面对敌，一直不是她的强项，可身为死士，天干死士中的丙，她选择毫不犹豫去赴死。

与青鸟一样，道路上所有人都已来不及去救世子殿下。

哪怕李淳罡已经凌空一掠而来。

王明寅正要出手，却不得动弹了。

他缓慢低头。

看到一只由后背而来洞穿整个胸膛的手臂。

那是一只白皙的手臂，并不粗壮。

这是阴险到惊世骇俗的一记手刀。

相信当今世上再没有比这更能引发整个江湖轰动的刺杀了。

面无表情却一身汗水的徐凤年持刀而立，看到王明寅身后探出一颗脑袋。

这名注定要名动天下的刺客长得一点都不凶神恶煞，脸庞稚嫩秀气，还是个少女。

她笑了笑。

呵呵。

那少女呵呵一笑后，老剑神已是一掠而来，她抽出穿透王明寅身体的手刀，娇小消瘦的身影后跃，双脚粘在一棵半截老槐上，再一点，如流星一般消逝不见。她轻轻来轻轻走，即使是李淳罡这样饱经沧桑的老家伙都瞪大眼睛，倒不是说那妮子武力胜过了天下第十一的王明寅，后者硬扛两袖百丈青蛇，中间还被刹那枪砸中胸口，加上所有注意力都投在徐凤年身上，这才有了被一击得手的可能。而是那名少女将天时地利人和一切都拿捏得精准无比，最终一记手刀，成功击毙王明寅，让其死不瞑目。等到李淳罡赶到，再毫不留恋地退走，颇有彗星袭月飞鹰击殿的超一流刺客气度。

徐凤年顾不上这些，默默来到脸白如雪的青鸟身边，坐在地上，将她抱入怀中，伸手抹去她嘴角触目惊心的黑血。李淳罡抛掉手中剑，剑在空中画出一个优美的半圆轨迹后，恰巧插入马车前插于地面的剑鞘，老头儿紧了紧羊皮裘，逛荡到世子殿下面前。这位北凉最大的公子哥，面对破土而出的符将红甲能够临危不乱，一气呵成十九招，后来又得面对志在自己那颗头颅的王明寅，依旧不曾退缩半步，可这时，竟然茫然失措，只是痴痴看着怀中气息如薄纸的婢女。老剑神悄悄叹气，蹲下身，双指捏住青衣女婢的手臂，皱眉问道："那杀了王明寅的女娃娃，是你家死士？"

徐凤年的回答牛头不对马嘴，"能救吗？"

李淳罡神情凝重，一指敲在青鸟眉心上，她昏昏睡去，老剑神缓缓说道："这得看命。老夫先闭住她逆行的气血，只是在黄泉路上拉住了她，至于她能否走回阳间，天晓得。便是那枪仙王绣气血最盛时的四十岁，也不敢如此使用刹那枪里的霸王卸甲，这小妞儿当真是为了你不惜性命。你先将她抱回车厢，老夫看能否灌注剑罡为其续命。这一炷香时间，别让人打扰，否则齐玄帧再世都救不了她。"

徐凤年惨然一笑。

衣裳碎烂几乎遮不住身躯的舒羞仓皇而至，她似乎在芦苇荡中杀红了眼，跪地颤声道："殿下，魏真人剑阵破去了木甲，可吕钱塘被火甲里的尸体爆炸震碎了五脏六腑，要死了。"

徐凤年只是清淡哦了一声，抱起青鸟走向马车。舒羞面容凄凉，一脸兔死狐悲，三名被大柱国钦点护驾的扈从中，吕钱塘无疑最被世子殿下器重，此时即将人死如灯灭，竟没有任何抚慰言语。舒羞自认已经相当刻薄，可较之这位将来有望世袭罔替新北凉王的年轻男子，正应了南疆那个小巫见大巫的说法，一时间她几乎有趁机逃离的念头，只是想到大柱国的铁血手腕，舒羞凄然一笑。逃？天大地大，能逃出人屠的五指山？生于帝王家算什么不幸，给王侯家做命贱不如狗的奴仆才可怜。舒羞一直与吕钱塘这名东越剑士争名头、争地位，希冀着如何在三人中脱颖而出，而吕钱塘独独被世子殿下青眼相加，舒羞这会儿有些心如死灰，默默返回芦苇荡，去看吕钱塘最后一眼。

姜泥与鱼幼薇腾出车厢，老剑神提剑而上，以剑罡救人，李淳罡见徐凤年呆呆坐在一旁，恼火道："在这里瞎瞪眼作甚，出去。堂堂世子殿下，大战帷幕才落，就躲在这里，成何体统。"

徐凤年下车后，环视一周，官道早已是沟壑纵横，破败不堪。一场死战，大戟宁峨眉与凤字营校尉袁猛都身受重伤，轻骑死八人，伤十六人。老道魏叔阳从芦苇荡中走出，看到徐凤年安然无恙，如释重负。徐凤年临近战场，拔出那根将一名轻骑钉死在地上的卜字铁戟，脱下外衫盖在那死卒身上，将大戟还给宁峨眉，轻声道："宁将军，你与袁校尉负责清理战场，我先去一趟芦苇荡。"

一臂被王明寅震断的宁峨眉重重点头，瞥了眼被世子殿下用衣衫盖住胸膛的袍泽，眼神柔和了几分。

徐凤年与魏叔阳一同走入芦苇荡，吕钱塘一身是血，坐在临水的岸边，容颜凄丽的舒羞在一旁怔怔出神，杨青风站在不远处，伸手折断一根根随风而摇荡的芦苇。徐凤年拎了一壶酒，坐在将赤霞剑横放在双膝上的吕钱塘对面，默不作声。

这位剑士久在北凉王府做鹰犬，当年行走江湖时的豪迈气度都被磨平了，反而临死生出了一股豪气，不再对世子殿下低眉顺眼，咳嗽出血后大笑道："殿下，敢问这酒是送行酒吗？"

徐凤年抬起酒壶，问道："能喝？"

已经是回光返照的吕钱塘气血恢复了几分，粗壮双臂软绵绵搭在剑身上，自嘲笑道："不能喝也要喝，否则岂不是白死了？可惜我双手已废，怕是握不住酒壶，劳烦殿下一番。"

徐凤年伸手为吕钱塘倒酒入嘴，修道一生可谓无牵无挂的魏叔阳见到此情此景，也是喟叹一声，尤其是那以嬉戏人生为乐的舒羞，不管再如何没心没肺，还是眼眶湿润，坐远了几分，背过身子。徐凤年收手，握住酒壶，轻声问道："有什么遗愿吗？"

吕钱塘洒脱笑道："没有了，我一介武夫，早就是国破家亡，只剩下手中一柄剑而已。真要说的话，倒是希望殿下能够将吕钱塘骨灰撒到广陵江中。观潮练剑十年，每年八月十五，那一线潮，风景极好，殿下若是去了广陵，是该去观此景才不枉此生。"

徐凤年笑道："好。"

吕钱塘吐出一口血水，突然笑骂道："狗日的世子殿下！"

徐凤年一笑置之。

吕钱塘大笑出了大摊血迹，断断续续道："这话老子早就想说了，凭什么你一个毛头小子要让我卖命，不就仗着有个人屠父亲吗，有甚了不得的！有本事你自个儿打天下去，那才能让老子心服口服！"

舒羞愕然转身，生怕世子殿下一怒之下做出什么过激勾当，不过看上去徐凤年似乎并不介意，只是再次性子温良地倒酒给口无遮拦的吕钱塘，后者连酒带血一同咽下，眺望远方，约莫是精气神殆尽，轻声道："这一路行来，于雨中小道观老剑神两剑，马踏青羊宫，江上再观剑仙断江一剑，死得也不算太冤枉。今日芦苇荡一战，吕钱塘以手中剑破火甲，死前还得世子殿下亲自倒酒两口，足矣。"

吕钱塘低头望着巨剑，闭眼喃喃道："只是这赤霞剑，还没摸够啊。"

面容祥和的吕钱塘此时气机已绝。

徐凤年将酒壶放在赤霞剑上，起身后平静道："杨青风，吕钱塘火化后骨灰放入坛中。"

杨青风停止折断芦苇秆子的小动作，低头恭敬道：“诺！”

不知为何，靖安王妃裴南苇并未逗留在官道上，而是小跑跟着徐凤年来到了芦苇荡中，她亲眼看到这一幕，紧咬着嘴唇，神情复杂。

徐凤年与魏叔阳折返时，正要开口询问一些细节，体内气机一凝，刚要抽出绣冬刀，就被一击戳中胸口，整个人如断线风筝一般遥遥坠入水中，魏叔阳根本来不及出手拦截那一刺。裴南苇只觉得莫名其妙，说不上是庆幸还是失落，并非草包一个的北凉王世子就这样死了？她看到了那名刺客容貌，正是手刃了视一百骁骑于无物的庄稼汉子的女子，相貌清秀如邻家少女的她，一击得手后，并未退去，而是站在原地皱了皱鼻子，似乎很不满意的样子。舒羞和杨青风阻敌，魏叔阳救人，忙作一团。裴王妃回过神后思量着这不可貌相的少女难道不是北凉死士，而是来刺杀世子殿下的，那她为何要杀死那勇悍无比的庄稼汉子？

涟漪未平，涟漪再起，坠入水中的徐凤年手持双刀而出，让魏叔阳悬着的心放下一半。常理而言，刺客这一刺凶悍恐怖，恐怕连他都挡不下，更别说殿下了。徐凤年紧闭牙关，却挡不住鲜血涌出。他直视这位出手诡谲的刺客，开口沉声问道：“既然要杀我，官道上为何挡下王明寅？”

少女笑着呵了一声，身影鬼魅前冲，竟然接连与舒羞、杨青风、魏叔阳三人堪堪擦肩而过，两根手指分别点中徐凤年手中绣冬、春雷，然后一脚踩在他胸口上，将世子殿下再度轰入水中，魏叔阳等人清晰可见被一脚踏胸的世子殿下喷出一口浓郁血水。魏叔阳刚要有所动作，芦苇荡中蹿出一头黑白相间的古怪大猫，舒羞双掌拍在其脑袋上，非但没有挡住其汹汹来势，反而被它一巴掌甩飞出去，杨青风更被它一掌击中，他们几人与符将红甲拼死一战，差不多都是强弩之末，但这般被一头畜生轻松击退，实在是出人意料，担忧世子殿下生死的魏叔阳怒喝一声：“孽畜！”

少女面无表情呵呵一笑，与宠物一前一后夹击九斗米老道，一记手刀砍中魏叔阳脖子，直接将老道士拍入泥地。然后她不理睬勉强保持站立的舒羞与杨青风，只是望向圈圈涟漪的水面。

徐凤年第三次从水中而出。

带着一头宠物大猫的刺客少女总算开口说话，“第一刺，因为你有麒麟丝甲护体，得以不死。可我一脚踏在被我撕开宝甲处的胸口，你应该死了的。”

面无血色的徐凤年眉心红印淡紫入深紫，眯眼不作声。

少女呀了一声，恍然说道：“看来真被你得了王重楼的大黄庭，没事，就不信你能真不死，你离九重楼境界还差得远。”

徐凤年咬牙问道：“呵呵姑娘，我跟你有仇？”

“没仇。不过有人出一千两黄金要买你的命，我做买卖一向很讲规矩，既然收了钱，就得亲手拿命。再说了，若你被那王明寅杀了，我还得还五百两黄金回去。”

她既然能神不知鬼不觉出现在王明寅这种绝世高手身后，自然能够在说话间就一掌拍在世子殿下太阳穴，可怜徐凤年头颅一震，侧飞出去，滚倒了一大片芦苇。

徐凤年已经七窍流血，却还是以刀拄地，站起了身。

“呵，你这命果然值一千两黄金。我做生意，向来是先拿一半定金，出手不出手得看我心情，心情好，拿到手另外一半定金就开始杀人，心情不好，就杀了付我定金的人，所以我出道这些年，做成的生意没有几笔，襄樊城里那位，胆子不小。我心情好，就答应他杀了你后，再去杀一个叫裴南苇的女人，是不是她？”

她不管说什么，总是板着一张清秀的脸。话一说完，徐凤年已经再次被她击倒，她谈不上使用任何招式，从不拖泥带水，从来都是一招便见效。

靖安王妃脸色凄然。

少女缓缓前行，走向单膝跪地的世子殿下，轻声道：“徐凤年，你是在等北凉王府的暗中死士吗？告诉你呀，没了。”

徐凤年用手背擦了擦嘴角血迹，冷然笑道：“没在等。靠谁都不如靠己。”

站起身后，徐凤年右手正握绣冬刀。

左手反手春雷。

姿势古怪绝伦。

少女头一回露出凝重表情。

剑一。

一剑走龙蛇。

剑二。

双剑交相呼应。

剑三。

剑上剑气重三斤。

直至剑八。

剑九一剑六千里。

世间还有谁比徐凤年更精研剑九老黄的九剑?

尤其是那剑九!

他身临必死境地，以双刀入剑，芦苇荡中竟是剑意凛然。

尤其是那最后有汹涌大黄庭支撑的剑九，更是让双刀隐隐生出一股明黄剑气。

少女挡下只有七八分形似却唯有四五分神似的剑一至剑八，并不吃力，唯独那剑九，形似才二三，神似却八九，终于身形消弭而退。

老剑神李淳罡急急踏着芦苇而来。

看到最后一剑，立于芦苇丛顶，飘飘欲仙，啧啧赞道："一剑成就大道，任你万般技巧，皆是土鸡瓦狗。"

第八章 芦苇荡悍然收刀，马车内命悬一线

老人转头望向少女，喃喃道：『为了一根钗子，值得吗？』

少女还是嗯了一声。

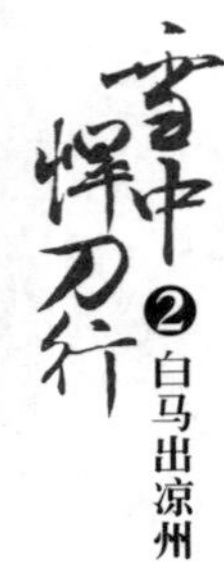

徐凤年怔怔站在水畔，依然保持正提绣冬反握春雷的古怪姿势。

老剑神并未出声，确认那名少女杀手远退后才从芦苇丛尖上飘落下来，武道修行，大多数人都是循序渐进，厚积薄发，甚至逆水行舟不进则退。就如李淳罡自身，便是例子，剑道登峰以后遭遇一系列波折，心思不定，非但未跨过那道门槛，反而跌入凡尘，与陆地神仙境界愈行愈远。但有些天才，却能在莫大机缘下跃境而涨，百年来前有齐玄帧，后有一步天象的武当新掌教和烂陀山女法王，这几朵奇葩大多都是求一个虚无缥缈的无上天道，抓住便成龙，抓不住一辈子都寂寂无名，不可以常理揣度。稍次的天才则如吴六鼎之流，以战养战，孕育境界。眼前这位世子殿下，大体与吴家剑冠相似，属于破而后立。只是瞬间晋升的境界如暗室点烛，刹那光亮，稍纵即逝，不能长明，至于事后能领悟几分玄意，还得看造化与天赋，连惊才绝艳如李淳罡都逃不脱这个窠臼，偶尔迸出神仙一剑又如何，便是陆地神仙了？早呢，在老剑神看来，除去那个被倒霉刺杀的王明寅，剩余当世九大在榜的顶尖高手，恐怕只有王仙芝入了陆地神仙境界，邓太阿大概与他当年初上龙虎山时的巅峰相差无几，仍然离那人间仙人差了一毫，看似一毫，说不定就是千里距离，武道一途，实在是没有尽头可言。

徐凤年悠悠吐出一口气，命悬一线的血战过后竟没有丝毫疲惫，大黄庭委实是妙不可言。他转身去搀扶起魏叔阳，九斗米老道人满面愧疚，各有负伤的舒羞与杨青风各有分工，舒羞紧跟其后，杨青风留下来处理吕钱塘的后事。老剑神脚踏芦苇率先离去，自在逍遥，看得裴南苇又是一阵目眩神摇，今日波折，几乎颠覆了这位靖安王妃三十年安稳生活。羊皮裘老头儿的卓绝剑术，百丈青蛇恢宏无比，凤字营轻骑面对庄稼汉子不退死战，两名将军更是身先士卒，再是那青衣女婢一杆红枪出神入化，拼死救主。看似金刚不败的庄稼汉子被一名古怪少女以手作刀一击毙命，官道与芦苇荡中，行径荒唐的北凉王世子殿下则两番悍然出刀，哪里是外界传言的草包纨绔？分明杀人退敌熟稔得很。

裴南苇走在徐凤年身后，轻声道：“终于知道赵衡为何不择手段来杀你。”

见魏叔阳实在无法行走，干脆轻柔背起老道的徐凤年语调冷漠道：“裴王妃，本世子正在思量如何处置你，所以劝你少说话。既然赵衡无所谓你的生死，我不介意地上多一颗脑袋，反正今天死的人够多了。赵衡说送侄千里，结果让王明寅来送行，侄子若是送一颗靖安王妃的头颅回去，相信靖安王叔会很感动。”

裴南苇当下噤若寒蝉。

徐凤年突然语气柔和了几分，却不是靖安王妃有这份待遇，而是轻声询问一名地位与裴南苇差了十万八千里的扈从：“舒羞，你如果想要离去，我不会拦你，而且徐骁那边我替你解释。”

舒羞似乎完全没料到凉薄深沉的世子殿下会有这么一席开诚布公的言语，愣了片刻，望着那衣袍上沾了许多尘埃与鲜血的背影，柔声道：“殿下，以后还会有此等九死一生的战况吗？”

徐凤年抬头看了眼天色，点头道：“不一定，如果有的话，多半比今日更加凶险。你若今日不走，我还会毫不犹豫将你当作可以任意舍弃的棋子。”

舒羞嗯了一声。微风拂面，传来一阵淡淡的芦苇清香，爱美的舒羞伸出手指去抚平额头纷飞而乱的青丝，与世子殿下一起望着天空，笑道：“不走的话，能有好处吗？殿下也清楚，舒羞就是这般市侩的人。”

出乎意料的徐凤年停下脚步，转头笑道：“早知道你觊觎本世子身体已久，可这事儿，真不能一口答应呀。”

身负重伤却神志清醒的魏叔阳伸手抚须，笑而不语。被揭穿心底旖旎秘密的舒羞听到这话，俏脸一红，然后瞬间就笑出了眼泪。徐凤年看着眼前妩媚风情的女子，微笑道：“舒羞，你其实很好看，真的。”

舒羞难得有胆量打趣道：“整个北凉都知道世子殿下床下说话，从来都是真的。”

徐凤年走在绿意盎然的小径上，时不时伸手拨开凌乱倾斜的芦苇，“真不走？”

舒羞笑道：“在想。”

徐凤年犹豫了一下，说道：“走的话，要银子给银子，要秘籍给秘籍。不走的话，舒羞，我问你，想不想做一回王妃？”

舒羞心头一震，小心问道：“王妃？”

徐凤年点头道：“靖安王妃。”

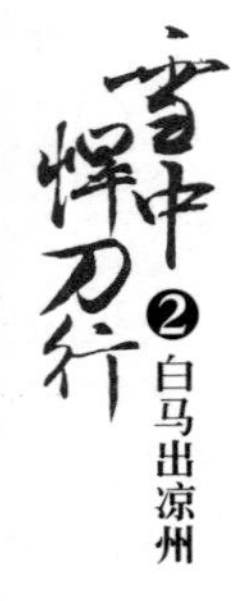

舒羞试探性说道："王妃这般倾国倾城的姿容，易容假扮仍是很难的。"

徐凤年嗯了一声，这才刚勾起舒羞一肚子如芦苇荡旺盛生长的好奇，便无下文，同时简直是视靖安王妃裴南苇如无物。

魏叔阳觉得被世子殿下背着不成体统，说道："殿下，老道可以自己走的。"

徐凤年哈哈笑道："无妨无妨，小时候总让魏爷爷在听潮亭里背上背下，这回该轮到我了。"

魏叔阳叹气一声，笑意沧桑。

裴南苇与舒羞各怀心思，安静地走在一老一小身后。

风起风落，芦苇飘摇，终于走到了小径尾端。

坑洼不成样子的官道上，充沛着一股无言的肃杀气，徐凤年先将魏叔阳安置在一辆马车上，前一辆躺着生死未卜的青鸟，不过看到李淳罡神情悠哉的样子，徐凤年松了口气，吩咐舒羞带人将几具符将红甲的甲胄小心收集起来，最后走到王明寅尸体身边蹲下。对于这名天下有数的拔尖武夫，以前只是听徐骁提及襄樊攻守战的一笔几句言语带过，王明寅虽是襄樊儒将王明阳的亲弟弟，对于春秋国战却有着不俗的深刻见解，当年曾力劝王明阳弃城一同隐居，只是那位上阴兵家一心杀身求仁舍生取义，王明寅只得旁观至落幕，故而他对徐骁并未有什么深仇大恨，只是留下一句不许徐家人入襄樊的誓言。今日按约而至，不承想没有取走北凉王世子的头颅，反而被本该是盟友的杀手偷袭一刺，天下第十一，便成空缺，江湖中不知多少武夫开始为此蠢蠢欲动。徐凤年捡起那柄金黄色软剑，细细打量，大戟宁峨眉安静地站在身后，徐凤年将软剑放在王明寅身上问道："宁将军，右臂如何了？"

宁峨眉单膝跪地，低头沉声说道："不碍事。只是属下无能，差点耽误了殿下大事，求殿下责罚！"

徐凤年起身望向远处马蹄溅起的尘烟，摇头笑道："责罚不责罚，以后再说，你让人在芦苇荡厚葬了王明寅，好歹是天下第十一的高手，如果担心凤字营心里有疙瘩，你稍后让舒羞与杨青风来做。"

宁峨眉摇头道："凤字营对殿下唯命是从！"

徐凤年吹了一声口哨，坐骑狂奔而来，徐凤年一跃而上，经过李淳罡与姜泥所在马车时，拿过了那杆刹那枪。随后提枪策马来到几十轻骑身前，冷声道：“抽刀！”

那几十骁骑瞬间齐齐抽刀，与世子殿下一同面对官道上的雷鸣马蹄，听声音，是不下六百数目的青州重甲骑兵。

八十北凉轻骑对上了六百青州重骑。对面依稀可见森寒剑戟乌黑重甲拥簇下，为首是一位身穿大黄蟒袍的男子，身边一位雄壮猛将身披厚重大甲，手中一根银白梨花枪，配以红缨，模样威武。武将似乎与蟒袍男人说了几句，单骑纵马前来，徐凤年二话不说，提枪前冲，相距百步时，那名青州武将好似感受到来人的杀气腾腾，压下轻敌心思，皱眉应对，自恃一枪便可将眼前华服公子哥挑翻马下，若非靖安王叮嘱不可伤人，他都要忍不住替青州军卒儿郎们好生教训一顿这名北凉王世子。

五十步时，武将见这家伙来势更加迅猛，丝毫没有对话的意图，一时间生出怒气，不知好歹的东西！

手腕一抖，持枪对峙而冲，红缨旋转，随即舞出一个漂亮的枪花，让身后青州骑兵一阵喝彩叫好。

两骑刹那间碰面。

银白梨花枪被这皮囊一等俊逸的公子哥单手轻描淡写拨开，手中猩红诡异的长枪闪电一刺，瞬间破甲，长枪弯出一个惊艳的弧度，硬生生抵住那壮硕武将的胸口！两骑侧身而过时，那名胸口铁甲碎裂的武将竟被一枪击飞，坠落在官道上。白马红枪的公子哥提枪再刺，直接将这名武将刺死当场，头颅尽裂。缓速的白马悠闲转了一圈，再次面朝六百青州精锐骑兵，手提长枪的公子哥轻轻一抖，在地上甩出一串醒目血珠，望向一身蟒袍的阴沉男子，笑道：“靖安王叔，看这排场，是真的要给小侄送行千里吗？”

那公子哥锦衣华服白马红枪，阵前杀人后仍是谈笑自若，看得六百青州重骑心颤不已。

要知那名被刺于马下的将军可是襄樊战力前三甲的猛士，却不料一照面便被一枪毙命，况且他身前马匹上坐着的是堂堂靖安王，六大藩王中仅排在燕刺、广陵两王之后，这位北凉王世子不管家世如何煊赫，终究是小辈，更不在北凉地盘上，怎么就敢如此放肆，当面拂逆被襄樊百姓视作神

明的靖安王？

一时间这嫡系六百甲群情激愤，只需身穿蟒袍的主子一声令下就要冲杀碾压过去，莫说你是北凉王世子，便是北凉王在此又如何？真当天下骑兵都是绣花枕头不成？北凉号称三十万铁骑甲天下，青州第一个不服！

靖安王身穿一件江牙海水五爪坐龙黄蟒袍，颜色尊贵，比较蓝白双色都要高出一筹，更是位列一等，仅就蟒袍而言，确是比广陵王都要高出半级品秩，可见皇帝陛下对这个当年一同参与夺嫡的兄弟十分优待，甚至有些破格了。靖安王此番出场，终于没有手挂念珠，与那越年老越肥胖以至于穿上蟒袍略显臃肿的广陵王不同，赵衡身穿这一袭蟒袍，十分熨帖合身。

他缓缓抬手向后一挥，六百重骑瞬间整齐后撤，阵形毫无凝滞，分明战阵熟谙，等重骑撤出五十步，赵衡轻夹胯下一匹产自西域的汗血宝马的马腹，慢慢前行，无视那具尸体与一杆才染血的红枪，平静道："八十轻骑不管如何骁勇善战，都挡不下六百青州铁骑。"

"确实挡不下，但八十骑换两百条命还是做得到。"徐凤年不以为意道，眯眼盯着这位处心积虑要自己下黄泉的靖安王叔。

襄樊城内，相互试探，可以谈笑风生，到了这里已是撕破脸皮。徐凤年身陷绝境，戾气十足，尤其是骤然消化不少大黄庭后，原本可以压抑住的戾气被扩大无数倍，这才有了提刹那枪杀死青州将军的狠辣。

但徐凤年对兵事并非一窍不通，更不会狂妄无知到以八十骑死战就可胜了青州六百甲，只不过输人不输阵，再者今日芦苇荡外一战，军旅甲胄只是锦上添花，注定无法影响大局，所以靖安王率兵而来，等于上了一份让他收买轻骑人心的大礼，徐凤年乐得接受。他早就与鱼幼薇说过要得人心，施与小恩小惠根本不济事，因此便是在江上被吴六鼎一竿翻船后救人，徐凤年都没有真的以为就成功掳获了大戟宁峨眉等一百骑的忠心。

北凉号称三十万铁骑，自然不是三十万兵马皆是马上控弦之士，真正的骑兵才占三分之一，精锐铁骑又只占三分之一，凤字营八百白马义从无疑是佼佼者，甲士越是武力出众，则越是难以被平庸将领驯服，徐骁"大逆不道"拨出一百骑给儿子随行，除了台面上的排场与护驾，其中未必没有考较的意味，若是这一百骑都驾驭不住，日后如何去面对三十万新老悍卒？不止是徐骁，只要是一个枝繁叶茂的大家族，对于家中那些个继承人都有持续不断的审视权衡，更不要说生于皇宫的天潢贵胄们，便是有朝一日终于当上了储君也不是就一劳永逸了。

赵衡轻轻一笑，不置可否，脸上没了故作亲近的和颜悦色，这位藩王的上位者气势终于一览无余。

皇室宗亲，本就更多担负天下气运。世人智者所谓的一遇风云便成龙，并非空玄妄言。儒家重养气，道门真人有寻龙望气的本领，只是得先天龙脉龙气者未必都能乘风云而起，大多被后天种种际遇所禁锢，导致昏聩晦暗。成事在天谋事在人，这便是说天道与人道两途的妙义，至于先贤的人定胜天一说，往往被人曲解，其实本意该是人众胜天才对。

阵前，赵衡平淡问道："王明寅死了？"

徐凤年点了点头，笑道："这位天下第十一名不虚传，幸好小侄身边有会两袖青蛇的李淳罡。"

暗中提醒这位藩王八十北凉轻骑是挡不下六百青州铁骑，可还有一位不可以常理揣度的老剑神。

赵衡对此似乎并不意外，王明寅本就是死士，哪怕成功刺杀徐凤年，赵衡也不允许他脱局而出，王明寅答应赶来襄樊的那一刻起，就注定他了的命运。这也是江湖高人寻常不愿涉足庙堂争斗的根源所在，终归是敌不过军队的剑戟大网，百人敌千人敌又如何？西蜀那名皇叔被誉作当世剑圣，也在北凉铁蹄下剑断人亡，被不计其数的兵马硬生生耗死，尸体被马匹践踏而过，一摊肉泥，连死法都如此不堪。与其被当作一条走狗提着脑袋博富贵，还不如在江湖逍遥做一尾游鱼来得逍遥自在。

徐凤年笑道："王明寅来襄樊不奇怪，倒是一名骑大猫的小姑娘让小侄很惊喜啊，他乡遇故知，倒要感谢王叔的千两黄金大手笔了。若非王叔一掷千金，小侄哪能见识到她的庐山真面目？呵呵。"

徐凤年情不自禁学那少女杀手呵呵一笑。

赵衡听闻此语，终于悄悄叹息，只是不见脸色阴霾，反而豁然开朗，他赵衡若是输不起的人，如何能活到今日？再说这回输了芦苇荡一战，庙堂那边暗战却是不输反胜了，世上就准许眼前这后辈一人韬光养晦了？赵衡哂然笑道："凤年，是否从此便记恨下了王叔？"

徐凤年不承想赵衡会这般袒露问话，一时间沉默不语，眼前马背上的

人物是徐骁那一辈的翘楚，虽说与当今陛下争夺天下输在前，又在春秋国战中被徐骁压了一头输在后，可论心机，徐凤年还没有自负到可以与其并肩，若非这样，徐凤年也不至于当日在瘦羊湖湖畔客栈一席谈话便湿透衣襟后背。今日赵衡一环接一环毒辣计谋迭出，尤其是连爱妻王妃都可抛弃的魄力，简直就是可怕！徐凤年不说话，赵衡也不计较，一副云淡风轻的姿态。徐凤年半真半假，哈哈轻声笑道："如果王叔再无临别赠礼，小侄自不敢记恨长辈，就当是得了千金难买的教训，以后再不敢小觑北凉以外的英雄好汉了。"

抓住缰绳的赵衡下意识拇指食指摩挲捏转，淡然道："不凑巧，本王还真有两件小赠礼。"

心头一跳的徐凤年狭长丹凤眸子中戾气暴起，冷笑道："既然王叔要送，小侄没有不接的道理！"

好大的口气！

赵衡忍不住一叹，不知为何想起了自家的嫡长子赵珣，论韬略才智与心思缜密，两名年龄相差不多的世子并无明显的高下，只是就气魄胆识而言，赵珣却要差了太多。不过这怨不得珣儿，他自小长在靖安王府，受困于条框烦琐的藩王法例，没有多少真正历练的机会，而自己这二十几年蜗在襄樊一城，许多道理言传不如身教，因此珣儿只继承了阴柔一面，战场杀伐带来的阳刚猛烈却差了火候，这等枭雄胸襟，却不是杀几个仆役就能养育出来的。这徐凤年，长得半点不似徐瘸子，但手腕心性却十得八九了，换作别人的孩子，谁敢堂而皇之阵前杀人？赵衡清楚察觉到徐凤年不惜玉石俱焚的浓烈杀机，一笑置之，弯腰从马背上解下一只长条锦绣包裹，入手微凉，寒意刺破肌肤，赵衡微笑道："这只剑匣里头有半截古剑与一本刀谱，都是本王从武帝城求来的，凤年你练刀，刀谱用得上，至于古剑，不妨直说，本意是为你送行后，赠予李老剑神的。"

徐凤年震惊地问道："半柄木马牛？"

靖安王仰天笑道："不错。"

赵衡继而直直望向徐凤年，第一次不掩饰他的杀意，冷声道："你信不信本王是当今世上唯一请得动那位陆地神仙离开武帝城的人？"

徐凤年手中那一杆刹那本来朝下的枪尖微微上提了几分，笑道："信！"

赵衡的杀气转瞬即逝，神情归于平静祥和，竟有几分英雄末路的落寞，将剑匣一挥抛出，丢给徐凤年，掉转马头，语气平静道："刀谱是那人存世的唯一一部秘籍，秘籍无名，但那人一生摧败顶尖剑士无数，这部刀谱的轻重可想而知。徐凤年，以后赵珣若是有机会离开青州，不管是去北凉，还是回去那座城，希望你别忘了今日小小赠礼。我也好，徐骁也罢，到底是老人了。以后肯定要由你们上台来翻云覆雨，我与你父亲的恩怨，到今日为止算是了结干净。需知做人逆势如饮酒，顺势却如倒茶，对不对？"

徐凤年伸手接过装有半截木马牛的剑匣，抱在怀中，没有言语。

大黄蟒袍的靖安王一骑绝尘而去。

徐凤年则默然掉转马头，提枪抱匣而返。

八十骑个个眼神炙热，马阵立即让开正中一条小径。

一骑穿过的徐凤年轻声道："收刀。"

自始至终，靖安王赵衡都没有提及王妃裴南苇。

果真是王侯寡情比纸薄。

徐凤年下马后，临近北凉轻骑尸体与伤员附近，将刹那枪插在道路上，走到一名被将领袁猛亲手包扎伤口的年轻骑兵身边，蹲下去，接过袁猛的活。所有轻骑都分明看出世子殿下动作娴熟，尤其当他低下头咬住布结，将其咬结实了，便是大戟宁峨眉都动容。世子殿下的秉性，他们一路行来也算有些了解，鬼门关水势湍急中涉险救人，但此后在船上始终不曾与谁客套近乎，后来与青州水师一战，身先士卒，可有半点退缩，折了北凉军锐气？连那靖安王世子都给丢下水去做一条落水狗，谁敢再说当初他若在场定要将那顾剑棠旧部的东禁副都尉挂在颍椽城头是一句空话？

今日且不说霸气出刀自救，凤字营惊鸿一瞥，已觉刀法惊艳，就说刚才亲率八十骑面对六百重骑，更一枪挑翻并刺死了那名膂力不俗的青州猛将！

战前只说"抽刀"二字，战后只说"收刀"二字，这份气度，何等相似北凉王！

还有此时，沉默着给身份差了十万八千里的小小骑卒包扎伤口，又何曾矫情废话半句了！

徐凤年起身前，对那名眼睛通红的骑卒轻轻道："我知道你名字，叫王冲，我在春神湖上船头练刀时，是你守的夜。"

徐凤年停顿了一下，道："当时与你一同值夜的叫林衡，战死了，是被王明寅用大戟刺死的，记得当时在船头他与你悄悄争执，林衡难得替我说了好话，说我练刀不是花架子，可惜死了。"

徐凤年起身后，抽出刹那枪，走向马车，平淡道："希望别再死了。"

九十余白马义从，不管受伤与否，齐齐下跪，沉声道："凤字营愿为世子殿下死战！不退！"

远处，靖安王妃裴南苇脸色泛白，眼神复杂。

芦苇荡中的零星村舍边上，老者起身离去，手里抓了一把到处可取的小草用作揲筮，这是失传的上古占卜，筮草随手可得，到处可摘，可却不是谁都可以揲筮窥天机，故而包括龟甲在内的上古八揲，以揲筮入门最易得道最难。老儒生模样的老人看似漫不经心地一撕再撕，筮草丢了一地，走出芦苇荡，凑巧不凑巧便撞上了从另一处穿出茂密芦苇的年轻人，身后跟着一具宛如天兵的符将红甲，手持巨剑，气势凌人。

那年轻人不恼不喜，只是喃喃自语些什么，见到老人后起始并非戒备，而是生怕身后傀儡惊吓到无关人等。他细细打量老者一番，松口气，灿烂笑了笑，露出一口洁白牙齿，显得格外人畜无害，停下脚步，显然是要让老人先行，是否爱幼不好说，尊老却是十足。老人好似也没有放在心上，擦肩而过的时候，轻声说道："赵楷，你娘亲是否告诉你她生下你前，曾做梦天开数丈，四位天人捧日而至？你别不信，你诞生时，老夫亲眼所见夜出红日赤光绕室。至于你六岁时所斩白蛇，被传是白帝幼子，倒是假的，不过是为了应验钦天监赤帝斩白龙的说法，是老夫故意逗弄南怀瑜那老笨蛋的。"

赵楷张大嘴巴呆若木鸡，然后小跑起来跟在老儒生身后，笑嘻嘻问道："老先生，你与我娘亲认识？"

老人轻笑打趣道："放心，我不是你外公。"

赵楷哭笑不得，挥手让符将红甲中可一甲完败四甲的金甲隐匿起来，半点不怕身份神秘至极的老人心怀叵测，舰着脸说道："是外公才好。老先生，要不你给我说说我娘亲的往事呗？"

老人脚步不停，摇头道："尽是些悲事惨事负心人，有啥可说有啥可听的。故事故事，便是故去的事情了，多说无益。"

赵楷溜须拍马道："嘿，老先生果真有大学问，难怪南监正都要被骗。故事这个解释，当真是妙趣横生！"

老人笑骂道："你这小子，到今天还不知道南怀瑜是姓南怀而非南吗，亏得那老家伙还恨不得把孙女都送给你。"

赵楷啊了一声，汗颜道："小子真不知道老监正姓南怀啊，还有这样古怪的复姓？"

老人摆摆手不客气道："离老夫远点，你小子身上那股子气太盛，别害得老夫以后无法下棋。这二十年来，论天下气运，也就只有一个姓姜的小丫头能力压你一头了。"

赵楷仍是没半点心眼的作态，死皮赖脸跟在老人身后，就跟在路上捡到了宝一样。

老人回头望了一眼，说道："赵家出了你这么个小子，也算运道不衰，方才老夫在芦苇荡里头与一个小女娃娃说了些话，你这就去十里外的鲤鱼观音庙，晚些时候她会单身而往，若是被她看见芦苇荡中火光，你务必要拉住。此女有女子三十六品中第二等殊贵的幼凤命格，你可以当个小媳妇养在身边。再有便是庙中会有西域小观音一尊与你相逢，你接连失了四尊符将红甲，若是得了她相助，无异于四十尊红甲。她与几人都是十年后江湖上最拔尖的人物，先前百年才得以出两三位陆地神仙，这一百年倒是奇怪，容老夫掐指算算，四五六，七位，最少七，再加上你的那个宿敌，说不定是八，啧啧，千年罕见的热闹景象啊。这一切，皆是拜两人所赐，其中一人远在北莽天边，另一人近在眼前，就是你了。赵楷，你没白投这个胎。那北凉王世子，如何才能胜出？老夫很是好奇。"

一直仿佛没心没肺的年轻人笑着问道："老先生，难道天下还要再乱，比春秋国战还要更乱？"

是胡言乱语，还是一语中的？

老人却只是轻淡斜瞥了一眼，"老夫说是便是，说不是便不是了，你就不会自己去等？"

赵楷苦着脸道："就怕活不到那一天嘛。"

老人嗤笑道："你这家伙倒是俗气得有趣。"

一路小跑着的赵楷挠头道："不有趣不有趣，小时候穷惯了，胆小而

已。但小子看老先生龙行虎步，实在高人！”

老人正想说什么，赵楷就看到惊人的一幕，刚被他称赞龙行虎步走路极有风采的老先生就被一个扛着向日葵的少女，以一记势大力沉的鞭腿击飞出去。所幸老先生只是拍了拍身上尘土便安然无恙站起身，估摸着是没脸皮再在赵楷面前谈天论地，便加快步子前行。而更荒诞的画面出现了，一只大猫跳出芦苇荡，跟在少女身后，与老先生一起消失在视野中。驻足不前的赵楷由衷感慨道：“老先生这一摔都能摔出神仙风范来，佩服！”

赵楷思索片刻，真去寻那一座鲤鱼观音庙。

那边，赵楷心目中的老神仙语重心长说道：“闺女啊，以后在外人面前给老夫一点颜面好不好，老夫将生平所学中最保命的武学尽数传授给你，不求你以后给老夫养老送终，好歹见面了给个笑脸不是？”

肩上扛着一株向日葵身后跟着一头魁梧大猫的少女犹豫了一下，很认真地板着脸挤出一个生硬笑脸。

老人无奈道：“罢了罢了。”

接下来都是老人的自说自话，有问没答，“早跟你说那北凉王世子不好杀，偏偏不信，这下失手了吧，接下来你再找机会就难了。”

“靖安王那边，你就别找他的晦气了，赵衡还是有点本事与气运的。王老怪此生无子嗣，当年与先皇约定，只认了赵衡这么半个义子。”

“不出所料的话，接下来的江湖便如前百年的士林一般群贤蔚起竞长争雄，再难如老夫和王老怪那样各自鹤立鸡群一切俯视之了。今天是王明寅被你所杀，接下来你还有的是机会。不过老夫先跟你说好，一品四境，那几个有望踏入陆地神仙境界的家伙，你别急着出手，一来怕你杀不掉，二来更怕你杀了让江湖了无生趣。别跟老夫呵呵，不许假装笑声，老夫听着瘆得慌。闺女你想啊，等他们成了天下人眼中的神仙人物，你再杀之，岂不是最好？”

“方才这姓赵的小子，尤其杀不得，否则就浪费了老夫当年辛苦抓条白蛇放在他面前的心思啦。至于那幼凤命格一说，老夫唬人呢，天底下哪来那么多机缘巧合。满大街都是的话，也太不值钱了。”

“唉，老夫此生也就拿你这闺女没辙，谁让你长得像老夫当年早夭的女儿呢。”

老人一叹再叹，问道："对了，现在还喜欢收藏钗子吗？"

不杀人时总给人娇憨感觉的少女扛着向日葵，总算大发慈悲嗯了一声。

老人破天荒露出一脸无奈。

他是谁？

吾以三寸之舌杀三百万人！与人屠徐骁和人猫韩貂寺并称当世三大魔头！

兵、儒、释、道、剑、棋、书、画、茶、诗等春秋十四圣，我独霸三甲。

老头儿看了眼晴朗天空，眯眼没来由地说道："要打雷了。"

少女踮起脚尖，拿那向日葵遮在老人头顶，呵呵一笑。

老人开怀笑道："滚滚天雷，劈得死齐玄帧，都劈不死老夫。闺女啊，与你说个秘密，老夫真是神仙。"

翻脸不认人的少女一脚将老人踹翻在地。

老人这回约莫是没有外人在场，不急于起身，坐在泥土上，自言自语道："当年我父曾言人皆养子望聪明，我被聪明误一生，惟愿孩儿愚且鲁，无灾无难到公卿。这话那人屠怎就不明白，以他当今成就，若是生个中规中矩的嫡长子，可保数代富贵安稳，这般便宜好事都不要，非要教出一个斗魁来做乱世的魔头，连累徐瘸子自己到老都要奔波劳碌，没有半天享福时光，何苦来哉！不过念在因为你儿子才让老夫碰见了闺女，这些年也就没给你下什么大绊子，不过你既然已经到手了世袭罔替，以后就让你儿子自求多福吧，老夫倒是要看看他如何能斗得过江湖庙堂和整个天下。"

老人转头望向少女，喃喃道："为了一根钗子，值得吗？"

少女还是嗯了一声。

老人摇头又点头道："这世道人命比钗轻，对也不对。"

老人起身缓缓道："走吧，过会儿青州骑兵就要借剿匪的名头大开杀戒，这片芦苇荡明年依旧茂盛，可那百来人命却是都没了。"

徐骁只带着几名北凉扈从便出了下马嵬驿馆，轻车简从。伏天时分，京城燥热无比，蝉鸣聒噪得让人心烦，房顶空气里颤动着似雾非雾的白气，路上更是烫人脚板。富家翁装扮的徐骁走走停停，歇脚时在一个小摊子要了一碗豆腐，小瓷碗沁凉沁凉，端在手心有些舒畅，京城的小吃都如这碗杏仁豆腐差不多，讲究口味纯正，泾渭分明，凉的就要冰凉，恨不得带冰凌子，热的得是滚烫，绝不能温暾。

背微驼的徐骁坐在摊子前，与那些个靠几文钱一大碗冰镇杏仁豆腐解暑的京城百姓坐在一起，相当不起眼。徐骁拿着勺子，从瓷碗中刮出一小块半透明的漂亮豆腐，放入嘴中，尝着地道味道，微微一笑。这杏仁豆腐不看贵贱，并非富人家里往豆腐里头多浇放了桂花糖水便更好吃，还得能尝出一点若隐若现的苦意，这才合了古训“夏多苦”。徐骁要了两碗，一点不剩都吃完了，起身结账付了五文钱。

三文一碗，两碗五文。

徐骁继续前行，走了足足一个时辰，直到能望见钦天监所辖的司天台才停脚，这二十年他这位王朝中唯一的异姓王进京次数屈指可数，但没有一次来过这为皇帝观天象、颁历法的钦天监。

门口有禁卫重兵把守，闲杂人等别说进入，便是靠近都要被拘禁拷问。徐骁身后有枪仙王绣师弟在内的三名扈从，加上他本人临近钦天监后气势陡然一涨，那些禁卫竟是一时间都不敢上前放肆，直到徐骁离门不过十步，才有禁卫默默横矛。无须徐骁说话，当世最顶尖的枪法大家刘偃兵便怒喝道：“大胆！”

在刘偃兵面前持枪矛，实在是个笑话，而挡下可以佩剑上殿的北凉王，当然更是个笑话。

只不过禁卫职责所在，加上天子脚下，钦天监禁卫习惯了来访人士的毕恭毕敬，被呵斥后仍是持矛屹然不动，更有禁卫缓缓抽刀，钦天监是王朝重地，便是卿相豪门里的大人物，也不敢擅闯！

一队与徐骁一样轻车简从的访客中走出一位相貌平平的少妇模样女子，温言道：“不可对北凉王无礼。”

禁卫瞧清楚了这少妇面容后，再不敢多看一眼，瞬间悉数跪地，刚要张嘴喊话，那女子便轻声道：“免了。”

徐骁转头看了看，微微惊讶，大概是本就驼背，也看不出弯腰鞠躬与否，淡淡说道：“徐骁恭迎皇后。”

不但如此，徐骁再不去看这母仪天下整个王朝可谓是最身份尊贵的女子，只是斜了视线去瞧一名年轻女子，鼻尖上有些可爱雀斑，露出笑脸道："隋珠公主咋一下子变成大姑娘家家了，记得上回见到还是个扎辮子的小妮子呢。"

这位公主貌似对徐骁并不陌生，做了个俏皮鬼脸，上前几步，拉住徐骁的手，轻声道："徐伯伯，还记得上回你带小雅去吃杏仁豆腐吗，我回宫后让御膳房做啦，可都没那个味儿，想出宫再找，可惜没徐伯伯领路就找不着，那会儿都哭惨了！"

徐骁哈哈大笑，故意呼出一口气，"闻闻，刚尝了两碗，是不是都是杏仁豆腐味？"

隋珠公主捏住鼻子，哼哼道："不好闻，徐伯伯骗人！"

徐骁对一旁那位王朝里最负盛名的女子的态度不可谓不平淡唐突，可好像对眼前出了名顽劣的小公主却十分亲昵，以徐骁的地位，喜欢便是喜欢，不喜欢骂你都算轻的，还得有点资历才可以被这人屠骂上几句，何须故作姿态？徐骁此生，当面骂过当朝首辅张巨鹿的恩师老首辅，骂过顾剑棠大将军，骂过淮南王，更打过靖安王。至于这趟入京，被他在殿外拿刀鞘打得半死的那位官员，虽说至今还躺在病榻上半死不活，可这清誉声名却在王朝扶摇直上，都夸赞说是国之股肱忠臣，要知道先前那家伙还被京师清流以及太学三万学子指摘作风不正，这会儿倒是异口同声大夸特夸了，可见能被北凉王兼大柱国的徐骁打骂上一顿，只要不死，都保本不说，甚至还能大赚一笔。

徐骁让皇后先行进入钦天监，拉着隋珠公主后行，抬头瞥了眼"通幽佳境"的御赐牌匾，嘲笑道："通个屁幽！"

走在前头的皇后隐约皱眉，但脸上也只是微微一笑。

挽着徐骁手臂的隋珠公主却是使劲点头附和道："佳个屁境！"

徐骁笑眯眯道："还是小雅对伯伯的胃口，这段日子天天对着一帮碍眼的家伙，为了不去看他们，害得伯伯眼睛都不知道搁在哪里。"

唯恐天下不乱的隋珠公主嘿嘿一笑，做了个抹脖子的乖张手势，也不知道跟谁学的，轻声道："徐伯伯把他们都咔嚓了才大快人心。"

徐骁叹气道："可惜了，要有你这么个儿媳妇就好，回去伯伯一定要把凤年吊起来鞭打替小雅出气。这小子没福气不说，还在武当山上惹恼了小

雅，该打！”

公主嗯嗯道：“既然伯伯都这么说了，不管真打假打，小雅就不跟那家伙一般见识啦。”

徐骁语重心长道：“小雅，别跟凤年这家伙一般见识就对了，下次再去北凉那边玩耍，可千万别再不去王府了，不差那几脚力气嘛，顺便让凤年带你看万鲤翻滚的景象，好看得很。小雅啊，凤年名中有凤，你名字中有风，这缘分不小。”

隋珠公主赵风雅嘻嘻一笑。

皇后并未领着徐骁去钦天监里官员扎堆的通天台，而是去了社稷坛，铺有东青、南红、西白、北黑、中黄五色土，如今这类珍惜贡土都出自广陵王辖内，广陵王被王朝上下贬斥贪得无厌是一只活饕餮，唯独这土，却是小半捧都不敢私占。

皇后轻声唤了一声，“雅儿。”

隋珠公主这般岁数了都敢嚷着让皇帝陛下做牛做马跪在地上背她，而据说那位九五之尊则只能苦着脸向女儿求饶，只是到了亲生母后这边，才显得乖巧，立即松开徐大柱国的手臂，不敢造次地轻轻离去，嘴上说是去通天台内跟南怀监正请教学问了。

皇后望向并不高的社稷坛，语气平缓道：“这些年雅儿始终都牢记大将军的叮嘱，在房间里喜欢光脚行走，也常吃粗粮，身体比年幼时确实好多了。”

徐骁双手负于背后，平静说道：“什么天气下降地气升腾、什么收尽大地浩气这些鬼话，都是钦天监这帮无用酸儒说的，徐骁只知道光脚的不怕穿鞋的。我家子女从小便都是这般养大，才能至今活蹦乱跳。”

皇后不以为意，不知是不是真听不懂这话中话，只是转移话题，轻声说道：“江南道的事情，我听说了。写《女诫》的那一位，已经被陛下送到长春宫。”

徐骁没有出声。

长春宫，说是长春，其实却是本朝的冷宫。对于宫内嫔妃而言，已是天底下最可怕的监牢。

这位执掌半座皇宫的女子仍是丝毫喜怒不露于形的冷清模样，王朝百姓只知她的温良贤淑，豪门世族才能知晓她的厉害。

徐骁转头望向通天台，冷哼一声，“让小雅去那里，是怕我对当年还只是个小小从八品掣壶正的南怀瑜动手吗？徐骁今日可没带刀，皇后多虑了。”

皇后悄然不作声，似乎默认。

徐骁转身，径直走向通天台。

她没有转身也没有转头，仍是望向社稷坛高处，但言语终于多了一丝烟火气，沉声道：“大将军！”

徐骁没有停步，冷笑道：“赵稚，难不成忘了她当年如何待你，你当年又是如何待她？”

被直呼名字的皇后冷声道：“够了！徐骁，摘去一个空衔大柱国又如何，丢了两辽又如何，你得了与我朝祖制不符的世袭罔替！”

背驼腿瘸的徐骁淡然道：“朝廷要两辽，张巨鹿要改革，他要做那中流砥柱，直说，徐骁给，绝无废话，便是将这大柱国交到他手上又何妨？可顾剑棠算个什么东西，就想着能骑在我头上拉屎撒尿？至于赵衡这疯子，没有谁撑腰，敢没脸没臊对一个后辈出手？”

皇后平声静气说道：“这番话，只有我一人听到。”

徐骁继续前行。

她却是没有阻拦，而是走上了社稷坛，冷清嗓音缓缓传来，“徐凤年初次出门游历，燕剌王曾派出九名玉钩刺客，是我私自动用十八条人命拦下的，因为那时候我还觉得徐凤年与雅儿还有希望有一段姻缘。”

徐骁停下脚步，恰好看到活泼的隋珠公主站在阁楼外廊，趴在栏杆上挥手。

徐骁笑了笑。

就此离开钦天监。

皇后赵稚幽幽一叹，站在社稷坛中段位置，转头望向那终是老迈的背影，怔怔出神。她依稀记得当年亲眼见到那个年轻气盛的将军，一脸憨笑，在房中半跪在地上，为那风姿无双的吴姐姐穿上一双他亲手缝制的千层底布鞋，而那剑术已是超圣的白衣女子，仅为了一双粗糙布鞋，便笑得无比幸福。

官道上重归肃静，徐凤年提着刹那枪坐入就近一辆车厢，这让车内的鱼幼薇和姜泥都有些不解，以世子殿下对女婢青鸟的亲昵疼爱，怎会来到这辆车？无须两女如何费劲思量，答案便水落石出。今日芦苇荡一役末尾出尽风头的世子殿下才放下帘子，就呕出一口鲜血，不小心吐在了抱猫的鱼幼薇胸口，白裙白猫沾染了猩红色，触目惊心。不仅如此，徐凤年刚靠着车壁盘膝坐下，七窍就开始渗出血丝。鱼幼薇这时才发现他胸前衣衫破碎，甚至连里面一件呈现出绿幽颜色的古怪软丝甲都有一道裂痕，脸上没有一丝人气的徐凤年捂住伤口，喘气道："你们下车，先去把李老剑神喊来，再与宁峨眉说一声一切事情都交由他全权处理，本世子暂不露面。"

鱼幼薇顾不得武媚娘，慌忙下车，姜泥掀起帘子的时候回头看了一眼，世子殿下似乎要强颜欢笑，但鲜血涌出七窍，如此一来真成了面目可憎。徐凤年有苦自知，闭上眼睛，以大黄庭口诀配合《参同契》艰难吐纳，只是吐多纳少，气息浑浊不堪，每一次呼吸都带来刺骨疼痛，这等艰辛，早已不是纯粹肉体上的折磨那般简单。

道教丹鼎学将人身三十六大穴七十二小窍分别喻作洞天福地，诸多窍穴，名不徒设，皆有深意。徐凤年被武当老掌教王重楼强行灌输了大黄庭修为，才挖穴六，开窍十四，其余磅礴气机都如潜龙蛰伏在剩余窍穴，才使得不至于侵扰经脉，凭借着道门口诀徐徐吸纳，有益无害，后来襄樊城那尊观音带万鬼夜行，一看之下又有奥妙裨益，登上二重，当时李淳罡拦下了两者对视，事后训斥徐凤年不知死活，根源就在这里。

不承想今日一战，如惊蛰至春雷响万物初醒，全身大半窍穴齐齐洞开，六重大黄庭扶摇直上巍巍四重楼，这本该是徐凤年练就金刚境体魄以后才可承受的浩大真气。

没多久，李淳罡神情凝重入了车厢，看到徐凤年这副半死不活的光景，皱了皱眉头，沉声问道："吐一纳九，你真铁了心要大黄庭而不要命了？没有命，便是给你十份大黄庭又如何？"

徐凤年艰难跷起一根手指，似乎在笑。

这个小动作的意思无非是世间哪来的十份大黄庭，道门百年才有这武当独一份的大黄庭，不拼不搏一下，岂不是要遭天谴？

“不破楼兰终不还”本来出自一首脍炙人口的边塞诗，在道统中更是被广泛转述，用作说明道门真人修大黄庭关的决心。不知多少苦心孤诣的道教真人被挡在大黄庭楼外，龙虎山上苦修此关不得出的真人没有二十也有十个。开窍穴孕气海，自成天地，才是道统典籍上所载“提挈天地把握阴阳”的真人，接下来若能随心所欲闭窍关穴，方是逍遥仙人。在此之下，你便是龙虎山天师又如何，仍是半真半俗而已。

此时，徐凤年就是在拼死锁住气海真气外泄，故而老剑神一眼看穿他吐少纳多自寻磨难的意图，一个有望世袭罔替北凉王的世子殿下，这般学武为哪般？

连李淳罡都想不明白，可不明白归不明白，总不能眼睁睁看着这小子经脉炸裂而亡。老剑神伸手弹指一点，弹在徐凤年眉心，以剑入道，这一指唤作撞天钟。天下大道殊途同归，李淳罡替徐凤年导引气机，虽说要耗费大量心神，倒也不至于束手无策。吴家剑冢上乘御剑，大纲便是以静气攀昆仑，李淳罡自然也有不可言说的神通，整整半个时辰里与徐凤年相对而坐，弹指不下三千，强如李淳罡也是一身淋漓汗水。看到徐凤年眉心印记趋于稳定，由黑转红，再由红转紫，老剑神长呼出一口气，轻轻离开车厢，亲自驾车，马车缓行。

一个时辰后，李淳罡转身掀开帘子瞅了一眼，这小子衣襟湿透，全是血水，身体仍是剧烈颤抖，不断响起如黄豆爆裂的声音。正午时分，老头儿再看了看，徐凤年总算有侥幸活命的迹象。黄昏时李淳罡在一处山清水秀的地方停下马车，今天估摸着得夜宿荒郊野岭了，车队除了魏叔阳与舒羞、杨青风三名扈从，凤字营跟上的有六十余名白马义从，袁猛领队，其余轻骑在大戟宁峨眉率领下一边处理后事，一边算是殿后，应对有可能展开追杀的青州重骑。不过褚禄山很快就能奔袭而至，相信到时候即便六百重骑也掀不起风浪。以苛酷著称于世的褚禄山做事，阴狠自然不需多说，为人更是谨慎，否则以他的口碑，早死了千百回，这一坨惹得天怒人怨的肥球，没点保命功夫和震慑手腕，断然不敢轻易离开北凉。

前途未卜的靖安王妃一路上与姜泥、鱼幼薇坐在车内，一身青衣皆是乌黑瘀血的女婢占据了车厢大部分空间，爱干净的裴王妃忍耐得辛苦万分，好不容易停车歇脚，立即跳下车。附近有十几轻骑游弋戒备，她不敢走远，生怕被这些能够坦然赴死的北凉悍卒一刀削去脑袋，死在这些人手下还不如成为那北凉王世子的刀下亡魂，起码他的双刀极为漂亮不是？裴王妃看了一眼那名被世子殿下称作舒羞的妖娆女子，恰巧舒羞也投注视线过来，舒羞笑意玩味，瞧裴王妃如瞧一只待宰羔羊，在芦苇荡中听到秘事的王妃心中惊惧，不敢再对视，撇过头去看羊皮裘老神仙的马车，他此时在做什么？

谁都猜想不到徐凤年正在鬼门关转悠，若冥界真有拘魂的牛头马面，想必一定记仇这要死不死要活不活的可恶世子。

唯一知晓真相的李淳罡闭目养神，就如同卑微出身观潮练剑的吕钱塘一直不喜且不懂徐凤年一般，李淳罡此生前四十年仗剑横行无敌于天下，也不太懂王侯子孙的心思，很大程度上心存不屑，总觉得这些个靠家族祖荫庇护的贵胄纨绔不值一提，难成气候，吃不得苦，惜命怕死，故而在武道上往往输于寻常出身的草莽龙蛇，更别提与吴六鼎这些家学渊源的天才并肩抗衡。在北凉出听潮亭时得知这小子竟然练刀，差点笑掉大牙。老剑神轻轻自说自话："若是这小子万一真的走火入魔，老夫舍得丢掉两三成修为去为他引出汹涌倒泻的大黄庭吗？"

灵丹产太虚，九转入重炉。

无人可见徐凤年眉心一颗深紫印记熠熠生辉，一朝悟了长生理，一百八青莲朵朵开。

徐凤年窍穴浮出丝丝紫气萦绕充斥车厢，当夕阳落山，他终于睁目，终于悟透了紫气东来不再去的大黄庭精髓，微笑道："过去神仙饵，今来到我尝。"

当世子殿下弯腰走出车厢，裴王妃下意识后撤了几步。这人好似血人魔头一般，实在骇人。不光是裴王妃，生平最敬畏鬼神的姜泥也立即爬回车厢。李淳罡冷哼一声道："又踩到狗屎了！"

徐凤年嗅了嗅身上气味，刺鼻难闻，身上虽脏，但体内污垢却是褪尽，举目四望，随口问道："附近有没有溪水或是山泉？"

不卸甲不摘刀的袁猛纵马而至，瞧见这诡谲画面，压下震惊，下马恭敬道："启禀殿下，半里外有一深潭。"

徐凤年点头道："带路。"

到了碧绿水潭，几十骑白马义从早已在远处布下阵形，连面对天下第十一的王明寅都敢死战，面对靖安王赵衡都可抽刀，还有谁能让他们临阵退却？徐凤年解下春雷、绣冬双刀，脱掉衣物，其中便有那件号称刀枪不入却被少女杀手一脚踹裂的麒麟丝甲。他缓缓走入水潭，水面当即浮起大片血水，如同一朵绽放的硕大红莲。徐凤年摊开手靠在一块冰凉石头上，神情肃穆，这趟不为人知的九死一生，富贵险中求，求来了的四重大黄庭，总共开启窍穴六十八，体内气机连绵不绝如江海，融会贯通，妙不可言。徐凤年自信再以双刀对敌，不仅可以一气上黄庭，还能两气生青莲，生生不息，只要不是对上王明寅这等可被一击致命的世间最拔尖强敌，哪怕是符将红甲，凭借驳杂秘籍中撷选出来的精妙招数，胜负也可在五五之间。

徐凤年身形下潜几分，水面与下巴持平，轻吹一口气，荡起阵阵涟漪，自言自语道："现在得了四具符将红甲，半截木马牛，一部刀谱，算是收获颇丰吧？"

过了片刻，徐凤年眼神阴沉，"千万别忘了还有一位靖安王妃！"

赤身裸体起身走出水潭，鱼幼薇捧着一套崭新象牙色玉袍，她转头不敢正视世子殿下。徐凤年自己穿好衣物，一路默然走回马车，钻入车厢，怔怔看着昏迷不醒的青鸟，伸手轻轻抚摸那张因为太亲近总忘了去仔细端详的清秀脸颊。有些人，总是安静站在身旁，可当不能再见时，才知道甚至连模样都没有记清楚。徐凤年咬牙，狠狠按捺住将那王明寅尸体制成符将红甲人的冲动，自嘲道："还是怪自己太没用了。"

"最宠溺自己的大姐也好，好像从来不需要人照顾的二姐也好，生而金刚境的黄蛮儿也好，哪怕你们从不觉得需要，我都想着有一天能护着你们。徐骁当年没能护着咱们的娘亲，我总不能再犯同样的错。"

双手缓慢松开刀柄的徐凤年拿起一片从树林中摘下的叶子，放在唇边轻轻吹起一支曲子。

《春神谣》一曲终。

徐凤年红着眼睛喃喃道："娘。"

这时猛然听到一阵极有韵律的马蹄声轰鸣过后，一个杀猪般的震天响嗓门传来，大煞风景。

"殿下，禄球儿死罪啊！禄球儿该死啊！殿下要是有个好歹，禄球儿就算拼死也要去把靖安王赵衡那老乌龟给开了后庭花啊！"

靖安王妃只见一头怕是有三百多斤重的肥猪从一架豪奢马车上滚下来，死了祖宗十八代般哀嚎，再滚到世子殿下并未乘坐的马车前，可怜姜泥无奈掀开帘子怯生生说那家伙不在这辆车上。

肥猪中气十足的嚎叫只是略微一停，马上就再度刺人耳膜，连滚带爬到后边的马车附近，丝毫不介意一身价格不菲的锦衣沾泥，扑通一声骤然跪在路上，立马在膝下压出两个坑来，他泪眼婆娑，顾不得鼻涕眼泪，只是撕心裂肺地哀嚎。

若是个女子这般古怪作态，裴王妃还能勉强接受，可这一大坨肥肉颤颤在那里鬼叫，实在是毛骨悚然。

她猛然一惊，脸色剧变，她记起这胖子是谁了，正是那北凉事迹最劣迹斑斑令人发指的禄球儿，无论男女，只要落到他手里，哪一个不是生不如死。裴王妃下意识后撤再后撤，再不觉得有半点滑稽可笑，只是遍体生寒。李剑神掏了掏耳屎，置若罔闻。

正主徐凤年走出车厢，跳下车，习以为常，平淡道："褚胖子，别瞎嚷了，有点从三品千牛武将军的风度好不好。"

论恶名昭彰，远胜世子殿下的褚禄山跪地不起，抽泣道："禄球儿这趟办事糊涂，实在没脸回北凉去见大将军了啊！"

徐凤年拿绣冬刀鞘拍了一下褚禄山的臃肿脸颊，没好气道："别在这里跟我装可怜，留点力气回头去襄樊造孽去。"

因肥胖而几乎寻不见眼睛的褚禄山炸开一条缝隙，摇晃着起身，仍是弯着腰尚未挺直腰杆时，阴森森笑道："殿下放一百个心，容禄球儿在青州多待几天，得好好造福一方才对得起这位靖安王！"

说完这话，他面朝世子殿下，瞬间就又是一张灿烂俗气如牛粪花的无害脸庞，围着转了一圈，再小心翼翼揉捏着徐凤年的手臂，如释重负道："还好还好，殿下没事就是万幸，否则禄球儿万死难辞其咎。"

徐凤年轻声道："玩闹归玩闹，别耽误了正经事。"

这胖子双手长过膝，耳垂硕大如佛陀，嘿嘿说道："禄球儿做不出啥丰功伟业的大事，可上不得台面的小事，却是天生熟稔。"

裴王妃看着这相貌迥异的两个男人在那边对话，看似温情，可她早已手心都是汗水。本来有关北凉的事迹，都是道听途说，便是惨绝人寰的事儿，事不关己终究不够真切，可到了芦苇荡后，才明白北凉那边出来的货色，几乎就没有一个正常的，耍刀的北凉王世子，使枪的青衣女婢，用剑的羊皮裘老神仙，一百亲卫轻骑，再加上眼前这头肥猪！

裴南苇前段时间身在王府，便听闻此人一到青州就让数位世族美妇人遭了毒手，其中一位活着遣返回家族时，据说竟然只剩下一只乳房！更传言一名肌肤白腴的妙龄闺秀在街上被掳入马车，不到半炷香时间，衣衫凌乱的尸体便在道路尽头被抛出马车，一向护短抱团的青州大小官员无一人敢出声阻拦。

徐凤年面无表情说道："你回吧，这里暂时没你的事。"

褚禄山一脸为难，竟是一副小娘子扭捏的作态，看得偷望向这边的裴南苇既作呕又胆寒。

徐凤年笑着拍打这位正儿八经从三品武将的脸颊，打趣道："真不知道你这几百斤肉怎么长出来的。"

褚禄山嘿嘿一笑，眼角余光瞥见了靖安王妃，大概是认清了身份，自然而然将她视作世子殿下天经地义的禁脔玩物，好色如命的胖子眼神中并无淫秽，唯有一抹说不清道不明的阴沉。裴王妃差点心肝俱碎，手脚发软地溜进了车厢，再不敢旁观。

褚禄山一脸不舍地说道："殿下，禄球儿这就回了？"

徐凤年不冷不热嗯了一声，褚禄山犹豫了一下，说了句"殿下清瘦了，禄球儿恨不得割肉下来给殿下哪"，这才一步三回头坐回马车，领着一帮虎豹豺狼的骁勇亲卫离去。

其间与大戟宁峨眉擦肩而过，嘀咕了一声："没用的东西，还他娘的是北凉四牙？是个屁！"

宁峨眉虽然对这名大将军义子的作风十分鄙夷，但公私分明，对褚禄山在春秋国战中一点一滴积攒出来的显赫战功并未有丝毫轻视，听到这句阴冷恻恻的唠叨，只是苦笑，没有任何反驳。徐凤年懒得去计较这些小事，进了车厢，见略显拥挤，便将两头凑到脚边的可怜幼夔踢了出去。可怜裴王妃往里缩了缩，与本就坐在角落的姜泥贴靠在一起，不忘歉意一笑。姜泥对于好看的女子一直没什么敌意，如果她们跟世子殿下不是一路人，那就更是开

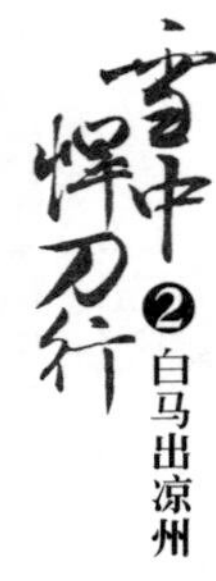

心，所以当下便客气地也报以一笑。

徐凤年冷声道：“你们去另外一辆马车，裴王妃，那里由你清理污迹，别忘了自己去打水。”

裴南苇没有在这件事情上斤斤计较，而是问道：“与褚禄山这种人为伍，你不怕遭报应吗？”

徐凤年坐近青鸟，头也不抬地说道：“鱼幼薇，你去让宁峨眉跟褚禄山说一声，裴王妃想跟他彻夜长谈道德大义。”

裴王妃咬着嘴唇，眼中恨意惧意各半，死死盯住徐凤年的侧脸。鱼幼薇率先离开车厢，裴王妃生怕鱼幼薇真去让人拦下那禄球儿，赶紧追上鱼幼薇，见她没有真要将自己推入火坑的意思，这才偷偷松了口气，只是当她掀开帘子看到满车厢的血迹，以及扑鼻而来的血腥味时，呆滞当场，难道真要听他驱使去做下人仆役的活？怀中武媚娘还沾染着徐凤年鲜血的鱼幼薇柔声道：“凡事总有第一次的，能活着就好，靖安王妃，走吧，我带你去水潭。”

徐凤年一直静坐着，始终轻柔握住青鸟的一只手。

夜幕中，褚禄山那边，如同一座小山坐在车厢内的千牛武将军两眼细眯成缝，手上拿着一份早就到手的密报，密密麻麻，全是靖安王府的消息，不论大小巨细，连世子赵珣隐蔽饲养了一名貌似靖安王妃的金丝雀都记录在册，只是少了具体地址而已。

褚禄山放下密报，双手十指交叉叠在腹部。

说来无人会信这头军旅生涯以残酷扬名的肥猪曾被听潮亭李义山笑称褚八叉，这可并非贬义，而是相当高看了褚禄山的才学，李义山亲口说褚禄山才思绮丽，工于小赋，擅押官韵，可八叉手而韵成。一般来说，文坛士林中才思敏捷者，数步成诗便已是莫大的本事，可这头嗜好人奶的肥猪却可在短短的八次叉手间作诗赋词，并且能够不俗，这话由李义山亲口评点，当然没有任何水分。

徐凤年起先也不信，后来不得不信，一次当面问这禄球儿当年为何不靠这个博取功名，不承想这头肥猪笑眯眯说男子做闺音，便太对不起胯下老鸟了。

谁能想到北凉军中文武兼备第一人，是这唯有凶名流传的禄球儿？

褚禄山十指轻轻叉了几叉，每次一叉就报上一个人名。

有靖安王的嫡长子赵珣，也有其余几名儿子，八叉过后，一个不漏，甚至连几名与靖安王府走得很近的青州封疆大吏都没放过。

禄球儿睁眼笑如弥勒，道："你们这些家伙洗干净屁股了没！"

褚禄山并未直接进入襄樊城，而是登船去了春神湖。深夜时分，原本睡在房中鼾声如雷的褚禄山缓缓醒来，房外一名随行出北凉的嫡系心腹轻声说道："将军，到了，他们请求上船。"

性子桀骜的褚禄山破天荒没有拿捏架子，沉声道："你去回话，就说我去他们那边。"

褚禄山起身时一张坚实大床吱吱作响，来到窗口看到小心靠近的一艘青州大船，并无任何旗帜，若不是得到世子殿下遇刺的消息，不得不快马加鞭赶去，他本该白天就要跟外边这艘船接头密晤。

这船上的家伙是一条在青州首屈一指的地头蛇，青党能够在朝野上下势大欺人，靠的就是墙头草望风而动与门阀联姻盘根交错两大法宝，马上要见的那位，是青党里头的一尊官场不倒翁，寥寥数位老供奉之一。褚禄山既然能八叉手作美韵，自然是心细如发，只不过春秋国战只见他如何做事丧尽天良，把其他都给掩盖过去了。

理了理衣裳，褚禄山走出房间，因为他体型过于罕见，连接两船的船板叠层加宽，比寻常多放了三块，想来是生怕船板不堪重负，致使这位凶名赫赫的北凉千牛武将军坠水。褚禄山大踏步前行，船板即便叠了两层，仍被他的恐怖体重给压弯，看得对面一名风度翩翩的中年儒士手心冒汗。等这位北凉王义子登船，他立即躬身，作揖到底，毕恭毕敬道："陆东疆恭迎褚将军。"

"陆擘窠与本将品秩相同，不合礼数啊。"褚禄山笑眯眯说道，嘴上客套，却没有去扶起仍未直腰的陆东疆。

这等景象若是被青州官员看见，肯定惊起不小的波澜。陆东疆是青州太溪郡郡守，父亲是上一任青州刺史，最主要陆家仍健在的老祖宗是王朝内十四位柱国与上柱国之一，与其余两位老供奉并称青党的分执牛耳者。这陆东疆家学深厚，尤其写得一手绝好大楷，以疏瘦劲练见长，却不失媚趣，故

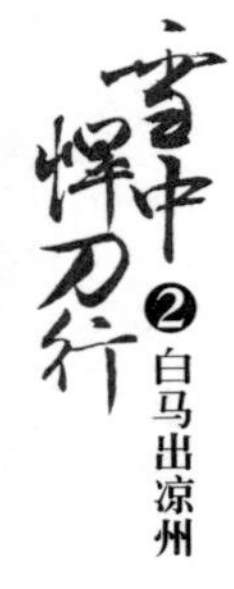

而有“陆擘窠”的名号。早年殿试，连先皇看到陆东疆的字后都赞不绝口。

而陆东疆的爷爷陆费墀身为两朝重臣，辗转兵、户、吏三部，曾与老首辅一同组阁，资历人望都是离阳王朝中第一流的，即便前些年因身体缘故告老还家，仍是圣眷恩重，保留了上柱国的头衔，去年这位上柱国偶染风寒，当今天子更是亲自派遣钦差前来青州问候。可以说在青州，陆东疆自身才学也好，所凭家世也罢，兴许只有靖安王赵衡才配得上他如此谨慎对待。

船上并无半个闲人，除了陆东疆便只有一些祖孙数代侍奉陆家的精锐死士。

对此安排，褚禄山轻轻点了点头，陆东疆在前面领路，直上三楼，开门后并不与褚禄山一同进入，褚禄山的体型过于臃肿，踏过门槛时略微伸展，宽博袖口便被扯住，陆东疆赶紧帮忙才解去束缚。房内传来一声轻微娇笑，陆东疆听在耳中如遭雷击，小心翼翼抬头瞥了一眼褚禄山，见这胖子并无异样，才忍下出声斥责的冲动，懊恼这个调皮女儿，怎的如此误事！平日里仗着老祖宗宠溺，作风顽皮也就罢了，今天这等攸关家族生死兴衰的紧要时候，还敢这般不懂收敛，看回家以后如何收拾她！

褚禄山进了四角摆有香炉的屋子，嗅了嗅，心旷神怡，这胖子轻轻看去，笑了笑，不愧是一等一的青州大族，东西两炉分别是东越梅子青香炉和西楚粉红露胎五足炉，南北则是西蜀褐釉莲花茎香熏与龙泉斗彩瓷炉，光是这四尊原本该是皇宫内廷贡品的小炉子，就得好些银子了。

旁若无人瞄了几眼香炉，褚禄山这才看向正前坐在一张榻上的老人，须眉雪白，两道长眉垂下，带着和煦笑意，更显面善慈祥，气态出尘，大概这算是食养颜居养气的极致了。老人身边只有一名年轻曼妙的灵秀女子轻柔捶背，正是她刚才被褚禄山跨门时的窘态给逗笑出声，老人看到站在房中不行后辈礼更不做下官姿态的褚禄山，不以为意，只是笑着拍了拍身边女子的手背，说道：“燕儿，去给褚将军搬张椅子。”

房中有一张专门为褚禄山量身打造的宽大黄梨木椅，从这张不得不临时让工匠赶紧制造出来的华贵椅子，就可看出陆家对褚禄山的重视了，而事实上怕有心人因一张椅子抓到蛛丝马迹，那名木匠至今仍被陆家软禁起来，没被直接杀掉灭口，已算是幸运。

趁曾孙女搬椅子的时候，仍是朝廷四大上柱国之一的老人微笑道：“褚将军，不要跟燕儿一般见识，在家里被宠惯了，不懂礼数。”

“老祖宗！”那女子娇嗔以示不满，不过搬了椅子总算没忘对褚禄山纳了小小一个万福，并未如寻常女子那般露出见到一头肥猪的厌恶或者是听闻禄球儿名声的畏惧。

青党硕果仅存的几大老供奉之一看在眼中，微微一笑。

这女子便是前些日子在黄龙大船上给世子殿下煮茶的鹅蛋脸美人，徐凤年让青州水师丢尽颜面后，之后几天时间就数她最不怕同船闺蜜的闲言碎语，甚至被北凉王世子不知摸过几次柔嫩小手了。这几天青州看似风平浪静，水面下却是青州门阀不知收到了几封从京城寄回的密信，青党其余几位声望与陆费墀相近的老供奉都还在京师朝廷，寄回的家信内容如出一辙，概括起来就是一个字：等。

褚禄山两颊肥肉微微抖动地笑眯眯道：“没事没事，陆小姐可是给殿下煮过茶的，便是上来打褚禄山几耳光都无妨。”

才坐在老祖宗身边的年轻女子一脸天真问道：“真的啊？”

陆费墀无形中加重了语气，道：“燕儿，不得放肆。”

年轻女子立即低眉顺眼起来，小心给老祖宗揉捏肩膀。陆费墀似乎仍不满意，平淡道：“不是一个时辰前就嚷着饿了吗，去跟你爹讨要些宵夜。”

陆丞燕哦了一声，悄悄吐了吐舌头，有些不甘心地下榻离开房间。关上门后，她便看到父亲板着一张臭脸，她走近后挽着陆东疆的手臂撒娇道：“好爹爹，生谁的气呢，燕儿替你骂他几句。”

陆东疆无奈地说道“你啊你啊”，终究是舍不得把话说重了教训这名爱女，一来子女中数她最伶俐聪慧，二来家里老祖宗精通相面，对这个曾孙女极其溺爱，家族中这三代子孙近百人，连陆东疆自己都不曾有资格被老祖宗亲自传授学问，燕儿却自小便跟在老祖宗身边识字读书。

陆东疆走到船头，迎风而立，当真是玉树临风，当初不知有多少青州女子爱慕，最终陆东疆却只是在老祖宗安排下娶了青州普通大户人家的女子，故而陆丞燕的生母只算是贤良淑德持家有道，称不上有大见识。因着这件事，陆东疆这些年一直被同辈好友取笑，而他陆东疆也颇喜携妓游赏，与襄樊城中那位声色双甲的李白狮也算有些情谊，少不得一些士林常有的诗词相和。

陆东疆的次女更是被老祖宗钦点嫁去了北凉，偏偏这名世家子女婿与异姓王并无较深牵连，家族在北凉也只是二流垫底，远远配不上陆家，实在是怪不得次女每次回娘家都说些怨言。这次韦玮擅自调用黄龙战船挑衅，陆东疆第一时间便得知消息，立即就要拉住想去凑热闹的女儿，可多年都不问世事的老祖宗竟一反常态，驳了他的做法。至于今日在春神湖上私下会晤褚禄山，更不像是临时起意，而这一切，陆东疆无疑都被蒙在鼓中，甚至不如身边女儿知晓得更多，这让仕途顺风顺水的陆擘窠陆太守有些泄气，难道自己在老祖宗眼中如此不堪大用？

陆丞燕蹦蹦跳跳去逗弄船头一位幼时被老祖宗领回来的年轻人，这名十岁便可击杀数位陆家豢养武者的死士，跟着陆家姓，名斗，最出奇处在于这人是个浩瀚青史上都罕有的重瞳子，即一目蕴藏两眸。陆东疆对这年轻人没有任何好感，甚至有些不敢与其对视，若非陆斗是老祖宗格外器重的家奴，加上燕儿小时候被他从野熊爪下救过，陆东疆实在不愿接近。不知为何，燕儿倒是从小与这天生异相的同龄人十分亲近，而他也只对燕儿露出笑脸。

陆丞燕拍了拍一身重甲的陆家心腹死士，嬉笑问道：“陆斗，你打得过那禄球儿吗？就是那胖子。”

年轻人毫不犹豫地点了点头。

陆东疆慌张低声道：“燕儿，不要胡说八道。”

年轻人眼中露出一抹与身份不符的鄙弃，只不过隐藏极深，一闪而逝，但是转头面朝陆丞燕的脸庞仍是真诚和善。

半个时辰后，禄球儿走出房间，陆东疆、陆丞燕父女自然要亲自送行，禄球儿有意无意瞥了一眼立于船头的死士陆斗，嘴角笑意古怪。陆东疆等大船远去，这才拉着陆丞燕返回老祖宗所在的房中，看到老祖宗流露出几丝难以掩饰的疲态，陆丞燕赶忙上前揉肩敲背。一头白发如雪的上柱国陆费墀斜眼看了一下族内算是最成才的孙子，伸手示意忐忑不安的陆东疆挑张椅子坐下，等后者一丝不苟正襟危坐，他悄不可闻地喃喃感慨道：“青州儿郎素来才智不缺，就是去不掉这股子匠气。顾剑棠本事何曾小了去，无非是与徐骁一比，就多了这分要命的古板匠气。”

再望向曾孙女陆丞燕，陆费墀才会心一笑，脸上疲态消散几分，再度面朝孙子陆东疆，语重心长道：“温太乙、洪灵枢几个老家伙想必这次都在观望，与子孙们的密信无非是等等等，等朝廷那边徐骁再受挫折，等靖安王教训了那行事跋扈的北凉王世子，这才肯表态。殊不知天底下哪有这等安稳好事，他们啊，到底是不肯放下当年被徐骁吃足苦头的那点小疙瘩，都忘了活到我们这岁数，说到底不过是只剩下为子孙谋福运一事可做。”

见陆东疆只是附和点头，陆费墀叹息一声，摆摆手道：“先下去吧，让燕儿陪我说说话。”

陆东疆仍是礼数滴水不漏地离开房间。

这位上柱国收回视线，缓缓闭上眼睛，摇头道：“你说实话，喜欢那重瞳儿吗？”

陆丞燕笑道：“挺喜欢。不喜欢他，小斗儿怎么肯卖命呢。”

老人眯眼笑道：“这就对了，可惜你爹却不知这‘情分’二字的重量啊。”

第九章 听潮亭草论军政，老供奉巧算联姻

白衣僧人呢喃道：『笨南北啊，你有一禅，不负如来不负卿。』

情分？

陆丞燕有些茫然，情分轻重，她当然懂得，豪阀大族里有万般驭下术，说穿了不过是恩威并济，既然先恩后威，自然就是在说这情分的重要，只不过从老祖宗嘴里说出，分量似乎比她想象的要重上许多。

阅尽人世沧桑的青党老供奉侧头望向那座梅子青香炉，香炉造型螺旋如山峦，刻有蓬莱、博山、瀛洲三座仙山，三缕紫烟从镂空山中袅袅飘出，景象玄妙。陆丞燕与老祖宗相处多年，发觉香气淡了，马上就跑去添置炭火，炉中香料材质是南海运来的龙脑香，夹以青州独有的水茅，制成香饼，故而香气浓郁适中、悠长，烟气却不重，不会呛鼻。陆费墀收回视线，轻声道："伴君如伴虎，帝王身边的聪明人可分三等才智：大才经世济民，是最上等的辅国格局，碧眼儿张巨鹿无疑是这类人；中人可镇守一州执掌数郡，用大了乱国祸邦，用小了又屈才，我们青州温太乙、洪灵枢都在此列，你父亲陆东疆以后若能磨砺一番，也勉强能算；最下是那些只懂逢迎媚主的家伙，才学平平，但天生善于察言观色。燕儿，可知为何历代辅佐君主的大才之士的下场都不如小才？"

陆丞燕小声说道："功高震主？"

陆费墀不置可否，淡然道："北凉王徐骁不可谓不功高震主，为何这人屠能活到今天，还裂土封疆，手握三十万精兵？无他，唯有'情分'二字。与帝王相处，情分远胜才略啊。宦官为何能干政，外戚为何可掌权？可不就是君主念着那份香火情吗？徐骁与先皇的关系，少于父子，多于兄弟，殊为不易，因此哪怕先皇驾崩，这份情谊，仍是或多或少传承到了当今陛下那里。当初夺嫡，徐骁只是冷眼旁观，这不是功，而是常人不知的情谊，后来赵稚皇后要招北凉王世子做驸马，温太乙这些人都觉着是皇上与徐骁的君臣情谊殆尽了，急着落井下石，在朝廷里与孙希济这帮亡国老贼一起鼓噪。错啦，大错特错！赵稚这女人的心胸不简单哪，在我看来只有一半是想试探徐骁的底线，余下一半却是存了要保北凉、保徐家的心思。即便徐骁对此推阻，她也不会真的动怒，这次徐骁进京，如何？不一样把世袭罔替拿到手了！若是换作别人，哪怕是燕剌王，能得逞？"

陆丞燕小心翼翼说道："老祖宗，那现在北凉王戎马一生辛苦攒下的君臣情分还有多少？"

陆费墀笑道："所剩不多啦，再多的情分也经不起徐骁三番两次折腾，只要燕剌王、广陵王几大藩王不死绝，就还在。先皇不让顾剑棠赶赴北凉做异姓王，是有莫大理由的。顾剑棠此人过于圆滑了，不肯树敌，先皇怎么会放心让他去千里之外称王。徐骁这瘸子于锋芒中守拙的个中三昧，以顾剑棠的火候，的确比不上。早前王朝有人说徐骁的班底交给顾剑棠，一样能灭六国，这话倒也不假，只不过下场嘛，就逃不过狡兔死走狗烹了。"

这尊在青州颐养天年许久的老供奉微微一笑，说道："再与你这小妮子说些事情好了，之所以行险来春神湖，是因为咱们青党两代人好不容易凝聚起来的气散了。那碧眼儿了不得，才执政没几年便将温老头给治得服服帖帖了，若只是如此还好，可洪灵枢这老不死本想着下来前将几个不成材的儿子推上去，一个入京做大黄门，一个做郡守，剩下一个斗大字不识的则去跟姓韦的要青州水师，都被碧眼儿搅黄了，还将阳岭郡交给了温老头的得意门生。洪灵枢什么都好，就是心眼太小，虽说看出了这是碧眼儿的阳谋，仍是气不过啊，一来二去，与本就有间隙的温老头彻底疏远了。余下几位能在朝廷说上话的青州老家伙也不肯消停，要么被顾剑棠暗中拉拢，要么与西楚老太师孙希济这些人眉来眼去，以后青党大势如何，其实谁都看得出，只不过真落在自己头上，就顾不得大局喽。咱们青州，早就被古人说死了，见利忘义啊。"

陆丞燕嘻嘻笑道："若是老祖宗还在京城，哪里容得他们瞎来。"

陆费墀摸了摸这个曾孙女的脑袋，眯眼笑道："你这小马屁精。"

老人叹气道："我何尝不是见利忘义之徒，也就只能在你这小丫头面前笑话这些个老不死，指不定明天就轮到他们来腹诽编派我了。"

陆丞燕哼哼道："他们敢！燕儿明儿就让陆斗杀得他们全家鸡飞狗跳！"

陆费墀伸手抚须，开怀笑道："世上少有真的聪明人，却也少有真的笨人，你父亲这些个所谓的豪阀子孙，却是不太懂这个道理，只不过如今天下清平，见不得激荡乱世时的惨烈人心罢了。陆家府上那些恨不得掏出心肝来称上一称赤胆忠心的幕僚清客，我看就没几斤重。寒门士子读书读温饱，士族只读锦绣前程，读出大义和大智的少之又少，那么多记载先人血淋淋教训的史书，都可惜了。"

陆丞燕点头说道："读死书，当然百无一用是书生，读活了，才算万般皆下品唯有读书高呀。"

老人哈哈大笑，赞赏道："这话得让你父亲听听。"

陆丞燕做了个调皮鬼脸，"那不行，爹肯定又得跟燕儿唠叨圣贤云这曰那了。"

陆费墀敛了敛笑容，在陆丞燕的搀扶下缓缓起身，走到窗口，轻声感叹道："世子赵珣输给那北凉殿下不奇怪，可连打定主意破釜沉舟的靖安王都没能留下他，这就有意思了。刚才褚禄山笑称任由你打耳光都不会还手，燕儿，你别以为那是场面上的玩笑话，这位笑里藏刀的禄球儿是很当真的。"

陆丞燕讶然惊呼道："竟是真话？燕儿还以为是暖场打趣的假话呢。"

陆费墀淡然笑了笑，"所以我准备让你入北凉王府，正妃不奢望，怎么都要替你求个侧妃。论起胆量，温、洪两个老家伙这辈子可就没一次比得过我啊。"

自小被老祖宗夸赞的陆丞燕虽说早有几分猜测，但亲耳听到后还是满心震撼，一时间不敢说话。

陆费墀拍拍她的手背，和蔼地说道："去，盯会儿香炉，这玩意儿不能差了火候。"

看着曾孙女小跑去蹲在香炉前拨弄炭火，老人望向湖面，微风拂面，白须飘逸。他略作思量，轻声说道："燕儿，明日将那陆斗交给褚禄山，这襄樊城的火候就对了。"

陆丞燕乖巧地哦了一声。

陆费墀转身从架子上的食盒里拿起一块老姜，放入嘴中，突然问道："听说那世子殿下长得十分俊俏？"

陆丞燕错愕了一下，抬头扬起一个笑脸，"可好看了！"

陆费墀缓慢嚼着微辣的生姜，抚须眯眼道："如此看来，大抵有老祖宗当年一半风姿了吧？"

陆丞燕伸出一根手指在脸颊上划了划，调皮笑道："老祖宗不知羞！"

老人也不生气，走过去弯腰抹去曾孙女脸上的那一抹黑炭，宠溺道："嫁出去的闺女都是泼出去的水，这还没嫁人胳膊肘就往外拐了，老祖宗白疼你这些年了。"

陆丞燕突然红了眼睛，哽咽着嚷道："燕儿不嫁人了，不嫁不嫁！"

陆费墀呵呵笑道："傻丫头。老祖宗最后送燕儿一句话，嫁夫从夫，真想要让咱们陆家大富大贵下去，以后等老祖宗进棺材了，别管你爹娘如何说，更别管家族如何求，都要记得万事先替你夫君着想，这才是让陆家从青州乱局中脱颖而出的根本。你那个相貌俊逸的未来夫君，这次能让靖安王兵行险招，一半是本事，一半则是差了火候，不过他毕竟还年轻，只要气魄格局有了，未尝不能做一个不输徐瘸子的北凉王。"

老人望向星空，轻声说了句让陆丞燕迷迷糊糊的晦涩言语，"占北望南，以蟒吞龙啊。"

徐凤年没有凑近大戟宁峨眉所在的篝火，而是躺在山坡顶端的草地上，望着那条璀璨银河发呆。前不久刚刚给青鸟喂下龙虎山老真人赵希抟的收徒礼，是在珍宝无数的天师府都珍贵无比的龙虎金丹，一盒只有两颗，据说可以延年益寿，与续命无异，只比齐玄帧亲手炼制的丹药差上一筹，当年老剑神李淳罡上龙虎山斩魔台，求的就是齐仙人手中传言可起死回生的仙丹。因此刚才看到盒子打开后香气弥漫的两颗龙虎金丹，识货的李淳罡为那青衣女婢服下前询问了一句"真的舍得"？老剑神本意是女婢的伤势已经没有大碍，活下来是板上钉钉的事情，这一颗价值连城的金丹就显得没那般必要，有挥霍嫌疑。没料到世子殿下语调平静说舍得，然后直接询问第二颗金丹何时适宜服食。

羊皮裘老头儿来到世子殿下身边坐下，拔了根甘草叼在嘴里，感慨道："天似穹庐，笼盖四野，谁不是井底蛙。"

徐凤年笑道："老前辈，这可不像是你会说的话。"

老剑神撇了撇嘴，自嘲道："在小泥人面前，当然需要时时摆出高人的架子，否则如何骗她与老夫练剑。"

徐凤年翻了个白眼，学着老剑神拔出一根甘草，弹去泥土，放入嘴中细细咀嚼，含混不清道："甜啊，以前跟老黄时常睡这种鸟不拉屎的地方，没床没被，我没事就骂娘，等到实在没力气了，老黄就递过来这种甘草。"

老剑神平静说道："芦苇荡中你那几刀就是剑九黄的九剑吧，老夫虽从未见过此人出剑，前八剑还好，只算是一般的上乘剑术，但第九剑却是实打实的大家风范，你小子偷练多久了？”

徐凤年摇头道：“只是看了剑谱，从未真正练过，不知为何白天就用出来了。”

李老头儿一脸半信半疑。

徐凤年坐起身，转头问道：“老前辈，为何不收下那剑匣？”

老剑神笑道：“那你小子怎不去如饥似渴地翻看那部天底下无出其右的刀谱？”

徐凤年重新躺下，跷起二郎腿。

老剑神大声笑道：“天不生我李淳罡，剑道万古长如夜。”

徐凤年无奈道：“这牛皮你跟姜泥吹去。”

老剑神站起身，一脚踹掉这小兔崽子的二郎腿，怒道：“滚起来，老夫让你知道这话是不是吹牛！”

徐凤年愣了下，不敢置信道：“要教我上乘剑术不成？”

老头儿嗤笑道：“世人眼中的上乘剑术算个卵！老夫今晚直接授你两袖青蛇！”

钦天监通天台。

顶楼除去众多烦琐复杂的观象仪器，还用作藏书纳简，三面书墙高达数丈，以至于需要多架专门用来拿书的梯子。此时已是深夜，只有一名老人与书童待在这里。老人因为读书过多，以至于看坏了眼睛，腋下夹着一本古书，蹒跚着走出内室，来到凿开一墙凸出向外的摘星路。这条路突兀横出阁楼长达六丈，由九九八十一大块汉白玉镶嵌而成，晶莹剔透。行走在路上，低头看去，胆小的肯定要两腿颤抖。站在这里，可饱览皇宫全景，属于逾规违制，因此在本朝任何一份舆图、方志文献上，都不见通天台的记录。老人走到玉石道路尽头，仰头望去，小书童赶紧跑来给监正大人披上一件外衣。长得唇红齿白、灵气四溢的书童倒也不惧高，在一旁坐下，双脚悬空晃荡，陪着老人一起看向浩瀚星空，托着腮帮怔怔出神。

小书童轻声问道：“监正爷爷，真的能看到什么吗？听挈壶大人说他当年亲眼瞧见八国版图上八根冲天而起的浩大气柱，一根根逐渐轰然倒塌哩，这会儿就只剩下咱们离阳王朝这一根直达天庭啦。”

既然被喊作监正，那自然是钦天监的第一人南怀瑜了。老人拢了拢外衣，轻笑道："老了，眼睛也不好使唤，已经看不太清楚了。"

年幼书童不以为然道："监正爷爷你有天眼的呀，会看不清楚？"

老人无奈地苦笑道："天眼，黄三甲的话也能信？小书柜，这是那老恶獠想借我屁股下的位置来替他布局，千万不能当真。若说天眼，他自己才是，我的望气功夫差远了。"

书童打抱不平道："不会啊，监正爷爷不是跟那黄魔头下了两盘棋，先输再赢，哪里比他差了！接着下的话，他肯定就只能自称黄两甲了！"

老监正摇头道："没赢，没赢啊。只是下到一半，黄三甲不愿再下而已。棋盘上我虽说占据优势，可他只要再下十棋，就要溃败。当年我觉得能够持平，十年前再思量，觉得二十手就要输，这会儿再回过味，就只剩十棋了。天晓得过些日子，是不是觉得五手就得输，说不定临死前才知道黄三甲只需一棋就可扭转乾坤，这才是此人的真正厉害处。朝廷设棋待诏，南派以王集薪为首，北派以宋书桐作魁，棋力与我相仿，其实都远逊于黄三甲。王集薪说黄龙士下棋如淮阴用兵攻无不克，这话分明是只观棋谱不曾亲自对局的局外语，应该是淮阴点兵多多益善才对。黄三甲真正厉害处哪里是在中盘，收官才见功底，只可惜世上无人能与他手谈至收官罢了，想必这才是他挑起春秋国战的原因，毕竟三尺棋盘，对他而言，太小了。"

被陛下以国师相待的南怀瑜昵称"小书柜"的书童咂舌道："那这魔头岂不是真的天下无敌了，就真的没人能下棋赢过他吗？"

老人想了想，笑道："赢过他的似乎真没有，不过平局，有。"

书童两眼放光，扯了扯老监正的袖子，迫不及待地问道："谁啊？"

老人怕身边这只小书柜着凉，先让书童坐起身，再将书本垫在这孩子屁股下，这才不急不缓说道："当年先皇亲自出迎，数十万太安城百姓夹道欢迎，小书柜，你说是谁？"

书童哇了一声，"知道知道，白衣僧人，两禅寺那位提出顿悟的神仙！监正爷爷，真的能立地成佛吗，是不是说我站着站着就变成佛了？如果是真的，那我也想去当和尚啊。"

老监正语气沉重道："顿悟真假不知，终究不是释门人，即便我读了些佛经也不可妄言。可修道破财参禅散运，千真万确。一国君主，若是痴迷佛道，肯定不是幸事啊。崇尚黄老清静还好，于国伤财，还可以当作是取之于民用之于民，但若崇佛，就不好说了，气运一散，再聚难如登天。佛法初入中土，便遭到馋贬，未必只是流于表面的儒释道三教歧义，实则是最重养气的儒道两家担忧佛门坏了中土气势。”

小书童苦着脸道：“那我还是不做和尚了。”

老人笑了笑，摸着小书童脑袋。

书童抬头问道：“监正爷爷，白天那北凉王来咱们钦天监，怎么其他人都怕得要死？我就不怕。”

老监正起身说道：“不怕就好。好了好了，偷懒够了，咱爷儿俩该回去做事，等抓紧时间修订完这部新历，我也该闭眼了。若是被那白衣僧人抢了先，就又是一场不可估量的祸事，所幸我这老眼昏花的将死之人有你这小书柜帮忙。呵，估摸着下辈子投胎是做不了人，这便是泄露天机的命哪。”

小书童一脸悲戚。

南怀瑜有些吃力地眯着眼，转头望向北凉那边，伸手指了指，轻声说道：“小书柜，等我死后，就靠你压制那条巨蟒了。”

篝火有两大丛，魏老道几个身份不同寻常的扈从，加上鱼幼薇、姜泥这些“女眷”占据一丛；凤字营围着另外一丛，两者间隔较远，属于很守规矩的避嫌。裴南苇即便是只落难凤凰，也依然竭力保持着靖安王妃的端庄架势，她闲来无事，便留心着凤字营动静，可以看到那些轮流值夜的轻骑来来往往，井然有序。大战过后，两名将军都负伤不轻，可不管将校还是士卒，脸上都没有颓丧气息，看他们口型，似乎都在说那位世子殿下，个个神采飞扬。

凤字营越是这般军心凝聚，裴王妃就越不自在，原本那点逃离牢笼的心思都逐渐冷淡，落魄到要去打扫车厢的阶下囚，如何比得青州独一无二的靖安王妃？裴南苇心灰意冷，伸手靠近火堆，暖和了几分，望向身边左侧，是抱白猫的腴美女子，一同陪着自己去寻水潭，路上寥寥几句聊天，便知谈吐不俗。右侧那身份古怪的年轻女子可真是长得灵气，裴南苇身为胭脂评上的绝代尤物，仍不敢说再过几年还能胜得过这穿着朴素的女子。说她是女婢，不太像，哪有能够与北凉王世子怒目相向、针锋相对的丫鬟？可若说是大家闺秀，又不对，那双根本谈不上白玉凝脂的粗糙小手，显然是贫苦人家出来的孩子。这北凉，果然是怪人迭出，猜不透，想不通。

裴南苇情不自禁望向世子殿下消失的方向，这无耻混账又在做什么？

北凉王府，听潮亭。

这一夜，腰间已无双刀的白狐儿脸登上三楼。

月明星稀，两禅寺阴面山脚的小茅屋里鼾声大振，却是个其貌不扬的少妇如此不雅睡姿折腾出的动静。她手脚大张，占据了大半床铺，一个霸气转身，不小心将身边的中年光头和尚给一脚踹下了床板。可怜和尚坐地上发呆半晌，起身披上一件素白袈裟，走出屋子。隔壁被木板间隔出两个小房间，这白衣僧人蹑手蹑脚来到女儿房间，替她盖好毯子，这妮子睡相跟她娘亲如出一辙，不安分。再来到徒弟屋子，看到这小笨蛋十有八九做了个好梦，估摸着是梦到跟东西去哪里疯玩去了，只顾着笑。装饰寒酸的狭小屋子里整齐洁净，家中两个女子的鞋袜总是天南地北乱丢，这笨南北不一样，任何物品摆设从来都是一丝不苟，与他给寺里慧字辈僧人讲经说法一般。

白衣僧人独自走出茅屋，来到千佛殿。墙面上彩绘有金刚罗汉拳法，栩栩如生，地面上坑洼不平，总计一百零八个脚印小坑，江湖上传闻这是两禅寺最厉害的一门伏魔神通，谁若能面壁观拳，走对了一百零八步，就可稳居天下武道前三甲。此殿之所以称作千佛殿，是因为两禅寺在这里一年一雕佛，迄今已有佛像破千，白衣僧人既是这一代守碑人，也是这一辈千佛殿雕像僧。站在殿门一眼望去，十方诸佛菩萨无一雷同，比较三面拳谱更加壮观恢宏。两禅寺初代祖师曾留下佛语，凡入大殿，凡见闻觉知者均将获得菩提解脱之种子。

殿内悬挂一副楹联：从步步生莲以来，迄今已三千年，重塑大殿供罗汉。历八十一难而后，愿将二十八品，普济群生讲法华。

只是自打白衣僧人从极西之地返回太安城再返两禅寺，只雕了一座罗汉像，那一年，刚好把小和尚笨南北领回山。

白衣僧人抬头看着开门后月光洒满的千佛雕像长吁短叹。

小和尚吴南北不知何时出现在白衣僧人身后，忧心忡忡道：“师父，明天师娘又要下山啊？”

白衣僧人一脸认命道：“去吧去吧，反正钵里也剩不下几枚铜钱了。”

笨南北老气横秋叹气道：“东西下山几次后，这会儿再跟师娘挑脂粉都只挑死贵死贵的了，以后可怎么办啊？”

“你怎么醒了？”

“刚做梦跟东西牵手了，结果她敲了我一板栗，就醒了。唉，喂！师父你打我作甚？”

“除了牵手还做啥了？”

“没啊，就牵手，要不还能做啥？”

“真没有？出家人不打诳语，千佛殿这么多菩萨罗汉可都看着你呢！”

“呃，除了牵了下手，我还跟东西说我喜欢她……”

“难怪要挨打。”

“师父，老方丈说你是罗汉第三尊无垢罗汉转世，佛经上说这位菩萨没有妄惑烦恼，怎么你总是被师娘和东西说长了一张苦瓜脸哪？”

“大住持还说你是佛陀最后一名弟子须跋陀罗尊者呢，在佛临入灭涅槃接受训诫而得菩萨果，听着挺厉害，怎么也没见你智慧博学、辩才无碍？不说寺里和山下，就说我们茅屋才四个人，你吵架吵得过谁？”

“唉，老方丈对谁都喜欢说好话，被夸实在是没啥好高兴的。”

“师父，要不你教我下棋吧？”

“为何想要学棋了？”

“东西在山下求师娘买了两盒棋子，可师娘不会下，东西说下不过你，就只能跟我下了啊。”

“我闺女天下第一聪明，可这学棋嘛，实在是悟性没那么惊才绝艳，说不定也下不过你，到时候师父的铜板又浪费了。”

“没关系，我让她呗。”

“笨蛋！让棋你能让几局？”

“一辈子呗，反正等我修成舍利子就行了，算算其实也没几十年。”

“好吧，师父也有些年没摸棋子了，你去把棋盒拿来。”

“现在？我哪敢去东西房间啊，还不得被打死。我又不敢跑，万一跟以前那样跑到碑林里，东西找不到我咋办？到时候师娘盛饭的时候又只给

盛半碗。”

“道之所在，虽千万人吾往矣，这个道理都不明白，还修什么佛？”

“师父，这话不是山下儒家圣人的警世名言吗？”

“这样吗？”

“千真万确！唉，以前总听寺里方丈们说你在十年一度的莲花台讲经论道很厉害，连那些士林鸿儒和道门真人都佩服，看来也是吹牛。师父，你私下给他们铜板了？”

“放屁！师父的私房钱不都是你师娘盯着吗？”

“那屋后头《龙门二十品》石碑下头的陶盆，不是你前两天才刚让我埋下的吗？”

“哈，南北啊，今天月色不错。你在这儿等着，师父去拿棋盒。”

“……”

片刻后，白衣僧人拿着两盒棋子以及一座东西让小和尚砍树制成的粗糙棋墩。师徒两人在千佛殿中席地而坐，白衣僧人对那棋线歪歪扭扭的棋墩翻了个白眼，弃之不用，而是以手指在地板上刻出纵横十七道，殿内地面由特殊材质的石料精心铺就，世人谓之“金刚镜面”，曾有上乘得道剑士以利剑砍下都不曾砍出痕迹，因此那一百零八个清晰脚印才分外显出入圣神通。小和尚吴南北对师父手指画线并没有什么惊奇，只是哭丧着脸道：“师父，大住持还好，其他方丈肯定要跟我说几天几夜的佛法了。”

白衣僧人一脸无所谓道：“让他们叨叨叨去。”

小和尚悲愤道：“可他们不乐意跟师父你叨叨叨，就只揪住我不放啊！”

叨叨叨，是这寺里古怪一家四口的独有口头禅。

白衣僧人置若罔闻，瞥了眼十九道棋墩，咦了一声，略作思量，拍手大笑道：“妙极，可惜没酒。当年师父跟一个老流氓下了两盘平局，分别是十五道与十七道，他气呼呼放狠话说若是十九道，师父我就不是他对手了。不过看当时情形这流氓不太愿意第一个提出下十九道棋盘的棋，笨南北，可知道是谁首创？”

“好像是徐凤年的二姐，叫徐渭熊，这名字大气。东西羡慕了很长时间呢，还埋怨师父你当年取名字一点都不上心。呵，其实我就觉得东西这名字才好听，这话就是不敢跟东西说。”

“又是徐凤年这兔崽子！师父回去得在账本上记下他几菜刀！”

“师父，你现在每天都记刀，徐凤年以后真要来寺里，我咋办？我是帮东西还是师父你啊？”

“你说呢？”

“这会儿先帮师父，到时候再帮东西。”

“南北，师父以前真没看出来，你原来不笨啊。”

“可不是！”

“不笨还是笨，等你哪天不笨了，东西就真不喜欢你了。”

“啊？师父你别吓唬我啊，我会晚上睡不着觉的！明天可没精神给你们做饭了。”

“这样的话，你就当师父没说过这话。”

“师父我不学棋了，想去东西房外念经去。”

“笨南北，师父告诉你念经没用，经书与这千佛殿千佛都是死物，若是光念经就能念出舍利子，大住持早就烧出几万颗了。不说这个，教你下棋。”

白衣僧人只是粗略说了一遍围棋规则，第一局让六子，师徒两人皆是落子如飞，笨蛋小南北自然输了。第二局让五子，小和尚仍是输。第三局让四子，小和尚连输三把。

白衣僧人皱眉道：“南北啊，这可不行，明天怎么给东西让棋，还让她看不出来你在让棋？”

一旦认真做事便面容肃穆的小和尚点头说道：“师父，我再用心些下棋。”

第四局，只让三子，按照常理，白衣僧人让子越少，而且并未故意放水让棋，自然该是小和尚的棋局越来越难看，而事实上先后四局，小和尚的形势却是逐渐好转。

第五局时，白衣僧人看了眼天色，说道：“这局不让子，你能撑到一百六十手就算你赢，明天可以去跟东西下棋了。”

笨南北使劲点头嗯了一声，刚要执白先行，无意间看到袈裟有一只蚂蚁在乱窜，小和尚憨憨微笑了一下，轻柔伸出两根仍捏着棋子的手指，让小蚂蚁爬到手上，再放于地上，等它行远，这才清脆落子于金刚镜面上。

这一局，终究是被小和尚撑到了一百七十余手。

白衣僧人没有再下，笑道："现在睡着了没？"

小和尚摸了摸光头，开心道："行了！"

白衣僧人摆摆手说道："去吧，棋墩棋盒都留下。"

小和尚哦了一声，起身离开千佛殿。

盘膝而坐的白衣僧人等徒弟走远，约莫着回到茅屋，这才一手托着腮帮，斜着身子凝视棋局。

白衣僧人伸了个懒腰，轻声道："曹长卿，还是这么好的耐心啊，难怪被称作曹官子。"

除去他的言语，大殿仍是寂静无籁。

白衣僧人伸手一抓，地面上十几颗白棋猛然悬空，再轻轻一拂，棋子如骤雨激射向一侧。

稍后，一名青衫文士装扮的儒雅男子悠然出现在殿内，手中抓着那十六颗棋子，每行一步便弹出一棋子，空中不可见棋子踪影，眨眼间，白衣僧人袈裟上便粘住了十五颗。这个喝酒吃肉还娶媳妇生女儿的不正经和尚岿然不动，但是大殿内千佛雕像却齐齐摇晃，如同遭受了天魔巨障入侵，尤其是几尊金刚怒目菩萨罗汉像，前后摆动时格外气势骇人，想必是十五棋子击中白衣僧人袈裟，每一棋子都带来一次气机波纹的剧烈激荡，才引来这般异象。

俊雅不凡的中年文士手上只剩最后一颗棋子，笑道："果然世间无人可破你的金刚境。"

不见白衣僧人如何动静，十五白子从袈裟上坠地，然后被赋予灵性一般在金刚镜面上迅速滚落回棋局原本位置。

白衣僧人平淡道："曹官子的十五指玄而已，要不你拿出天象境界试试看？"

身材修长的文士笑了笑，轻轻将手中棋子往地上一丢，往前几个蹦跳，恰好与十五子一样乖乖返回原位，摇头道："不试了，当年号称可与齐玄帧一战的北莽第一人南行而来，到了两禅寺，不一样伤不到你分毫，只不过这地上倒是被你一怒踩出了一百零八金刚印。不过我很奇怪，你与人打斗是平局，为何下棋还是喜欢平局？黄龙士当年先是以三百余僧人性命为要挟与你对局，一人作一子，这一局死了四十三人，所幸被你平了。后来春秋国战结束，黄龙士逼你再下，却是以天下百郡内的几百座佛寺做棋子，输一子便毁去一座，赢一子便让离阳王朝多建一座，为何你仍是平局？我观棋谱后，第一局你赢面的确不大，第二局分明是你有望胜了黄龙士的。”

白衣僧人抬头看了眼这位名动天下的曹官子。与自己类似，这个家伙也曾亲自与黄龙士下棋，据说两人手谈几近官子阶段，曹官子比起那几位宫廷御用国手当然要强上不止一筹半筹，可面对这等世人眼中的神仙人物，白衣僧人仍是古井无波，平淡说道：“我如果说急着回家给媳妇做饭，你信不信？”

曹官子听到这个天下罕有的笑话，竟然没有如何笑，只是叹气惋惜道：“如今连女儿都有了，就更没耐心陪我下至收官，看来是没机会跟你下棋了。”

白衣僧人讥笑道：“谁乐意跟你下棋，一局棋能下几个月几年时间。”

本名曹长卿早已不被熟知的曹官子坐在白衣僧人对面，看了眼其实早已烂熟于心的棋局，笑道：“你这徒弟，实在是厉害。不愧是被佛门视作末法大劫的希望所在。”

白衣僧人平静道：“曹长卿，我的脾气其实没你想的那么好。”

“你不愿与我下棋，我也不愿跟你打架。喏，在皇宫里头替你寻来的好酒。”

曹官子摘下腰间的酒壶，丢给白衣僧人。然后他左手拈起一颗白子，轻轻落子，似乎知道白衣僧人不会与自己对弈，右手自顾自拿起黑子落在地面，形成自娱自乐的场景，说道：“放心好了，我宁肯跟邓太阿的桃花枝较劲，都不会跟你扯上关系，世人只知你金刚不败，我却知晓你金刚怒目的怖畏。”

白衣僧人喝了口酒，皱眉问道：“那韩人猫都没留下你？”

曹官子左右各自下棋，摇头道：“这一趟凑巧没碰上。”

白衣僧人抹了抹嘴，问道：“你这落魄西楚士子，还念想着找到那位身负气运的小公主，复国？”

曹官子神情落寞道：“怎么不想？都说她与皇帝陛下一起殉国了，可我始终不信小公主会死。西楚龙气仍在，钦天监不敢承认而已。”

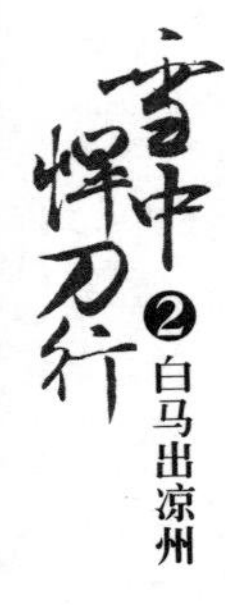

白衣僧人仰头喝了一口酒，“曹长卿，你是为我的新历而来？离阳王朝沿袭旧历，本是奉天承运，可吞并八国后，显然已经不合时宜。钦天监在忙这个，我这边倒断断续续，不太着急。你想着动些手脚？给你那位亡国小公主保留一线复国生机？”

曹官子突然站起身，一揖到底，久久不肯直腰。

白衣僧人叹气道：“曹长卿，你当真不知道这是逆天篡命的勾当？龙虎山上任天师的下场，你不清楚？”

这位二十年间几乎一举问鼎江湖魁首、傲气不输任何人的曹官子仍是没有直腰。

白衣僧人犹豫了一下，沉声说道：“不是我不帮，而是大势所趋，旧西楚根本无法成事，有老太师孙希济里应外合又能如何，真当全天下人都是束手待毙的傻子吗？徐骁、顾剑棠没死，六大藩王没死，如今再加上张巨鹿，还有皇宫里那位。曹长卿啊曹长卿，圣贤只说力挽狂澜于既倒，可狂澜已过，大局已定，你又能做什么？莫说是你，便是齐玄帧这等仙人都没用！”

曹官子直起身，怔怔无语，一脸凄凉。

千佛殿外，电闪雷鸣，很快便大雨滂沱。

白衣僧人低头望着曹官子代替徒弟所下的白子，决然不顾，哪里是曹官子滴水不漏的官子？一时间有些戚戚然，长叹一声，“罢了罢了，这壶酒是好酒，我只能保证这位西楚小公主不死，其余的，爱莫能助，你如果再得寸进尺，我顶多下山去皇宫要一壶酒还你。”

曹官子再次作揖，洒然转身，走入大雨中。

这正是虽千万人吾往矣。

儒家豪气长存。

白衣僧人即便身在释门中，依然有些感伤。

刚要入睡便被雷声惊醒的小和尚赶忙撑了油纸伞跑来，看到师父手中多了一壶酒，再联想到方才那个走出千佛殿的中年书生，纳闷地问道：“师父，这酒是那读书先生送你的？”

白衣僧人点了点头。

笨南北收起伞，咧嘴笑道：“我撑了一把，拿了一把，刚才碰上这位先生，就借了他一把。”

白衣僧人瞪眼道："借他作甚？牛年马月才能还你！一把伞，可要好些铜板！"

小和尚为难道："那咋办？我在寺里讲经，大住持也不给我铜钱哪。明天要是东西和师娘问起，就糟糕了。"

白衣僧人无可奈何道："算了，就说我买酒好了。"

小和尚感激喊道："师父！"

白衣僧人白眼道："师父要去一趟寺里藏经阁，躲一躲你师娘，你睡去吧。"

小和尚忐忑道："师父，要不我还是跟师娘说实话吧？"

白衣僧人站起身，狠狠在这笨徒弟脑门上敲下一板栗，"笨蛋！"

小和尚灿烂一笑。

白衣僧人谆谆教导道："南北啊，明天师娘生气的话，对你来说最多就是少吃饭多干活，可你师娘心情不好，总喜欢去山下买些一年也穿不上几次的衣裳，这可都是师父的血汗钱哪。"

小和尚恍然大悟。

白衣僧人笑道："去吧，睡觉去。"

小和尚嗯了一声，道："东西怕打雷，我去门外给她念经去。"

白衣僧人摸了摸自己的光头，这徒弟。

站在千佛殿门口，看到在泥泞中奔跑顾不得雨水的笨南北，白衣僧人呢喃道："笨南北啊，你有一禅，不负如来不负卿。"

夜幕中，白狐儿脸站在听潮亭三楼外廊，很难相信这座七王中占地规模仅次于燕剌王的北凉王府没有一个主子。不说王妃早逝，摘去大柱国头衔的徐骁远在京师，连那个世子殿下都跑出了北凉，长女徐脂虎还好，嫁人后到底是一瓢泼出去的水，次女徐渭熊夺魁了不以貌取人只以才华评定的胭脂副榜，仍在上阴学宫求学，而北凉王的幼子黄蛮儿徐龙象则在龙虎山修行，这让白狐儿脸偶然偷闲出神时有些哑然自嘲。当初遇到与难民乞丐差不多的徐草包，哪里会想到能有今天的登上听潮阁三楼，原本已经做好与北凉王做买卖的最坏打算，不管如何都要在这听潮亭里遍览群书，后来借徐凤年绣冬、春雷双刀，谈不上什么后悔心疼，对他来说，除了留着命练刀，没什么舍不

得、放不下。

白狐儿脸双手扶在微凉的栏杆上，思绪万千。他与世人一样，以往对打天下打下这座尊荣府邸的徐骁怀有不小成见，只是这一年多待下来，再回头来看那驼背微瘸的老人，总有些由衷的佩服。

“内外十一夷，敢称兵杖者，立斩之。”“天下疆土，凡日月所照，山河所至，皆为我离阳王朝之臣妾。”

这两句豪言壮语，并不是那些诗坛文豪的纸上谈兵，而是出自因胸无点墨多年被士子诟病的匹夫徐骁之口，更难能可贵的是徐骁几乎做到了！这简直是匪夷所思。

“南宫先生，难得看到你偷懒。”

白狐儿脸身后传来冷清嗓音，略带着笑意。白狐儿脸转身，望着眼前男子，摇头道：“不敢被李军师称作先生。”

“恭喜登上三楼，比我想的要快上一年时间。”

来者正是国士李义山，在那人才辈出、策士璀璨的春秋国战中，他依然是最出类拔萃的。当年此人与西蜀人赵长陵并称徐人屠的左膀右臂，左赵右李，大体上是一人谋略一人决断，其中赵长陵擅长阳谋，李义山侧重阴谋，众多有损阴德的绝户计皆是出自他手，两人合璧，配合得天衣无缝。赵长陵呕血病逝于西蜀国境内，是非功过终是难逃过眼云烟，而李义山留在听潮亭给北凉王出谋划策，只不过看他气色，也是病入膏肓，不像长寿人。确实，当年西蜀破国，顺势灭去数个反复无常的南蛮豪强，正是李义山提出高于车轮者，不管妇孺，皆杀。蜀州至今提及李义山，都可让小儿止啼。这等不计阳福阴德都要建功的人士，怎能活得长久？

白狐儿脸问道：“有一事不解，想请教李军师。”

李义山点点头，微笑道：“请说，知无不言言无不尽。”

白狐儿脸本就不是客气的人物，径直问道：“北凉王公认仅是能领兵的将才，而非能将将者的帅才。春秋国战，其余三大名将极少如北凉王这样每逢战阵必身先士卒，西垒壁一战，无疑是史上兵甲最盛的一场巅峰国战，但他仍是把指挥权大胆交由你与那陈芝豹，亲率精锐铁骑直捣黄龙。那为何北凉军只能姓徐，而不是其他？”

李义山望向无人抛饵便永远寂静的听潮湖，轻轻笑道：“当年我与赵长陵也争执过这个问题，谁都没说服谁。答案不在我这里，在徐骁、徐凤年父子手中，南宫先生大可以继续冷眼旁观。赵长陵这人啊，可惜生在了乱世，否则肯定是治世能臣，不比张巨鹿差。那时候我与他最大的分歧便在以后谁来执掌北凉军，是徐家子孙，还是谁？所以我与徐骁说幸好赵长陵死早了，以他嫉恶如仇以及非黑即白的刚烈性格，不管咱们的世子殿下是真韬晦还是假纨绔，都瞧不顺眼啊。我呢，运筹帷幄之中制胜千里之外，大概是比不上他，但脾气要好上很多，所以才能活得比他长。要不你以为徐凤年那家伙为何三天两头来送酒给我喝？这小子，精明着呢。赵长陵不喜欢这类小聪明，我反而很欣赏。再就是他做军师时，都在军帐内事必躬亲，我比较懒散，所以许多事情都能看在眼中，多知道些世子的心性。这家伙是我看着长大的，那次因为覆甲女婢赵玉台的事，惹恼了王妃，罚这小子抬臂提着两本书面壁思过，才多大的孩子，能提多久？但他坚持着不肯认错，又不愿意偷懒，便头顶一本，嘴里咬着一本，这根骨性子，确实与王妃一般无二啊。当然，这点小事，说明不了什么，咱们世子殿下以后能否顺利世袭罔替，接掌三十万铁骑，还不好说。”

白狐儿脸犹豫了一下问道：“就不担心那小人屠？”

李义山怕冷，便是伏天时分，可在这清凉山上听潮亭，夜中仍是凉风习习，他忙提起葫芦酒壶喝了口暖胃，这才喟然叹道：“徐骁似乎不怕，可我却怕得很。连南宫先生这种外人都看出来了，当局对峙的世子殿下与陈芝豹如何不心知肚明？一想到这陈芝豹西垒壁前单骑独行拖死武圣叶白夔妻女的手段，我不得不怕啊。也许你不知道，陈芝豹剑术不俗，最出彩的仍是枪法，比起当年枪仙王绣，也就是他的师父，足可并肩。陈芝豹的兵法，素来是力求一击得手，想必兵法以外，不外乎如此了。要知天下事多是身不由己，当年赵长陵与我何尝不是与众多心腹暗示徐骁干脆反了？虽说徐骁忍得住，但陈芝豹能否忍下，天晓得。京城那位，这十来年中可是花了大量心思在这里边的。不瞒南宫先生，不是李元婴惜命，只是怕大厦轰塌，对不住那白衣敲鼓的王妃啊。”

白狐儿脸似乎被李义山无形中透露出来的肃杀气息感染，心情有些凝重。

李义山长呼出一口气，仰头喝了口烈酒，哈哈笑道：“今日下楼与南宫

先生说这些肺腑之言，无非是希望他日南宫先生登楼顶出听潮亭后，能记着这份淡薄情谊。凤年的小聪明，可都是我这将死之人悉心传授的，南宫先生莫要恼怒这小子的油滑才好，凤年的心性既然相似王妃，自然是不差的。”

白狐儿脸只是点了点头。

李义山却知道已经足够。这个亲眼见过无数硝烟的男人神情恍惚道：“如今太平盛世，不说百姓，便是一些年轻将军都无法想象那种数十万甲士酣战的波澜壮阔了。那样的景象，虽白骨累累，却依旧能让无数男儿前仆后继。北凉是个好地方，驰来北马多骄气，歌到南风尽死声，虽忧亡国而不哀，才算胸襟。只是不知道此生还能否看到凤年领兵驰骋，踏破北莽十三州。”

“风声雨声雷声大江声，还是比不得北凉的马蹄声啊。”

李义山笑着转身离开外廊，白狐儿脸看向这枯瘦背影，百感交集。

白狐儿脸重新望向远方，冷不丁皱了皱眉头，他似乎有些后悔当时没有答应一同出凉州了，恼火这破天荒的情绪，冷哼一声，强行压下。

恢复平静后，白狐儿脸眯起比徐凤年还要好看的桃花眸子，眺望东海方向，咬牙道：“天下第二吗？”

听说老剑神要传授两袖青蛇，徐凤年被震惊得无以复加，不等他反应过来，李淳罡冷哼道：“借剑。”徐凤年腰间春雷颤鸣不止，下意识要按住这柄古朴短刀不让其脱鞘。

羊皮裘老头嗤笑一声，说道先让你小子见识一番吴家剑冢的御剑上昆仑。一番气机角斗，徐凤年如何能胜过这在听潮亭下闭关多年的老剑神，春雷仍是被老剑神一指牵引，跃向当空。

李淳罡手指一压，春雷下坠，手指复而一旋，春雷在他身前圆转迅猛，最终形成一圈明亮刀影，不见刀身。

老剑神任由春雷在空中旋转画圈不止，伸手一抓，握住刀柄，古朴春雷刀身上瞬间炸开两道青罡，如同两尾通玄的青蛇萦绕盘旋。老剑神也不提醒徐凤年小心，以刀作剑，剑气凛然，一剑便劈向正琢磨其中御剑门道的徐凤年，剑气游荡，顷刻间直射脸面。徐凤年上次在武当山上，与一名东越皇族出身的大内侍卫对敌，那名刀客用一对蛮锦双刀，最让徐凤年重视羡慕的便是那人独有的拔刀术。眼看青蛇汹涌袭来，徐凤年灵犀一点通，不知怎么就摸着了那只可意会不可言传的玄意。

既然青蛇剑气已是避无可避，绣冬便电光石火间拔刀出鞘，一气上黄庭，持刀硬扛下这一条冷冽剑罡。站在坡顶的徐凤年当场被这两条交缠一起的青蛇给推到坡腰高处，地面上尘土飞扬，世子殿下的袖口与鞋子都算是报废，羊皮裘老头儿却是仗势欺人，一剑复一剑，剑气再涨，青罡更浓，徐凤年根本来不及换气，所幸大黄庭四楼可两气生青莲，再扛下一记青蛇出洞，这下子直接从山腰逼退到坡脚。

老剑神眯着眼站在坡顶，问道："你这拔刀有些小意思，老夫若没看错，是东越皇族的成名手段，从不付诸笔端秘籍，只是口口相传，你小子如何学来的？"

徐凤年体内气机翻滚如潮水，一身大黄庭本就刚刚平稳下来，顿时难受得厉害，苦涩道："以前见过一名东越皇族拔刀一次，算是偷学。"

老剑神点点头，不以为意，只是笑眯眯问道："休息够了？"

徐凤年当机立断，那叫一个斩钉截铁说道："还没！"

老剑神哪里是那等好心人，哈哈一笑，手中青蛇再起，来势汹汹，不是徐凤年不想避其锋芒，而是完全逃不掉，只能用最笨拙的法子去硬碰硬。所幸李淳罡似乎故意有所留力，每次出手并未下狠手，气焰比起官道上那两条百丈剑罡，像是软刀子割肉，估计是想试一试大黄庭到底能生出多少朵青莲来。徐凤年一咬牙，双脚一沉，身陷泥地，以姑姑传授的剑招覆甲去抗衡这一道青蛇剑罡，可惜老剑神的剑气何等摧枯拉朽，绣冬被层层剑气大浪拍礁般压弯到不能再弯。砰一声，徐凤年连人带绣冬一起倒飞出去，几个狼狈翻滚，才起身，下一条青蛇游弋而来，徐凤年拼死再换《敦煌飞剑》中的捧笙对敌，再度被击飞时心神恍惚间有一丝明悟。上乘剑道分御剑与生罡，舍剑意求剑招，故而吴家剑冢称雄，但这有一个瑕疵，剑士修为越是艰深，便越需要一柄神兵，例如吴六鼎出冢便带上了那柄素王。而后者长剑本身只是依托，剑罡才是王道，如以伞、以水珠作剑时的李淳罡，已算天下万物皆可为剑，只不过真正对上这两袖青蛇，徐凤年才知道李淳罡当年之所以能够剑道登顶，就在于这位老剑神不管御剑还是生罡都相当了得。青蛇游弋，看似直线一掠而来，实则可在气机牵引下肆意扭转方向，驭气精妙至分毫，才有这

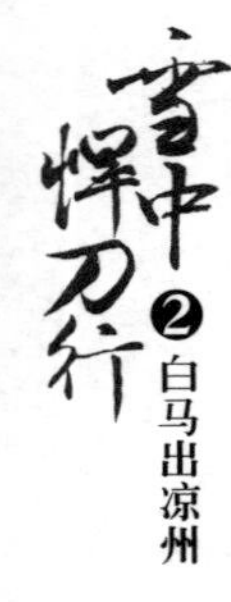

般大千气象。

老剑神手提春雷，缓缓走下山坡，“小子，还没死啊？”

徐凤年被激起了凶气，打肿脸充胖子笑道：“还没！再来！”

李淳罡一笑置之，轻声道：“胸中小不平，以酒消之，世间大不平，唯剑能消。徐小子，老夫的木马牛也好，如今到了吴六鼎手上的素王也好，当年你娘亲持有的大凉龙雀也罢，连想都不敢想一剑斩平世道，如何能到陆地神仙境界。等你见惯了老夫的两袖青蛇，自会有你的气概，大黄庭才能是你的大黄庭。与人对敌，未战不可思退，老夫今晚教你这个道理，不比两袖青蛇差。”

两从篝火那边只看到山坡附近剑气冲天，大戟宁峨眉有些担心，想要率领一对白马义从去盯着，但被老道士魏叔阳笑着拦下。

稍稍离远了火堆的宁峨眉小声询问这位九斗米老道，“真人，那位老前辈真是李老剑神？”

年近古稀的老道士一脸神往憧憬，似乎记起自己年轻时学那李青胆仗剑青衫行走江湖的轻狂日子，抚须笑道：“正是老剑神啊，如今想起确是做梦一般，不敢想象此生能与这位前辈一同出行，幸莫大焉！”

宁峨眉私下始终是腼腆内敛的好脾气，笑了笑，貌似不知如何继续话题。对他来说，李淳罡只是老辈江湖武夫嘴中的一流陆地神仙，无非是百岁童颜如婴、步履一瞬百里以及剑法俯视天下之类的传言美誉，真碰上了，却是有些措手不及，那羊皮裘老头儿吃相坐姿可实在是有些剑走偏锋啊。尤其是老前辈被武帝城王仙芝折断佩剑木马牛，加上如今不知为何只剩一臂，真是令人忍不住扼腕叹息，在宁峨眉看来，亲眼所见青蛇剑气如此势如破竹，若是双手俱在，会是啥样的光景?

奈何一袖如何两青蛇啊?

魏叔阳似乎看穿宁峨眉心中所想，摇头道：“宁将军，没这么简单。”

大戟宁峨眉没有作声，然后转头看到才在黄昏时分换了崭新服饰的世子殿下一身衣衫褴褛走来，老剑神则优哉游哉跟在后头，似笑非笑。

徐凤年看离篝火还有一段距离，轻声苦笑道：“老前辈，说是教我两袖青蛇，可哪有你这么个授法，从头到尾都是挨打，连逃都不行。”

李老头儿吹胡子瞪眼睛说道：“蠢货，与你说那些大道理有何意义？老夫这成名绝技岂是这般好学的。”

徐凤年嘀咕道：“就是懒，不想说话而已。”

老剑神不怒反笑，嘿嘿道：“确实如此，两袖青蛇说是两袖，且不说那剑罡，剑招便有六十六，一一跟你讲解，老夫得浪费多少口水气力。”

徐凤年摆出一副就知道是这样的可怜兮兮表情。

老头冷笑道：“小子，别占了姑娘便宜还嫌弃肥瘦，慢慢熬吧，等你真正能一刀破去青蛇，才算在武道上登堂入室了。”

徐凤年苦着脸问道：“听老前辈的意思，是要天天挨打不成？”

李淳罡斜瞥一眼，道：“要不然？”

徐凤年立马谄媚笑道：“这是我天大的福气，世人烧香拜佛都求不来！”

李淳罡盯着世子殿下那张脸庞，神情古怪，然后一脚踢在徐凤年屁股上，看着踉跄的背影，笑道：“你小子长得确实人模狗样，你床上本事如何？还不滚去拿那靖安王妃练练手！”

被踹了一脚的徐凤年满头雾水道：“练手？”

老剑神讥笑道：“要不然还能真刀真枪操练那靖安王妃？你小子舍得大黄庭？”

皮厚如徐凤年仍然是有些赧颜，不在这个话题上纠缠不休，走近了篝火在鱼幼薇身边坐下。宁峨眉单手提些金黄流油的烤肉走来，分别递给世子殿下和老剑神，饥肠辘辘的徐凤年撕咬着野味，玩笑道：“宁将军一起坐下，咱们一起沾沾老剑神的仙气。”

卸甲却仍背负短戟行囊的宁峨眉坐下后，笑脸腼腆，这名武典将军长得凶神恶相，嗓音与性格却是截然相反。徐凤年看着吃相文雅的宁将军，莫名其妙大笑起来，篝火旁一大堆人都面面相觑，徐凤年轻声对宁峨眉问道：“沙场对阵厮杀，一些大将猛汉都喜欢喊些‘贼子拿命来’或是‘取你狗头’的豪言壮语，宁将军，可是你这种软绵绵的说话语气，咋办？我这段时间总好奇这个。”

宁峨眉粗犷脸庞映着火光，瞧不清楚是否脸红，挠挠头笑道：“刚做上校尉时，也想学兵书上那些骁勇善战的前辈在阵前喊话，后来一次跟大将军并肩作战，做先锋将去陷阵，刚瞎嚷嚷了一句，就被大将军喊住给狠狠骂了一顿，说耍大戟就耍大戟，废什么话，况且还跟娘儿们打嗝一般，气势甚至比不得汉子放个响屁，大将军训斥说别给北凉军丢脸。这以后我上阵就再不敢喊话了，杀人便杀人，只是杀人。"

"就知道你要被徐骁骂得狗血淋头。"徐凤年捧腹大笑，他此时的破烂形象比起三年游历的乞丐装扮好不到哪里去，哈哈大笑的时候手里拎甩着烤肉，看得不远处靖安王妃有些神情恍惚。靖安王赵衡不需说，从来都是高高在上一尘不染的道貌岸然，连世子赵珣也向来是食不厌精、脍不厌细的刁钻作风，大到房间装饰，小到腰间佩玉，皆是珍品，与俗气两字绝对无缘。徐凤年瞄了一眼裴王妃后，对狼吞虎咽的李淳罡笑道："老前辈，宁将军的戟法如何，称得上炉火纯青？"

听到这话宁峨眉立马坐立不安，果不其然，最是毒舌的羊皮裘老头儿吐出一块骨头，笑道："炉火纯青？那空手夺戟的王明寅该是超凡入圣了吧，怎么还是才排在天下第十一？你小子，想要让老夫指点这家伙戟法就直说，别来弯弯肠子。"

徐凤年笑道："求老前辈不吝赐教。"

老剑神不耐烦道："以后有心情再说。"

徐凤年见大戟宁峨眉这汉子只是沉溺于震撼惊喜中，悄悄伸腿踢了一下，后者身躯一震，抱拳道："宁峨眉谢过老剑神。"

李老头瞪眼道："什么老剑神，认了邓太阿是新剑神不成？一日没有与这后辈交手过，老夫仍是这百年江湖的剑神。"

宁峨眉满心惶恐，他哪里能摸透李淳罡的心性脾气，只得求助望向世子殿下。徐凤年摆摆手，示意宁峨眉先行离开，刚想打个圆场，无意间瞥见小泥人捧着本书在那里擦眼泪，纤细肩头一颤一颤，伸过头依稀看清那本书书名，哑然失笑，竟是王初冬的《头场雪》，只是不知读到第几卷了。徐凤年坐过去，轻轻抢过，扫了一眼，看书页，姜泥已经在看结尾，估计是在为那句"愿天下有情人终成眷属"伤春悲秋，不等小泥人发飙，就识趣地将书还给她，调侃道："都是些虚构的故事，也能读出眼泪来？天底下无数痴男怨女都为这书洒了几万斤泪水了，不多你这一点。"

姜泥死死捧着那本《头场雪》，泪眼婆娑，哽咽骂道："以为谁都像你这种铁石心肠吗？！"

李淳罡凑热闹说道："老夫得空儿瞥了几眼，书中情爱倒还好，倒是这王东厢的诗，真是好，追慕先贤，深谙正诗的金石气韵。不过有几篇有失水准，不知跟谁学来的坏习惯，大段大段生搬《老》《庄》《周易》三玄，尤其是从佛经上剥捉下来的一些生僻词汇，要老夫来评，便是生了禅病。不过春秋国战以后，士子逃禅几十万，因此也不能说就是这位王东厢才气不足，只是顺应时势罢了。"

突然，徐凤年与老头儿极为默契地大眼瞪小眼，看得旁人又是一阵面面相觑。这俩家伙同时笑容古怪，只是李淳罡笑意中多了几丝慨然唏嘘。两人再同时一叹，连姜泥都忍不住收拾情绪，好奇嘀咕这俩家伙是怎么了。她自然不知道老剑神那个"李青胆"的别号是出自一位大家闺秀的赠诗，那位女子与王东厢一般无二，在当时士林文坛上亦是诗豪一般的奇葩，可她一生中最出彩的华章，皆是在为爱慕的李淳罡所写。可惜李淳罡心无旁骛，极情于浩浩剑道，年轻时候全然不顾儿女情长，多少女子为此黯然神伤，至死不得安心两字。

在这件事情上，徐凤年与李淳罡，何其相似？

老剑神呢喃感伤道："这王东厢小丫头有大仙气啊，一本《头场雪》早就将世间百态给说穷尽了，便是老夫这等早先自诩天下第一散淡汉子的家伙，看了这书以后被当头棒喝，才知闲散清淡是假，什么狗屁风流的高谈雄辩虱手扪，什么自诩风骨的嶙峋更见此支离，里子里恐怕仍是逃不过那一句'儿女情长，英雄气短'。回头再思量齐玄帧那句临别赠言，说是只要在山下，便要被道祖两指方寸间的一纸灵符给拘下来，不管如何都逃不出去。"

李淳罡抬起手，接过世子殿下丢过来的一只酒囊，狠狠灌了一口，胸中闷气一扫而空，笑问道："作者作书时的心思，旁人怎得知？你下次再看到那被封作王东厢的小女娃，替老夫问个问题，她小小年纪，足不出户，怎能借书中一泼皮无赖之口道出'天下万般难事皆可在女子大腿上办妥'的警世妙语？"

徐凤年点了点头，他读《头场雪》不多，但身边似乎所有人都深陷其中不可自拔，大姐与姜泥同样是掬了无数把同情泪，连那臭名满北凉的死党李瀚林都太阳打西边出来地泛起心酸，加上第一次见面便在读《头场雪》的靖安王妃，王东厢的书迷可谓数不胜数，难怪被誉作千人读来《头场雪》千种雪，看来是要抽空好好欣赏一遍。徐凤年低头嚼着肉，鱼幼薇轻声提醒，说车厢里还余下一套洁净衣衫，徐凤年嗯了一声，抬头说道："接下来的日子你与魏爷爷一起描绘那四具甲胄的符箓纹路，我可能不太能得闲了。"

鱼幼薇将尖尖的下巴垫在雪白慵懒的武媚娘身子上，柔声道："好的。"

徐凤年有些愧疚地说道："有没有被白天的厮杀吓到？"

鱼幼薇笑着摇了摇头。徐凤年立即露出狐狸尾巴，嘿嘿道："我的刀法架子是不是很有大家风范？"

鱼幼薇妩媚地白了一眼。就坐在徐凤年身边小心翼翼护着《头场雪》的姜泥则冷哼一声，很不捧场。

徐凤年伸指一弹，将一粒不知是蚊蝇还是飞蛾的虫子弹到小泥人脸颊上，力道不轻不重，接连弹了好几只，嘴上取笑道："让你诋毁本世子铁石心肠，让你这懒货不练剑。"

可怜可悲的小泥人脸颊生疼，张牙舞爪一脸愤怒。

老剑神撇过头，眼不见心不烦。

徐凤年见好就收，逗了一通拿自己没辙的小泥人，就起身去青鸟所在的车厢，舒羞与杨青风在马车附近谨慎守护。徐凤年挥手示意两人退下，登车弯腰走进车厢，动作温柔地将青鸟抱在怀中，闭上眼睛缓缓吐纳。大黄庭最高一层楼，可以在体内孕育出青莲一百零八朵，一窍一穴都与天机暗合，世人嘴里形容做人刚正的"顶天立地"，用来比喻大黄庭最是合适。既要奉天承运，还得紧接地气，才是天道真人。

李淳罡添了几块木柴丢入篝火堆，看着闷闷不乐的姜泥，试探性问道："要不练练剑？"

姜泥脸色犹豫，一张俊俏脸蛋被火光照映得绝美绝伦，她实在是个天生的美人坯子。西楚皇帝本就是英俊倜傥的风流人物，皇后更是春秋历史中风华绝代的美人，广陵王曾经公然放话要收了皇后做婢妾，西垒壁硝烟才刚落下，广陵王就已经派遣使者去找大将军徐骁，只要后者肯交出西楚皇后给他做禁脔宠物，他可以答应不惜将麾下六千大魏武卒送给徐骁，不承想徐骁答应是答应了，入了皇宫后，却只是给那身份尊荣的尤物丢下一丈白绫。

老剑神压低声音说道："小泥人，老夫真正压箱的本领，都还藏着掖着呢，本来是想留着对付王仙芝和邓太阿的，只要你想学，老夫肯定倾囊相授。”

姜泥平静道：“学字就好了。”

再次被这妮子内伤到的李淳罡唉声叹气，继续一边喝酒一边对付烤肉。还真别说，跟那世子殿下在一起，就这点最舒服，衣来伸手谈不上，反正身上这件羊皮裘就挺合身，但饭来张口很不容易啊，以往行走江湖，世人只看到他这剑神一剑如何恢宏霸气，哪里清楚剑道上的敌手对付起来轻松，自己的五脏庙却难伺候，尤其是在人迹罕至的地方，寻觅野味倒好说，可亲自动手烤肉实在麻烦。天下无敌又怎样，就不需要吃喝拉撒了，就不要放屁了？老剑神环视一周，对那一脸崇敬神色望向自己的九斗米道士瞪了一眼，看什么看，一大把年纪的人了，还这般跟怀春少女的姿态，老夫脸上有花还是有银子啊？李淳罡心中叹气，看来看去，还是姜泥最合心意，至于那小子嘛，马马虎虎算是顺眼。

裴王妃跟着鱼幼薇一同起身，悄悄问道：“接下来马队要去哪里？”

鱼幼薇平淡道：“不出意外是直接奔赴江南道了。”

裴王妃正要说话，为老不尊的羊皮裘老头儿就丢了块烤肉骨头在她衣裳遮掩不住风情的圆滚臀部上，啧啧笑道：“晚上小心点，那小子总偷看你这儿。对了，方才他还跟老夫说要让你摆足了诸多姿势，什么观音坐莲啊，老汉推车啊，老树盘根啊，烧鹅抱月啊，反正老夫听不太懂，不知道你这位靖安王妃懂不懂。估摸着十八般武艺都演练完毕，怎么都该天亮了，要不明早老夫喊你们吃早饭，或者好人做到底，晚点送些宵夜给你俩？”

裴南苇连死的心都有了。

两禅寺的经阁库藏经典无数，由连绵十六楼组成，仍是有许多孤本典籍放不下，这里虽不是禁地，只不过没烧香的地方，香客在这佛门圣地也不敢擅自行走，就显得这一块人迹寥寥，只有一些寺中僧人来去匆匆，要么借书要么还书。因此今日一行三人显得格外扎眼醒目，一个少妇模样的女子拎着一名身披特殊讲僧袈裟的小和尚耳朵，不停叨叨叨，可怜小和尚被拧着耳朵训斥，见着了寺中和尚，仍要去行礼客套寒暄。那些个和尚中不乏有慧字辈的得道高僧，都是花甲古稀的岁数了，见到这时常给他们授课说法的年轻小

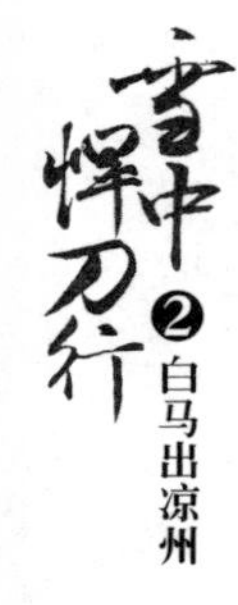

和尚，也都会十分恭谨地合掌行礼，只不过老僧们见到这场景，都眼观鼻鼻观心，仿佛什么都没看见。至于那些寺里小辈的和尚，胆子稍小些的，就红着脸对少妇与和尚身后的一位姑娘咧嘴笑笑，胆子略大的，就停下脚步跟上几步，喊上一声师娘，更多则是跟那同龄人的姑娘套近乎，可惜小姑娘爱理不理，嫌烦了，就瞪眼恼火道："去去去，大白天的聚这么多颗光头点灯给谁看啊？"

小和尚们笑着一哄而散，不忘回头偷看几眼姑娘。

一直使劲拧小和尚耳朵的少妇气呼呼道："南北，你倒是讲义气！要不是老娘让咱闺女出马，你得多久才把你师父供出来？说，你师父躲在经阁做什么，这回又收到哪个山下狐狸精的情书了？"

不得不踮着脚尖走路的小和尚苦着脸说道："师娘，真没有啊，师父真是在钻研佛经呢。这几年哪次大方丈交给我那些信，我不都赶紧主动交给师娘啦？"

少妇笑道："放屁，哪次不是先被东西截下来，你们两个屁大的孩子在那里偷看。有啥好看的，不就是拐弯抹角地表达仰慕啊，爱慕啊，相思啊，这些娘儿们，也不知道害羞，跟一个和尚谈情说爱！"

这三位，当然就是东西姑娘，小和尚笨南北，和两禅寺十分出名的母老虎师娘了。

东西终于出来打抱不平，"娘，你还嫁给一个和尚了呢。"

少妇对待自己闺女十分和颜悦色，加重了拧耳朵的力道，转头却是柔声道："闺女啊，这哪能一样，娘这是我不入地狱谁入地狱哩，你爹祸害娘一个女子就够了。"

笨南北赶紧表忠心说道："师娘大善，功德无量！"

少妇听了马屁后非但没有松手，反而再一拧，哼哼笑道："好你个南北，越来越跟你师父一样油头滑脑了，下山两趟就知道见风转舵的道理啦！这还了得！闺女，以后小心点。"

小和尚欲哭无泪。

完了，估计接下来半个月都得顿顿半碗米饭了。

唉，算了，就当省下的铜板给东西下山买好看衣衫吧。

到了一栋经楼前，少妇终于放过小和尚，一声怒喊，不输给佛门狮子吼，“李当心！”

小和尚怯生生道：“师娘，师父说过僧不言名，道不言寿。”

少妇没理睬，东西没好气道：“闭嘴。”

少妇才喊完，嗖一下，一名白衣僧人就以屁滚尿流的姿态蹿出那栋巍峨阁楼，来到少妇面前，笑呵呵道：“媳妇，走累了没，给敲敲腿？”

若是外人在场，定要认为以这女子一路行来表现出的蛮横，肯定要好生拾掇一番白衣僧人才会罢休，但真见着了自己男人，她却是轻柔说道：“不累呢，只是好几天没见着你，有点想你啦。”

本名原来是李当心的白衣僧人笑容醉人，也不说话。

既然有她，天下无禅。

东西姑娘老气横秋地摇头晃脑走开，小和尚笨南北跟在她身后，轻声问道：“下棋去？”

正寻思着去哪位方丈那里讨瓜果解馋的东西姑娘皱眉道：“你不是要给几位释字辈的老和尚讲那啥顿渐品吗？”

小和尚看着天热，东西鬓角的发丝都紧紧贴在脸颊上了，有些心疼，说道：“还有一个时辰呢，要不找个地方乘凉去？”

东西却只是心不在焉地说道：“徐凤年怎么还没有来咱们家的寺里玩啊？”

小和尚灿烂一笑，露出一口洁白牙齿，毛遂自荐道：“要不我跟师父说一声，让我下山去找找徐凤年，给他带个路？”

东西没有说话，只是转头看着这个笨南北，唉，前些年笨南北还比自己矮上半个脑袋呢，怎么一下子就长高了这么多？她走到一栋经阁檐下的阴凉外廊，坐在栏杆上，托着腮帮说道：“笨南北，你这么笨，以后要是我不在你身边，你该怎么办啊？”

笨南北虽然一直被这一家三口骂笨，事实上怎么看都是他在照顾这三个懒散家伙，可他却只是很认真地思考这个问题，脸上神情比寺中八九十岁释字辈老和尚问他佛经歧义时还要严肃。过了半晌，似乎终于想通了，他粲然笑道：“没事啊，只要你开心就好，你看师父和师娘，多恩爱，以后你肯定也要这样。东西，你放心好了，出家人不打诳语，我说话算话的，以后肯定要送你一盒最好最贵的胭脂的。舍利子呢，大概买得起啦。”

东西姑娘转头啪一下拍在小和尚光头上，“你还真要成佛烧出舍利子啊，笨不笨！”

笨南北傻傻一笑。

是挺笨的。

出了青州以后，马不停蹄直奔江南道，世子殿下总算没有再惹是生非，也没有以死明志的官场忠臣跳出来触霉头，更没有用性命赚名声的江湖好汉拦路，主要是徐凤年除了路经各地索要了一些地理志外，顾不上游山玩水，整个豫州不起波澜地一穿而过。

这些时日，较少住在大城里的闹市通衢，要么是在荒郊野岭宿营，要么就是宿在一些北凉军旧部的城外私宅。众人每晚都要见到青罡冲斗牛，世子殿下往往是离去时衣衫整洁，回来时就满身尘土，衣不蔽体。在队伍中显得不尴不尬的靖安王妃在被世子殿下得知精通丹青后，就让她跟着魏叔阳、鱼幼薇一同绘制符将红甲的图纹，也就不需要她去做些仆役女婢做的卑微杂活。如今裴王妃穿戴朴素至极的木钗布衣，非但没有折损她胭脂评美人的韵味，反而平添了几分穿戴凤冠霞帔时注定见不着的雅致风情。

出青州，过豫州，达泱州，从头到尾，从金碧辉煌跌入泥泞尘埃的靖安王妃都定力极佳地没有试图逃走，这大概也与凤字营骁骑的行军严谨有关。

行驶过了青、泱两州交界的唐宋郡，离那江南道湖亭郡便只隔着一个雄宝郡，车厢中世子殿下掀起帘子。与凉雍不同，这边入乡随俗，驿道将槐树换成了杨柳，一眼望去，满目尽是让人心旷神怡的柔和绿意，只是江南风景如画，一方水土养育一方人，民风终究远不如贫瘠之地的北凉那样彪悍尚武。凉州那里连女子都擅骑马射箭，王府中不要说剑术超群的徐渭熊，徐脂虎一样可以弓马娴熟。前些年据说一位出身北凉官宦的女子出嫁江南，与夫君游历山水，遇见一伙剪径蟊贼，男人躲起来泣不成声，竟是她亲自上阵抽刀，传为笑谈。

徐凤年放下帘子，一脸讥笑说道：“君子六艺，这里的男人射御两项估计还比不上我们北凉的女子，可笑。本世子倒要见识见识这帮舞文弄墨功夫号称天下一流的江南道德君子！”

车厢内除了身体日渐好转的女婢青鸟，读书的竟是靖安王妃而非姜泥，好像小泥人这段时间跟世子殿下怄气，连挣钱的大事都不做了，几天都说不上一句话。这辛苦活儿就由裴王妃代劳，她本就是出自顶尖世族，自小便浸淫于琴棋书画，读书时檀口轻启，大珠小珠落玉盘，相当悦耳。世子殿下就很喜欢在她念书时盯着那张樱桃小嘴儿，所幸看归看，没有如何动手动脚，否则靖安王妃指不定就要做一回贞洁烈妇，来一出咬舌自尽的戏码了。

裴王妃这两天在读《头场雪》，比起前些天的秘典秘籍，要顺心许多，只不过她可以清晰感受到进入泱州以后，这个北凉王世子就隐约透着股桀骜戾气，就像说到"道德君子"四字时，双手握刀，杀机重重，以至于连她这种不懂武学的门外汉都遍体生出凉意。

徐凤年转头面朝青鸟，神色柔和了许多，俯身帮她将一缕青丝捋顺到耳后，微笑道："别急，再过一旬半月，你就能走路了。"

靠着车壁的青鸟低头轻声道："听老剑神说公子把两颗龙虎山金丹都挥霍在小婢身上了。"

徐凤年拿手指在她光洁额头弹了一下，打趣道："挥霍？谁他娘告诉你是挥霍的，站出来，看本世子不砍他十刀八刀！"

青鸟抬头红着眼睛不说话。

徐凤年双手撑开嘴巴鼻子，做了个猪头鬼脸，瓮声瓮气说了个《头场雪》里的俏皮笑话，"大师兄大师兄，不好啦，师父又被妖精抓走啦。大师兄大师兄，不好啦，母妖精又被师父拐骗回来啦。"

青鸟哭着笑起来，双手紧紧攥着裙摆。

徐凤年见她心情好了些，这才松开手，开心笑道："两颗龙虎山金丹也值不了几个钱嘛，本世子就是银子多黄金多家产多，会在意这个？"

青鸟柔声道："可是这金丹，花钱买不来啊。"

徐凤年伸手捏着青鸟脸颊，轻轻拧着，教训道："再胡思乱想就随便找个游侠儿把你嫁出去，本世子才不管他长得是不是歪瓜裂枣，你怕不怕？"

在梧桐苑里就数她性子最冷的青鸟罕见甜甜一笑，"不怕。"

徐凤年假装懊恼，作势要打，"本世子连撒手锏都用出来了，这都不怕？这可如何是好！"

青鸟轻轻笑道："什么游侠儿，都一枪刺死。"

裴南苇听得主仆二人的对话，直冒寒气。这些日子里与唯一能说上话的

鱼幼薇以及那九斗米老道士一同绘制图谱，只言片语中知晓了一点这符将红甲人的恐怖。而眼前只是被王明寅重伤却没有输给红甲傀儡的青衣女婢，一杆枪挥洒得何等威武，她无法想象明明是体态纤柔的女子，为何能学得那般至刚至猛的枪法。

徐凤年见靖安王妃怔怔出神，忘了读书，提起绣冬刀鞘就拍在她大腿上。裴王妃大腿一阵火辣生疼，只敢怒目相向，继续愤懑读书，咬字重了许多。徐凤年扶着青鸟躺下休息，驾车的杨青风沉声说道："殿下，岔路口有三辆马车抢道。"

徐凤年一挑眉头，"这还需要说？与前头领路的袁校尉说一声，撞了。"

裴王妃马上听到外头一顿人仰马翻、鸡飞狗跳，一些人操着泱州口音骂骂咧咧，然后就是嘶声哀嚎。不用想都知道那帮泱州人士吃了哑巴大亏，瞬间没了动静，世子殿下所乘的马车毫无阻碍地继续前行。徐凤年冷笑道："北凉外边的读书人说我们教化粗鄙、风俗不堪，除了裤裆里那根棒槌，就剩手上一根棒槌了，狗日的，本世子这趟就让这帮王八蛋知道他们连一根棒槌都没有！"

第十章 阳春城再起祸端，凤字营马踏中门

但徐凤年只是红着眼睛怔怔地望着她，柔声说道：『姐，我们回家好不好？』

临近湖亭郡阳春城，车厢内徐凤年与裴王妃下棋就有些布局凌乱了，裴王妃的棋力原先与世子殿下不相伯仲，今天接连两把都轻松胜出，她忍不住抬头看了一眼面无表情的他，心想是莫非近乡情怯，就因为那个惹出泼天非议以至于连京城大内都震动的徐脂虎？

靖安王妃也算是出身豪门，对于门第内的手足相残、兄弟倾轧习以为常，少有真正和谐融洽的家族。对于那位江南道最出风头的寡妇，裴王妃也只是道听途说，前不久才被一位隔壁江心郡的世家女子扇了一记耳光，这名才女独创地骂以"破烂香炉"一说。香炉多孔，隐喻荡妇，这个说法不曾见于任何书籍，让两郡士子回过神后纷纷拍案叫绝，一时间江南道"徐香炉"的说法愈演愈烈，尤其是江南道世族高阀内那帮对徐脂虎素来厌恶的贵妇闺秀，平日里闲谈三句不离香炉，说不出的通体舒泰、大快人心。

徐凤年投子认输后，这次没有提出复局，而是离开车厢，跃上通体雪白的西域名驹。这匹良驹曾是北凉边境上野马群的王者，无疑是世间体格最出类拔萃的重型马。

世子殿下对身后策马缓行的校尉袁猛说道："与宁将军说一声，一同入城。"

袁猛神情一动，悄悄咧嘴笑了笑，寻常情况下凤字营都保持一里地距离，今日世子殿下既然要拉开架势，他自然高兴。身为一百白马义从的头头，青州芦苇荡战役，虽说没有侮辱北凉军的死战不退，世子殿下表现出那般铁血悍勇，凤字营只是伤亡惨重，却帮不上什么忙，总有点于大局无益的鸡肋嫌疑，这段时日袁猛心里总不是个滋味，总想着能出口恶气。此时机会不就来了？他掉转马头，快马狂奔而去，见到手臂痊愈后再度提戟的宁峨眉，沉声道："宁将军，殿下有令，一同入城！"

身披黑色重铠的大戟宁峨眉点点头，拉下面甲，冷峻非凡，卜字铁戟朝阳春城一指，猛地一夹马腹，率领凤字营轻骑一同加速前奔。

尘土飞扬。

官道上所有马车行人听着让人胸闷的铁骑声，都脸色发白地移到两侧，让这队气焰嚣张的轻骑一冲而过。

徐凤年在雄宝郡几乎没有如何停驻，快马加鞭，比预期早了两天到达这号称"天下地肺"所在的阳春城。此城地脉最宜牡丹生长，故而王朝十大贡品牡丹前三甲中才会魏紫姚黄出阳春。徐凤年望着愈近愈显高大的城墙，一言不发。

城门卫卒与拿路引入城的商贾百姓都不约而同望向这位白袍公子哥，乖乖，这匹马可了不得，是天马不成，阳春城大大小小官老爷都没这样的坐骑吧？见多识广的门卒眼力要比常人好上一些，光是这匹马就比那些个将军还要气派啊，不出错应是泱州最拔尖的那一撮大世家子了，等会儿按规矩索要路引的时候得好生赔着笑才行，要是这位小爷是个出手阔绰的主，能丢些碎银赏赐更好。

可当几个卫卒听着雷鸣铁骑声，看到一队旗帜不明的陌生骁骑冲刺而来，顿时神情凝重起来，一人赶忙去报知城门小尉，其余人等都呵斥老百姓暂停出入城门，六七名城门卫卒等闲杂人等都闪避到两旁城墙下后，这才迫于职责所在，色厉内荏、战战兢兢地持矛挡路。其中一位身材在江南道男子中算是魁梧的伍长有权佩刀，上前两步，烈日下，他吞了口水，润了润被这老天爷折腾得冒火的干燥嗓子，刚想喊话，骑兵中穿着配制皆与泱州甲士大有不同的一名大戟将军就冲至城门口，八十斤大戟往伍长肩膀上一搁，并未如何发力，那身形不算瘦弱的伍长就一个踉跄。

这名黑甲黑马如同杀神的外地将军冷声道：“让开！”

两股发抖的伍长颤声道：“大将军，外地军旅入城，需出示虎符与兵部公文。”

大将军，原本是离阳王朝内只有寥寥不到十位功勋武将的尊称，屈指可数，除了龙骧、骠骑、辅国在内六大固定武官头衔，皆是正二品，其余能被称作大将军的武将更是凤毛麟角，如刚被摘去大柱国的人屠徐骁，如虚衔上柱国的春秋名将顾剑棠。只不过在北凉以外的地方，只要是个七品以上的武官将校，都乐意被手下私下阿谀一声“大将军”。但在公开场合，一旦公然称呼官职不称的大将军，很容易生出是非，可见这名湖亭郡小卒是真怕了这名来历不明的雄伟武将。娘咧，他能不怕吗，这家伙手中提着的可是大戟啊，武将提戟，王朝号称甲士百万，敢耍大戟的能有几人？！

徐凤年抬头看了一眼城头上篆体写就的“阳春城”三字，抿起嘴唇，一骑冲入。

才在内城树下阴凉儿不花钱喝了半壶酒的城门小校忙不迭跑来，看到这棘手情形，酒意退散得一干二净，强行阻拦是不用想，心中只想着尽量斡旋拖延时间，等到官府里得到消息，就不需要他这小吏夹在中间里外不是个东西了。他刚要出声，一物横空掠来，气势如惊虹贯日，斜插入在他身前青石板地面中，轰然作响，是一根军伍战阵上极为罕见的乌黑大戟！他只要再上前一步，就要被这大戟刺出个大窟窿，他吓得呆若木鸡。愣神的工夫，白马白袍的公子哥已经骑过城门，接着是两辆马车堂而皇之紧随其后，那名笼罩于黑甲中的将军驱马缓行，经过小尉身边时抽出卜字大戟。

轻骑洞穿城门。

百余柄造型冷清弧美的制式刀出鞘后在门孔内照耀刺眼。

无人敢动。

直到这支擅闯阳春城城门的骑队不见踪影，大气不敢出的所有人才总算如释重负。城门附近大开眼界的百姓议论纷纷，都在猜测本州哪家的公子哥才会如此跋扈行事。泱州自古出豪门，若不是一场春秋不义战，压下了泱州江左集团的风头，青州那这些年才小人得志的青党算个什么东西，江南道内有前朝曾“八相佐宋”的湖亭卢氏、四世三公的江心庾氏、谈玄冠天下的伯柃袁氏与姑幕许氏，都是当年十大世族的一流门阀。春秋国战导致“十去九空”的惨剧以后，这四大家族跟着韬光养晦起来，但因泱泱大州得名的泱州底蕴岂是青州能够媲美的?

去年青州便有郡守的公子想要迎娶庾氏的一名跛脚女子做正妻，仍被拒绝，庾氏直言那郡守家族是不入品的寒门，若是结成姻亲，与人嫁牲畜何异？那寒窗苦读出一条坦荡仕途、做了一方封疆大吏的青州郡守只是悻悻然，对这份侮辱并没有任何反驳。阳春城的百姓们扳着手指数了半天，都没猜出这公子哥到底是谁，江南道四大家族中似乎不曾听说有这般蛮横无理的世家子嘛。

入城后，舒羞驱马加速跟上世子殿下，一脸小心翼翼地说道：“殿下，李老前辈说肚子饿了，想在前头那家酒楼吃些东西。”

徐凤年皱了皱眉头，舒展后点头道：“也好，舒羞，等下你问下去卢府的路。”

世子殿下一行人下马入了酒楼，凤字营则在路旁停马不动。

酒楼伙计眼观六路耳听八方，赶忙精明利索地跑出酒楼招呼着这帮贵客，将其带到二楼入座。这里生意火爆，人满为患，看到食客分作两批，临窗的都在伸长脖子去瞧那闹市里的精悍骑兵，离窗户远的则竖起耳朵听靠窗的食客评头论足。徐凤年与老剑神等人才坐下，让那伙计弄些酒楼拿手的酒菜，就听到了一些不算小声的窃窃私语。天下有两仓，荒僻的北凉是马仓，江南道则是天下粮仓，富甲天下。江南道诸多郡府近百年来盛产读书种子，清谈气与幕僚气这两气极重，在江南道读书人眼中，无人不可指摘，无事不可评点，京师太学国子监三万人，最喜欢指点江山的那一批大多出自江南道。

徐凤年面无表情等着菜肴上桌，舒羞已问清楚了湖亭卢氏的府邸位置，在他身边弯腰毕恭毕敬汇报详情。舒羞本就是天然尤物的丰韵女子，属于让男子看一眼就想到床笫欢愉的狐媚子，尤其她此时弯腰，胸前风景气势汹汹，如同一对倒立春笋，几乎要破衣而出。

除了舒羞，徐凤年身边还坐着抱白猫的鱼幼薇，纱巾遮掩面容但身段婀娜的靖安王妃，这等秀色可餐，天下少有，让二楼食客垂涎三尺，当下便吃了春药般涌出强烈的表现欲望。整个二楼言谈嗓门大了许多，只想着能被这几位生平罕见的绝美小娘记住，不说一亲芳泽，就是被她们看上几眼也销魂。高门华胄林立的江南道本就崇尚清谈玄说，士子大夫一个个宽衣博带，羽扇纶巾穿鹤衣，香薰浓重，骑马都瞧不上眼，非要驾牛车才符身份，连书童都得挑那些唇红齿白的惨绿少年，没几个熟谙抚琴烹茶的妙龄女婢都不好意思出门与世交好友们打招呼。

二楼尽是高谈阔论，好不热闹。

"听说过几天北凉那腹中空空的世子就要来咱们湖亭郡探望他大姐，这对姐弟，一个不学无术，一个不知廉耻，真是般配。"

"这寡妇若不是作风不正，岂会被诚斋先生的夫人骂作破烂香炉，这个说法，委实妙不可言。那一耳光，扇得好！听一些当时在报国寺的人说，这放浪寡妇被打了以后还笑了，真不愧是北凉那边来的女子！"

"这话可要小声些，我可是听说写《女诫》的娘娘想要给侄女撑腰，但是北凉那位去了京城以后，这娘娘就偃旗息鼓了，更有消息说是去了长春宫。哼，这世道实在是让我辈读书人心寒啊！"

"那莽夫再一手遮天，能把手伸到江南道这里来，张首辅还不得把他的爪子给剁了！"

“这倒是，首辅大人确实了不起，是天下读书人的楷模。”

“诚斋先生有些小糊涂，但不误大义，读那篇绝交诗，当浮一大白！”

“此言不差，确实应该浮一大白，来，喝喝喝！”

二楼中一人霍然起身，来到讨论最起劲的一桌，拔刀将一整张桌子劈成两半，平静道：“想喝是吧，老子今天就让你们喝尿喝饱！”

偌大一张桌子断作两截倒塌，这帮士子见着几位惊为天人的外地美艳小娘后，还特地打肿脸充胖子地跟酒楼多加了几道平时不太舍得点的昂贵菜肴，被一刀劈开后，哗啦啦全都掉地上了，都是白花花的银子啊！只不过银子事小，面对那柄清亮刀锋事大，一名脖子涨红的士子兴许是想起了刀斧加身不失骨气的圣人教诲，正准备嚷嚷，就被刀身扇在脸上，这名手无缚鸡之力的读书人立即侧飞出去，把隔壁桌都给砸烂了，斯文扫地。徐凤年转身对魏叔阳、鱼幼薇一行人说道：“等会儿让舒羞和袁猛带你们先去卢府，我要去趟江心郡。你们与我大姐说一声，我肯定能连夜赶来。”

听到动静的袁猛带十名白马义从抽刀上楼，徐凤年拿绣冬刀点了几桌，说道：“袁猛，招待这几桌家伙都喝尿喝到饱，分作两批，让他们脱了裤子互相灌，谁有骨气不愿做，你就拿刀敲烂了。骨头真硬的，乱刀砍死，事后把尸体用马拖拽，丢到他们家门口去。留五十骑给你，阳春城内如果有甲胄士卒拦路，你自己看着办。这种小事，能做妥当？”

这凤字营校尉狞笑道：“这都做不好的话，袁猛自己把脑袋割下来当尿壶。”

徐凤年独自下楼，重新上马，对宁峨眉沉声说道：“留下五十骑，其余凤字营与我前往江心郡。”

世子殿下带着大戟宁峨眉策马奔腾离开。凤字营浩荡而来，浩荡而去，视王朝律法与阳春城数百甲士如无物。

二楼，死一般寂静。那被拍飞的湖亭郡士子的身体偶尔会抽搐几下，扯动瓷盘，才发出一些毛骨悚然的声响。校尉袁猛搬了张椅子大马金刀坐下，让一名轻骑去传令楼下四十骑随时待命应对阳春城兵甲，继而伸出两根手指一晃，楼上十名轻骑同时提刀柄朝十个湖亭郡人士的脑袋砸下，袁猛这才从牙缝中迸出三个字：脱不脱。谁能承受这奇耻大辱，虽说一个个吓得噤若寒蝉，但仍是无人响应，袁猛皱了皱眉，站起身，似乎嫌弃那被世子殿下打趴下的家伙碍眼，拿北凉刀朝那人胸口就是一戳，抽刀极快，顿时带出一股泉涌鲜血，几个士子当下便两眼一翻，晕厥过去，还有几个瘫软在椅子上，裆下露出一股腥臭。

老剑神无奈起身，端着酒杯去楼下继续喝酒，几名女子自然快步跟上，神情各异，鱼幼薇淡漠，裴南苇紧蹙眉头，舒羞幸灾乐祸，而姜泥破天荒没有如何怜悯，这归结于她虽怕徐渭熊怕得一塌糊涂，对徐脂虎却并不反感，她年幼便被裹挟到北凉王府，徐脂虎未出嫁前，一次在家中遇见恶仆欺负孤苦伶仃的小婢女，曾搂在怀中说了几句暖心的言语，姜泥一直记在心上，出北凉后听到一些有关徐脂虎难听至极的流言蜚语，也颇为愤慨。再则她深知那草包世子不管如何在北凉荒唐，对两个姐姐的心意毋庸置疑，尤其是王妃早逝，长女徐脂虎难免就要承担起许多，很多年前，她未出嫁江南，他未出门游历，总能看到姐弟两个一起嬉笑打闹的情景，她心底何尝不希望有这么一个姐姐？

袁猛问出被他一刀捅烂心脏的家伙住处，就下令将其尸体随意用绳索捆绑，派遣楼下十名轻骑拖拽着丢到家门口去。二楼地板上留下一条血路，袁猛虎目环视一圈，没看到再有铮铮铁骨的家伙跳出来，这才笑眯眯地望向三桌十五六人。他手上沾血的北凉刀往桌上一抹，缓慢擦去新鲜到不能再新鲜的血迹，问道："还不动手？要老子亲自帮忙的话，一不小心就要把你们的棒槌给割下来了，到时候千万别瞎嚎，可听明白了？脱！他妈的真晦气，真以为老子乐意见到你们裤裆里的蚯蚓？老子胯下这根大枪能把你们婆娘给甩晕乎了！"

二楼传来窸窸窣窣的脱裤声，与先前鼓足劲大嗓门指点江山的豪迈场景大相径庭。

袁猛用手抓了一块肉丢进嘴里，粗声粗气恼火道："害老子没能跟宁将军一起去江心郡快活，真想把你们都给捅死了！"

士子们脱裤子的速度立即加快许多。

袁猛抹了抹嘴，哈哈一笑，面目狰狞道："等会儿哪个兔崽子撒不出尿，刚好一刀捅死。"

几个喝酒不多没有尿意的士子终于忍不住号啕大哭起来。

袁猛丢了个凌厉眼神，几名轻骑皆是一刀将其捅出个通透。袁猛白眼道："说了别嚎，明天你们一家老小有的是机会去嚎。你们这些人，赶紧的，尿完喝饱就没你们卵事了，别耽误老子跟城里的兵卒找乐子，最好一口气来个两三百号，才算马马虎虎热手。"

二楼临窗角落坐有主仆两人，主子年轻风流，握一把扇面绘有枇杷山鸟图案的精致扇子，以这把怀袖雅物轻轻摇动，气态镇静，十分出尘。仆从是一名青衫剑客，站于身后，闭目养神。主仆即便见到这些动辄拔刀杀人的武夫，也并未有所动作，俊雅公子置若罔闻，似乎打算事不关己高高挂起，只是轻摇折扇，直到袁猛投来视线，他才嘴角勾起，露出一抹鄙弃，双指轻轻叠起扇面，准备起身离开这污秽场合。当他起身，一直注意主仆动静的袁猛也跟着起身，公子哥猜出意图，略微皱眉，啪的一声，双指娴熟一记撒扇，扇面大开，露出上面疏密得当的名家钤印，他做了这小动作后，那名贴身仆役猛地睁眼，精光四射。

中年青衫剑士正要出手，脸色剧变，顾不得礼节，拉住主子的手臂就匆忙往后掠去，从二楼撞碎木墙落在街道上。

年轻公子阴沉问道："王濛，这是为何？"

剑士如临大敌道："楼下有人以筷当剑掷出，剑意直达一品境界。"

被剑士带着几次蜻蜓点水飘入小巷中，公子再度潇洒收扇，拍了拍本就没有灰尘的衣裳，笑道："小小阳春城，还有这样的高手？难怪那佩双刀的家伙敢如此放肆。王濛，楼下高人是金刚几品？"

剑士脸色难看道："兴许要高出金刚境，已经有一些指玄的意味。"

公子哥这才脸色凝重起来，冷哼一声，走在巷弄中，犹豫了一下，丢掉那柄扇骨由象牙雕成至少值千两银子的珍贵折扇，道："弄脏了本公子的扇子，这笔账，得好好算。有一品高手依仗又如何，就不信你走得出这泱州！"

卢府。

这代卢氏家主卢道林的族弟卢玄朗坐在书房中，面色阴沉。一名女婢站着揉肩，另外一名则跪着敲腿，轻重恰到好处。两名姿容出彩的女婢竟是一对九分相似的并蒂莲，姐妹两人单独而言便已明艳动人，待在一起更是分外诱人。卢玄朗是泱州极负盛名的清谈名士，卢氏他们这一辈家族嫡系成员共计六人，相比泱州同等族品的几大世族，倒也不算太枝繁叶茂，不过卢氏可谓英才辈出，先皇巡游江南时曾亲口称赞“触目可见卢氏琳琅珠玉”。君王这一言，便奠定卢氏在泱州的领袖地位。

家主卢道林如今已是京城国子监的右祭酒，卢玄朗坐镇家族根基所在的泱州，当年他在白马寺舌战群儒，折服群贤，再与来江南道微服私访的老首辅展开六经是否皆史的经史之争。论辩酣战至夜半三更还不罢休，与卢玄朗对垒的辩手当时还未彰显名声，如今再看，简直就是可怕，除了如今贵为国子监左祭酒的桓温，其中更有当朝首辅张巨鹿！卢玄朗当年峥嵘可见一斑，如今年岁大了，虽说再做不来散发裸裎闭室酣饮的旷达举止，但仍是江南道上交口称赞的半圣硕儒，可最让卢玄朗私下视作此生第一恨的是迎娶了那名寡妇，害死了被家族寄予厚望的儿子不说，还给卢氏蒙上无数的耻辱。近段时间他给当年不顾反对力争要将那放浪寡妇纳入家族的兄长的书信中，颇有愤懑怨言，但兄长却执迷不悟，就是不肯将那女子赶出卢氏。

泱州四大家族，如今排名依次是江心庾、伯柃袁、湖亭卢和姑幕许，本来以卢氏的家底，实力稳居第二，可正是因为这个从不被他当作儿媳妇的放荡女子，才让伯柃袁氏的名声赶超。

这下可好，那北凉王世子要来泱州了。

卢玄朗恼恨之余，夹杂着不方便与人诉说的苦水，原先那江心郡后生刘黎廷的妻子，怎会有本事惊动宫中那位写《女诫》的娘娘，这里头有他不为人知的安排，本意是忍痛也要刮骨疗伤，将那害群之马逐出家族，再不能由着她兴风作浪，将卢氏的数十代辛苦积攒下的口碑糟蹋殆尽，但是他哪里能料到宫里的娘娘尚未施力，就得到惊人消息，娘娘竟然被皇帝陛下驱逐到了长春宫，彻底打入了冷宫！

手捧一本圣人典籍的卢玄朗将书砸在桌上，吓得姐妹花女婢纤手一抖，情不自禁地加重了力道，更惹来年轻时好养性服石之事的卢玄朗一阵疼痛。这名大儒以前服饵过当，至今不说夏日，便是冬天都要袒身吃冰来散气，所幸比起其余三大家族一些服食五石散后痈疮陷背、脊肉溃烂的清谈名家要好上许多，只是对江南道士子来说，这些到底不算什么。卢玄朗因服散而吃痛，可以咬牙去忍，但卑贱婢女服侍不当，马上就各自挨了他一记耳光，她们的滑嫩脸颊顿时浮现出一个手掌印，卢玄朗这才心情略微好转，示意一名女婢去拿回书籍，攥在手中，冷声道：“香炉，真是再应景不过的说法！”

房门口传来冷哼一声，“早知如此，何必当初！”

两位婢女脸色雪白，映衬得那手印越发鲜红。

卢玄朗烦躁地挥挥手，她们赶紧低头离去，甚至不敢喊出敬称，只是闭嘴逃离。因为那人素来不喜她们说话，说会污了她耳朵。

门口站着一位韶华早已不再的老妇，神情阴冷，那张毫无福禄面相可言的脸，看着便让人觉得阴森。

老妇阴阳怪气地说道：“来这里的时候碰到那贱货了，还跟我有模有样地请安来着，这样贤惠的儿媳，卢玄朗，也就你挑得出来！真是好大的福气！”

卢玄朗冷淡说道：“长兄为父，我有何办法。”

老妇磔磔冷笑，声音如同厉鬼，“好一个轻描淡写的没办法，我儿便是被你这等识大体给害死的！”

卢玄朗怒道：“泉儿一样是我儿子！”

老妇讥笑出声，“卢玄朗，你可是有好几个儿子，我却只有泉儿一子！”

卢玄朗颓然道：“我要看书。”

老妇死死盯着这本该是相濡以沫的男子，脸孔扭曲，转身丢下一句：“卢玄朗，别忘了我父亲是谁。当年你没拦下那骨头没几两重的寡妇进门，也就罢了，这次要是你还敢让那姓徐的小杂种入了家门，我跟你没完！”

卢玄朗等她走后，将一本圣人典籍撕成两半，气喘吁吁地靠着椅子。

管家急步而来，神情慌张地敲了敲门，顾不得平常礼仪，只见他嘴唇青白，弯腰附耳说了一个轰动全城的骇人消息。

听完后卢玄朗脸上阴晴不定，十指紧紧地抓住椅子，这位曾被其父赞许每逢大事有静气的江南名士露出一抹惊恐，喃喃道：“这可如何是好？”

卢府没来由地在大白天关上府门，昵称二乔的丫鬟赶忙回院子将这个敏感消息说与小姐，这位江南道上风头最劲的狐狸精寡妇正躺在榻上看一本才子佳人的小说，只是比起《头场雪》实在不堪入目。

听到二乔的禀报后心不在焉，她以为弟弟最快也要两三天以后才到阳春城，对于卢府的小动作并不在意，她可不傻，江心郡刘黎廷所在的家族才算泱州二流末等世族，如何能入了皇宫大内的法眼。湖亭卢氏与其余三大世族联姻复杂，一荣俱荣称不上，但一损俱损是真的。没有卢玄朗默认，如何能搬出宫里娘娘的大驾，甚至说不定幕后策划的，就是卢玄朗这个名义上的公公，只不过她懒得计较罢了，甭管卢亲泉到底是怎么个死法，克死夫君的黑锅，总得由她背着。不管公婆两人如何刻薄，平日里作为儿媳妇该有的礼仪，她还是做足了十分，至于因常去名山大寺里听玄谈名士们辩论，被腹诽诟病，她更不上心，她就喜欢看着那些自诩风流的名士俊彦看到自己入席后跟打了鸡血般兴奋燥热，因此在报国寺被姓刘的妻子扇耳光时，她只是笑，天晓得是谁可怜谁。

远嫁江南，这些年算是把这些门阀士子都看透了，大多眼高于顶，靠着祖荫不思进取，躺在功劳簿上吃老本，江南道郡府出去的清流官员，以在京城做言官为例，与北地谏官截然不同，喜欢三天两头揪着鸡毛蒜皮的小事跟皇帝陛下过不去。他们不怕廷杖，不怕戴枷示众，时不时就要闹出撞柱的死谏，感觉就像是生怕天子不生气不恼火。他们恪守正统，忠于礼法近乎偏执，无怪乎被许多读书人说成江南道出身的官员最像臣子。

但江南道也确实出了一小撮相当厉害的角色，通晓权变，手段练达，能够经世济民，可这几位手握权柄的文臣武将，无一不是走出江南道鲤鱼跳龙门后，就再不愿回来，对于清谈玄说也不热衷，但没人否认正是这几位重臣，真正撑起了江南道的繁花似锦。如果要她来说，执掌一半国子监的卢氏家主卢道林算一个，吏部尚书庾廉和龙骧将军许拱也都能各自算一个，至于卢玄朗等一大批享誉大江南北的所谓名士大儒，差了许多格局眼界，这些老家伙也就只会盯着族品的上升和下降了。升了，欣喜若狂，降了，如丧考妣。在他们眼中，春秋国战中为王朝立下汗马功劳的武夫，只是粗蛮将种而已，将门一说，贬多过褒，在江南道这边，尤其不讨喜。

若她只是普通将门子女，早就被道德君子们戳断了脊梁骨，好在她是谁，是人屠徐骁的长女！

最心疼敬爱眼前这位主子的丫鬟一脸期待地轻轻问道："小姐，世子殿下什么时候到咱们阳春城啊？"

寡妇徐脂虎拿手指刮了一下小丫头的秀美脸蛋，调侃道："你自己掐指算算，这两天问了几次了？十次有没有？"

小丫头红着脸道："奴婢是盼望着殿下能给小姐出气呢，刘黎廷与那悍

妇实在太可恨了。”

徐脂虎丢掉书，伸了个懒腰，笑道：“最迟也就后天吧，上次我这弟弟寄信来已经要到雄宝郡了。”

被寡妇用十两银子从路边买来的丫鬟二乔笑出声，秋水眸子弯成一对月牙儿，乖巧伶俐道：“相比二郡主，殿下还是更喜欢小姐一些呀。”

徐脂虎搂过这丫头纤柔的身子，下巴抵着她的额头，开怀笑道：“就你会说话。”

卢府外，刚从卢玄朗那边领会意思的二管家听到刺耳马蹄声后，给了个眼神，一个在湖亭郡地位能媲美六品官吏的门房赶忙打开侧门，只许一人进出。二管家本不姓卢，卢家念在其忠心耿耿，便赐了个卢姓，别小觑了这改姓，在衣冠士族看寒门子弟如看狗的年代，已是莫大的荣光。二管家如今叫作卢东阳，十数代都是侍奉卢氏的大管家随着家主去了京城，他在湖亭郡卢氏家族就是大权在握，熏染于卢氏朴正家风，最喜于大雪天脚踏木屐，鹤氅大袖，自称此生最好寒衣、寒饮、寒食、寒卧，湖亭郡便给了一个“四寒先生”的雅致名衔。他单独走出侧门，看到由四五十精锐轻骑护驾的一行人，心中微凛，但站姿稳如泰山，指了指悬于一旁的“免”字牌，语调冷漠道：“今日卢府不待客。可交给我名刺，得空了再访。”

校尉袁猛脸色阴沉，但一时间不好发作，世子殿下不在场，而且这里头毕竟还住着殿下最亲近的长郡主，不好贸然行事。至于卢氏在江南道上那是如何的地位超然，势力又是如何的盘根交错，他会管这些乌烟瘴气的事情？

约莫是看穿了这帮北凉蛮子的处境尴尬，二管家卢东阳凭仗着琳琅卢氏的深厚底蕴，一下子就从初听到这伙人行事血腥的震慑中清醒过来，再无惧意，心中泛起冷笑，五十轻骑就敢在湖亭郡大胆造次，真是不知死活。酒楼那几个不幸血溅当场的所谓士子，算什么士子，在湖亭郡无非是些不入流的货色，撑死了是役门或者吏门子孙，离入士品差了十万八千里，杀几个下等货色，就真当自己能在湖亭郡横行霸道了？还不得低头来求着卢府去打点！这帮将种莽人，怎配进入卢府！

马车上靖安王妃裴南苇一直掀着帘子玩味旁观，坐山观虎斗，看得津津有味。

数百年屹立不倒的春秋十大豪阀被徐骁、顾剑棠这些将种和几大藩王推倒以后，离阳王朝隐约形成了三大世族集团，江南道便是其中之一。王朝灭掉八国，除去下旨让一部分八国世族迁入京城，与当地门阀姻亲抱团，形成了另外一个，还有一些世族则在二十年中陆续主动向北迁徙，以洪嘉年间最为频繁，人数不下三十万，故而被称作“洪嘉北移”。这些人大多选择了富饶并且远离京城的江南道，这无疑壮大了泱州四族的实力，湖亭卢氏在当代家主卢道林的影响下，吸纳英才数量仅次于庾氏，卢氏自然有它的倨傲底气。若是那个敢在阵上当着赵衡的面一枪刺死青州武将的家伙在，这场暗流涌动就没什么看头了，无疑是带着这些个悍不畏死的白马义从直接碾压而过，可既然他去了江心郡，就有意思了。万一湖亭郡官府有不惧北凉军的实权武将，板上钉钉会更热闹有趣。

裴王妃想到这里，终于露出久违的笑脸。

同坐一辆马车的姜泥看得恍惚，这姐姐真是好看。

老剑神李淳罡懒洋洋地靠着车门打盹，打定了主意不掺和这种家事。

不知何时，鱼幼薇走下了马车，抱着白猫武媚娘，站在阶下，望向那狐假虎威到了凤字营头上的二管家，平淡地说道：“开中门。”

卢东阳发出嗤笑声，指了指那块牌子。

鱼幼薇转头对坐于战马上的袁猛，平静地说道：“袁校尉，湖亭卢氏以此礼待我们，我们当然要还礼。”

袁猛疑惑不解，一来他对殿下与这花魁出身的漂亮女子是何种关系不太清楚，既然能有资格陪着殿下一同出北凉，想必再差也差不到哪里去，傻子才会将她当作一般名妓看待。二来她的还礼一说大有讲究，所以他望向这位一直以来给人性子柔弱感觉的花魁，等待着下文。如果她只是说让凤字营转身离去，他定要轻看了她，孰料鱼幼薇冷笑道：“将这个不长眼的奴才一刀捅死，先前殿下说杀了人后尸体要丢在家门口，眼前似乎还不需要浪费力气呢。然后拆了中门，我们只是来见长郡主的，到时候若是长郡主说没了大门不合适，再由着卢府装上便是，若是长郡主不点头，谁敢动手，再杀便是。”

袁猛哈哈大笑，在马上一抱拳致敬，眼中多了几丝恭敬，然后转头沉声道：“抽刀还礼！”

鱼幼薇抱着憨态可掬的白猫转身走回马车。留下那面红耳赤的二管家气恨得说不出话来。等他看到北凉轻骑锵然抽刀，好不容易退去的惊惧再度笼罩全身，尤其是发现那名凶悍校尉策马跃上台阶，吓得立即转身，试图跑进侧门求救，可人终究跑不过马，何况还是一匹北凉战马！袁猛在二管家卢东阳一脚踏入门槛时一刀劈下，卢东阳倒在血泊中，艰难地向前爬行，这景象看得府内一些奴仆都惊呼尖叫起来。袁猛下马，给这位四寒先生重重补上一刀，紧接着抓住一条腿，从侧门丢到府外。世子殿下临行前可是叮嘱过的，尸体丢在家门口嘛。

袁猛不理睬那帮鸟兽散的卢府仆役，站在门口阴沉下令道："把中门拆了！"

裴王妃愕然，再望去那个言行举止一直轻柔似水的鱼幼薇，有些蒙了。

江心郡刘府。

刘府算是泱州根正苗红的家族，可世族中一样分三六九等，比较那庞然大物的四大世族，高低判若云泥。

别号诚斋先生的刘黎廷此时正在好言抚慰妻子，他以擅制美食著称江南道，这段时日更是顾不得君子远庖厨的古训，几乎日日都要给妻子亲自下厨，费尽心思变着花样去讨好。刘黎廷身材修长，在江南道这边已是鹤立鸡群，相貌清雅，加上出身于不俗的世族，这种男子自然很不缺风花雪月。他前些年第一次在白马寺参与清谈时见到那寡妇，就心动了，寡妇又如何？她可是那人屠的长女，还长得那样狐媚可口，轻轻一掐，仿佛就能掐出水来，可是她虽然口碑极差，看似谁都能爬上她的床闱春宵一度，花丛老手的刘黎廷却深知这天生尤物性子冷得很呢，这偏偏激起了诚斋先生的胜负心。他大献殷勤，恨不得鞍前马后将她当作皇后伺候着，前些日子，她总算松口，在报国寺赏牡丹时，半真半假地说若是敢休妻，她就考虑一下。

刘黎廷这时想来，一身冷汗，怎就鬼迷心窍了，竟看不出她的凉薄性子，这寡妇分明是在等着看戏！所以捅了天大娄子后，妻子不知为何与宫里一位得宠的娘娘扯上了关系，他再顾不得士子风度，当下便写了一篇绝交诗丢在卢府门外，所幸那寡妇早已是声名狼藉，谁会站在她那一边？否则卢府也不会一声不吭，仍由着自己泼脏水，哈，刘黎廷一想到这里，真是暗自庆幸窃喜，因祸得福啊，若非这个该拿去浸猪笼的寡妇，他如何能知道妻子家族在京城皇宫里都有香火情，这可是直达天庭闻天听！

刘黎廷给妻子揉着肩膀，小心翼翼地赔着笑问道："娘子，怎么最近宫里头没动静了，那位娘娘怎还不下旨来江南道？"

刘妻摆出爱理不理的姿态，其实她只能如此故弄玄虚。不说是她，起先连娘家那边都不太清楚如何能让写《女诫》的娘娘动怒，父亲挑灯夜读翻遍了族谱，才依稀寻着一点淡薄至极的亲戚关系，至于为何雷声大雨点小，突然就没了声响，她这等家族出身，如何能知晓其中真相？至于身边的夫君，她何尝不知那点上不得台面的腥味，可嫁夫从夫，她只能将所有的气都撒在那放浪寡妇头上，而且在她看来，那一巴掌，扇得一点不理亏，这种成天想着勾搭别家男人的无德寡妇，游街示众才好！男子三妻四妾无妨，你一个寡妇莫不是还想要面首三千？！

她怕夫君继续在宫里娘娘这件事情上纠缠，只得冷淡道："夜深了，睡吧。"

刘黎廷瞥了眼自己娘子的容貌，悄悄在肚子里哀叹，与那天生尤物的徐寡妇可真是不能比啊。

月色中，刘府外，五十骁勇轻骑无视夜禁，强势入城，直奔而来。

为首的一位白袍白马的公子哥并未停马，驱马而上，一拉缰绳，马蹄砸在刘府中门上，一轰而踏！

马踏中门后，策马长驱而入刘府。

稍具规模的府邸中门都不会常开，尤其是卢氏这等根深蒂固的当世豪阀，不是随便来访一位客人就会打开中门的，别说湖亭郡郡守，便是泱州刺史这类封疆大吏都未必有这个资格和荣幸。可以说中门是一个家族的脸面，卢府藏龙卧虎，算上清客幕僚，养士数百人。虽说才派遣了管家卢东阳打发街上那帮人，但许多人都在暗中打量这里的一举一动，可当北凉轻骑卸门时，卢府并未出动死士，只是走出一名头顶纯阳巾、脚踩布履的中年儒士，穿着素洁穷酸，身后跟着一名气质灵秀的小书童，双手捧着一柄古剑，黑檀剑鞘，裹以南海鲛皮，与一般名剑的剑气森然不同，此剑栖鞘时并无丝毫寒意。

寒士装束的中年人看了眼毙命于大院中的管家，轻轻叹息。中门已被哗然卸下，校尉袁猛与院中这名儒士两两相望。

卢府中年人略微地作揖行礼后淡然道："今日是卢府失了待客之道，卢东阳身为管事，当受责罚，只是不至死罪。还礼还需再还礼。”

袁猛识货，如临大敌，握紧手中北凉刀。一身战阵搏杀熏陶出来的杀伐气焰，与江湖人士的气息自是不同。

那位身旁书童不捧书却捧剑的儒士作揖后，面朝远处马车上昏昏欲睡的羊皮裘老头儿，这次竟是一揖到底，弯腰时说道：“晚辈湖亭郡卢白颉，十一岁获赠古剑‘霸秀’，至今习剑三十六载，请李老前辈赐教。”

老剑神听到“霸秀”两字后缓缓睁开眼睛，瞄了一眼，点头道：“的确是当年羊豫章的佩剑，这老小子受困于自身资质，剑道造诣平平，眼光倒是不差。当年老夫与人对敌，每次见到有这家伙观战都要头疼。只是羊豫章曾言此生不收弟子，你如何得到这把棠溪剑炉的最后一柄铸剑？”

在李淳罡面前自报姓名执晚辈礼的卢白颉微笑道：“大概是晚辈幼时乳名棠溪吧，与恩师萍水相逢，便被赠予霸秀剑与半部剑谱。三十六年来，不敢一日懈怠。恩师对老前辈十分推崇，说两袖青蛇足可独步剑林五十年。晚辈神往已久，今日斗胆拔剑，一小半是迫于无奈这卢氏子弟的身份，更多是想砥砺自己这三十六年闭门造车的下乘剑道，若是败了，恳求老前辈不要迁怒于卢府。”

羊皮裘老头不耐烦道：“说话语气跟羊豫章简直是一个模子里刻出来的，你且出手试试看，若是只得羊豫章的剑术匠气，不得其剑道匠心，便不值得老夫出手。谁他娘愿意跟你们这些百足之虫死而不僵的门阀世族过意不去，吃饱了撑的，茅坑里竹竿拍苍蝇，怎么都要溅上一身屎。老夫当年不信邪，就吃了徐瘸子的大亏……”

说到这里，老头儿立即闭嘴，自揭其短不是李淳罡的一贯作风。

卢白颉潇洒一笑，伸出双指，在剑鞘上轻轻一抹，名剑霸秀出鞘一半。

正在此时，身后传来一阵熟悉的细碎脚步声，女子喊了一声小叔，湖亭卢氏琳琅七玉中最年轻也是性子最闲散的卢白颉一脸哀叹表情，手指回抹，即将现世的霸秀古剑当下便归鞘，众人只瞥见一抹璀璨的湛蓝锋芒。卢白颉是卢氏上代家主卢宣化的幼子，比起这代家主嫡长子卢道林要足足小了二十岁。卢白颉是庶子出身，天资聪慧，只是淡泊名利，并不热衷于儒家三不朽。他痴心剑道，至今仍未娶妻，自然便没有任何子嗣，他在卢府罕有露面。若说卢府内有分量的家族成员，谁与那寡妇真心亲近，卢白颉是唯一一个。没有子女的他很大程度上将徐脂虎当作半个女儿，许多祸事的苗头，若非他暗中扼杀，卢氏早就鸡犬不宁。不说别人，那父亲乃是姑幕许氏家主的女子，就做了太多次不干净的手脚。只是顾及她的嫂子身份，加上怜悯其白发人送黑发人的丧子之痛，否则卢白颉怎会容得卢府出现这等丑事。

发生了中门被卸这样足以惊动泱州的大事，徐脂虎不管在卢府如何受制，还是第一时间得到了消息，这才确定是弟弟到了阳春城。除了他，谁做得出这种惊世骇俗的行径？怪罪，徐脂虎哪里舍得！只不过卢府终归是自己名义上的家，闹得太僵不好，尤其是公公卢玄朗为了“面子”两字可以无所不用其极，哪个名士不爱惜羽毛？她朝卢白颉撒娇一般笑嘻嘻喊了一声小叔，换来一个无奈表情，徐脂虎不与这府上少有的好说话的长辈客套，跑出大门。所有彪悍轻骑都下马单膝跪地，恭敬道：“北凉凤字营参见长郡主。”徐脂虎没理睬，左看右看，没看到弟弟那张总是被她梦到的温柔笑脸，顿时无比失望。女婢青鸟已经勉强可以下路行走，只是脸色气态仍旧难看，刚要下跪，就被露出惊恐神情但很快掩饰掉的徐脂虎上前扶住，咬着嘴唇，放低声音问道：“凤年在哪里？”

青鸟轻声道：“殿下去了江心郡，说连夜赶回阳春城。”

徐脂虎一跺脚，红了眼睛呢喃道：“这个傻瓜！”

她深呼吸了一下，颇具威严道：“都随我入府。”

与卢道林、卢玄朗同辈的卢白颉不拦着，谁敢拦？卢白颉这种豪阀子弟的显赫身份摆在那里，但他的另外一个身份更是震慑人心。武评专门列出一份剑评，泱州湖亭郡卢白颉，赫然在列。评点卢棠溪剑意正大浩然，剑名虽含霸字，却是当之无愧的王道剑！

卢府庭院深深，是典型的江南园林风格，占地规模输给其余三大家族府邸，但此座接待过六位皇帝的“拙心园”却是名声最盛。园内湖石、假山出自首席叠石大家之手，一山一峰，生机盎然，一石一缝，交代妥帖，被先皇赞誉别开生面独步江南。要知道江南园林甲天下，可见拙心园的独具匠心，匾额楹联雕刻花木石碑，更是不计其数。徐脂虎亲自带路，一路上与鱼幼薇言简意赅说些园林构造的精髓。卢白颉与捧剑书童殿后，恰好李淳罡和姜泥以及靖安王妃走在最后，今日并未出剑的卢白颉向老剑神询问了一些剑道疑惑。老头儿当年与半个晚辈羊豫章有些善缘，也就没如何端架子，而卢白颉虽说性格是典型的世族风气，但终究人如剑意，并不古板拘泥，相谈甚欢。卢白颉只是眼角余光轻淡瞥了一眼裴王妃，就没有再看。

徐脂虎住在西北角落的写意园，院子不小，丫鬟却少得可怜，略显冷清，袁猛在内的凤字营都安排在隔得不远的两栋院子里，到了院门口，卢白颉再次作揖才离去。

进了院子，徐脂虎让贴身丫鬟二乔去端些冰镇梅汤来，坐下后，才问道："路上到底出了什么事情？"

青鸟将芦苇荡发生的一切如实禀报。

青鸟平静地娓娓道来，其中惊险，岂是简单的一句一波三折可以形容！

徐脂虎的脸色随着跌宕起伏，最后听到世子殿下安然无恙，才捂住胸口长长松了口气。

徐脂虎眼神古怪地转头望向到现在还没能坐下的裴南苇，这个无法无天的弟弟，真是出息了，连王妃都敢抢！

整个下午至黄昏，写意园风平浪静，徐脂虎都在跟几位女子问些有关徐凤年的事情，尤其喜欢听一些糗事。对于卢府情理之中的平地起波澜，徐脂虎没那个好心情去热脸贴冷屁股。丰盛晚饭过后，知书达理的书童前来轻轻叩响院门。

见到二乔，书童冷淡地生硬说道："我家主人要见你家小姐。"

气氛本就古怪，这句话说出口后就越发冷场。

二乔冷哼一声，丢下一句"知道了"，转身便走。

眼神清澈地望着她的背影，书童偷偷流露出一丝懊恼。

坐在湖畔亭子里的卢白颉微微一笑，自言自语道："少年已知愁滋味。"

徐脂虎走出园子，来到亭子坐下，有些愧疚地说道："这次给小叔添麻烦了。"

并无半点世家子陋习却有世族子孙古风骨气的卢剑仙摇头道："给小叔添麻烦算不上，只是如此一来，你以后在卢府就更难做人了。"

徐脂虎无所谓道："这算什么。无非就是在我面前笑得更假，在我身后笑得更冷。"

卢白颉叹息道："先不说二管事卢东阳，世子殿下指使扈从在闹市行凶杀人，那些人品行再不济，也是湖亭郡的读书人，其中一位还是役门子孙，如果中门不卸，小叔还能去兄长那里说上几句，由卢府来出面摆平这烂摊子，大不了就是给那几个小庶族一些抚恤银子，以及几份官衙俸禄。仅是用银子买命任谁都有怨言，可正儿八经的官职，大抵也能堵住嘴了，这等闹心违心事，为了你，小叔不介意出面破例一次。可拆去卢府中门，当着一整条街湖亭家族的面杀死卢东阳，二兄好面子，不落井下石，已算忍耐极限了。卢氏数百年沉浮，受过的屈辱其实不少，只是近百年坎坷渐少，今日受辱至此，恐怕家主都要动怒啊。"

徐脂虎默不作声。

卢白颉皱眉道："脂虎，此时此地，就你我二人，小叔有些话就直说了。你这做世子殿下的弟弟，行事怎么如此不顾后果？当真一点不顾及京城那边的看法吗？须知你父王再权势如日中天，终究还是树立了张巨鹿、顾剑棠这般可作王朝巨梁的政敌。再者，他这是要将泱州四族往北凉的敌对面推啊，许淑妃因你被贬入冷宫，若是皇帝陛下自己的想法倒还算好，若是皇后的意思，你觉得徐家在帝王心中还能剩下几分情谊？何况许淑妃是谁你还不知道吗，姑幕许氏这些年几乎可算是倾尽一族人力物力去给她铺路，遭此灭顶劫难，泱州四族，原本与我卢氏关系紧密的姑幕许氏，以后即便不会分道扬镳，也注定不能再像以往那般共同进退，与当年泉儿的暴毙如出一辙，黑锅还得由你来背啊。"

徐脂虎抬头笑道："习惯啦。"

卢白颉苦涩道："你啊你。"

徐脂虎靠着红漆廊柱，眺望远方，柔声道："我那弟弟去江心郡找那刘黎廷的晦气去了。"

卢白颉沉声道："难道他还要胡闹不成？真不怕无法收场？万一被有心人煽风点火，就不只是沽名钓誉之徒蹦出来了，牵一发而动全身，甚至整个江南道都要炸锅，你这些年还没看透所谓的江南道名士重名不重命吗？！"

"知道啊，早就看透了。青州重利，泱州重名嘛，江南道士子谁不推崇我公公当年那句'大义所在，虽死重于泰山'。"

徐脂虎眯起眼笑了笑，道："可是我这个弟弟，大概是我爹是北凉王的缘故吧，很多人拼了命都要攥在手里的东西，他都不怎么在乎的，可有些连贫苦人家都不那么在乎的东西，他却是最在乎了。小叔你与他说这些很有道

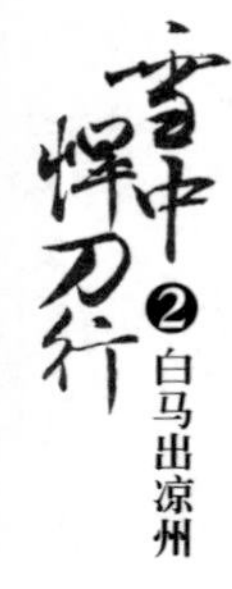

理的金玉良言，他多半是听不进去的。”

有棠溪剑仙美誉的卢白颉喟叹道：“拦住他不入卢府，你以后的日子会过得轻松些，可真去拦，且不说拦不拦得住，你肯定第一个跟小叔翻脸。”

徐脂虎不顾礼仪地捧腹笑道：“小叔这剑仙做得真可怜。”

卢白颉望着这闺女的笑颜，眼神有些哀伤。

当年那心仪女子也是这般笑脸天然的，自己若是再坚决一些，少些自己嘴上的道德和大局，是否就不会有遗憾了？

世间哪来那么多如果？

卢白颉闭上眼睛。

不远处，是书童与丫鬟在针尖对麦芒地闹别扭，这两个孩子会不会也是在多年以后才懂得“当时只道是寻常”的不寻常？

卢白颉离去后，徐脂虎便一直坐在凉亭中，枯等到深夜。

当那世子殿下出现在卢府外，白马拖着一具早已血肉模糊的冰冷尸体。

显然是从江心郡一路拖到了湖亭郡。

守在门口的卢白颉即使早有预料，见到这番场景，仍是感到无以复加的震惊。

徐凤年下马后，抬头望向卢白颉，因为大姐徐脂虎，他对这位棠溪剑仙并无恶感，只是看到卢白颉单手贴在剑柄上，以一把霸秀古剑拄地，徐凤年面无表情说道：“棠溪先生是想卖我几斤仁义道理吗？”

卢白颉冷哼一声，转身离去。

心中除了震惊还有疑惑。

这北凉王世子如何来得身负重伤？

徐脂虎一路跑，将丫鬟二乔远远丢在了后头，冲出卢府大门，离了很近，停下脚步，笑眯眯道：“呀，我们姐弟又闯祸啦。”

她并未察觉到徐凤年背后，是一整片的鲜血淋漓。

骑马拖尸过城门时，如一尾壁虎贴在孔洞顶壁上守株待兔的刺客一击得手，几乎刺碎了他的脊柱。

但徐凤年只是红着眼睛怔怔地望着她，柔声说道：“姐，我们回家好不好？”